PANORAMA CRÍTICO
SOBRE EL *POEMA DEL CID*

LITERATURA Y SOCIEDAD

DIRECTOR
ANDRÉS AMORÓS

Colaboradores de los primeros volúmenes

FRANCISCO LÓPEZ ESTRADA

Panorama crítico sobre el sobre el *Poema del Cid*

EDITORIAL CASTALIA

Copyright © Editorial Castalia, 1982

Zurbano, 39 - Madrid (10). Tel. 419 58 57

Cubierta de Víctor Sanz

Impreso en España - Printed in Spain

Unigraf, S. A. Fuenlabrada (Madrid)

I.S.B.N.: 84-7039-400-2

Depósito legal: M. 36640-1982

SUMARIO

INTRODUCCIÓN   9

1. EL CÓDICE DEL *POEMA DEL CID*
   Problemas sobre la fechación y el autor. Tradicionalistas, oralistas, individualistas y eclécticos   13

2. UNIDAD Y COMPOSICIÓN DEL CONTENIDO
   DEL *POEMA DEL CID*
   Historia y ficción   49

3. LOS PERSONAJES DEL *POEMA DEL CID* Y SU
   CARACTERIZACIÓN LITERARIA 105

4. CONFIGURACIÓN LITERARIA
   DEL *POEMA DEL CID*
   Precedentes, influjos, lengua, versificación, poética
   y estilo 189

5. POSTERIDAD DEL *POEMA DEL CID*
   Crónicas históricas, erudición e historia de la Literatura. Actualidad del *Poema del Cid*. Valoración
   estética. Bibliografía 257

BIBLIOGRAFÍA 299

ÍNDICE DE AUTORES, PERSONAJES DEL *POEMA
DEL CID* Y MATERIAS TRATADAS 323

ÍNDICE GENERAL 335

ÍNDICE DE LÁMINAS 339

Dedico esta guía para mejor entender el Poema del Cid *a mis alumnos de tantos lugares con los que leí una y otra vez la obra.*

INTRODUCCIÓN

Este libro aparece paralelo a la novena edición de mi versión moderna del *Poema del Cid,* publicada en la Colección «Odres Nuevos» de esta Editorial Castalia. Durante años he recogido y leído la bibliografía sobre el *Poema del Cid* y la he utilizado en el prólogo y para realizar de la manera más ajustada posible la mencionada versión. El cúmulo de las notas reunidas con este fin son la base de este *Panorama crítico* sobre el Poema, que se establece con el propósito de ofrecer una información destinada a acompañar su lectura y para ayudar a su inteligencia poética.

Conocer el *Poema del Cid* es un medio importante para el planteamiento del estudio de la épica medieval española; esta obra es la más completa y casi única que nos quedó, en cuanto a su texto, de este género literario. Por eso originó un gran número de trabajos de todas clases (lingüísticos, literarios, históricos, etc.) que con frecuencia, más allá del Poema propiamente dicho, se adentran en el dominio de la épica medieval vernácula.

Por este motivo, en el *Poema del Cid* han convergido las diferentes técnicas y procedimientos del estudio de la Literatura que le eran aplicables y que también lo eran al género. Por esto la hallamos en el mismo centro de la polémica que en los últimos años conmueve los principios y la teoría de la investigación filológica. Así ocurre con la corriente historicista, de índole diacrónica (llamada también tradicional) y la corriente descriptiva o de la nueva orientación sincrónica; añadamos que la corriente oralista también se ha tenido en cuenta en la consideración del Poema, y asimismo cuanto afecta a una nueva concepción de la textualidad. Señalaremos que aquí nos hemos de referir a todas estas corrientes de la crítica y a otras más, pues el propósito de estos diferentes modos de concebir el estudio de la obra tiende a poner en claro aspectos distintos de la misma. Si en algún caso —y esto es frecuente en la vanguardia de la investigación en la Ciencia de la Literatura— se ha producido una situación polémica, nos referiremos a ella, pero siempre procurando que su exposición no perturbe la objetividad de este libro. Además, la Historia y la Lingüística serán disciplinas auxiliares en la consideración de nuestro objeto, la una por el carácter peculiar del *Poema del Cid*, y la otra porque la obra se nos ha transmitido por medio de un texto único que es el documento lingüístico básico para estudiar la épica española.

Por tanto, este libro pretende alinearse entre los manuales de condición universitaria, en primer lugar por su fin informativo y por la confluencia de cuestiones que entrarán en el estudio del *Poema del Cid;* sin embargo, aun considerando el propósito de objetividad que me guía, no dejo de enfocar algunas cuestiones de una manera personal. No olvido que se trata de estudiar *una* obra determinada y por eso procuro considerarla en su *unidad* original (en, desde, lo más cerca posible de las condiciones de su origen), pero, al mismo tiempo, también tengo en cuenta lo que el *Poema* representó para las posteriores generaciones de oyentes y lectores hasta llegar a nuestra época. Cuando me refiero a lo que la obra medieval puede representar hoy, lo hago obedeciendo al propósito de reconocer lo que el *Poema del Cid* vale en la cultura española de nuestros días. Para mí es un caso semejante a lo que ocurre con la *Chanson de Roland* en la cultura francesa, a lo que los Nibelungos en la alemana o a lo que Arturo y su ciclo en la inglesa. La significación de lo que puedan representar estas obras para una nación europea puede ser diferente según los lectores pero su conocimiento es común a todos, pues son las primeras de las literaturas «modernas». Desde su aparición —tan difícilmente documentable— hasta hoy siguen hallándose en el fondo de una tradición que aún permanece viva; es decir, siguen siendo «poéticas» en un grado activo.

Este libro no pretende agotar el asunto que expone: un *Panorama* no es plano pormenorizado y completo, sino una perspectiva indicativa, lo mejor situada posible con respecto a un conjunto. No he podido incluir en él todo el material de que dispongo, pero he procurado que contenga las referencias necesarias para que, por medio de otras obras que cito, el lector pueda, con una limitada orientación previa, llegar al mayor número posible de los trabajos que se han escrito sobre el *Poema del Cid*. He preferido referirme a los estudios más recientes sobre la obra, pues los que han aparecido hace algunos años ya no presentan tanto interés para el estudioso actual y además se encuentran relacionados en las bibliografías que citaré en su lugar. No obstante, si en estos estudios existe algo que me conviene mencionar como precedente o como contraste, los tomo también en consideración.

Las cifras que figuran al lado de la mención de un crítico o de su cita entre paréntesis corresponden al año de publicación de la obra que menciono y cuya referencia extensa se encontrará al fin en la Bibliografía de este Panorama, donde se hallan consignadas por el orden alfabético de los autores; si en esta referencia bibliográfica hay una [cifra] entre corchetes, indica que esta fue la primera edición de la obra o artículo en cuestión; si, en el paréntesis del estudio, hay otra cifra a continuación es la de la página o las páginas en que se encuentra la cita o el fragmento más importante de lo que quiero mencionar. La abreviatura v. acompañada de una cifra, entre paréntesis todo, indica el verso o los versos del *Poema del Cid*, generalmente o de la obra indicada que he citado o a los cuales me refiero en lo que estoy diciendo.

He querido evitar la tentación del uso de siglas y abreviaturas y sólo he empleado las siguientes:

PC   *Poema del Cid*
PMC   *Poema de mio Cid*
CMC   *Cantar de mio Cid*

Elegí la primera para designar la obra estudiada y de las otras me valgo en las referencias de los libros y artículos pertenecientes a los autores que las prefieren.

Para las citas de este *Panorama* he adoptado un criterio que respeta, en primer lugar, el texto del códice de Madrid, establecido por la edición paleográfica de Menéndez Pidal; he elaborado este texto para su mejor lectura de acuerdo con las normas señaladas en mi *Introducción al estudio de la Literatura medieval española* (1979), de manera que no resultase afectado el valor filológico de las grafías, y he aprovechado la erudición filológica acumulada en las precedentes ediciones cuando así lo he creído conveniente. Es un criterio en cierto modo ecléctico y establecido con un sentido práctico, que no pretende sustituir a ninguna de las ediciones que menciono en el lugar adecuado.

En una obra de esta clase no se puede satisfacer a todos; es muy posible que otro autor, en mi misma situación, hubiese elegido otras referencias para apoyar su exposición, o sea otra perspectiva ante el panorama. Así lo acepto anticipadamente. Estas son —a mi juicio— las noticias que estimo que debe conocer quien quiera tener una primera información crítica de la obra, válida para acompañar una lectura de la misma. He procurado plantear las cuestiones con la mayor claridad posible para que el lector penetre en los diferentes problemas que ofrece la obra y sepa en qué términos se plantean. La nuestra es la aventura de la interpretación, siempre abierta y libre en tanto que responsable. El texto del Poema es nuestro objetivo; se trata de una escritura lejana pero no ajena, que siempre espera una cada vez más ajustada inteligencia literaria.

1

EL CÓDICE DEL *POEMA DEL CID*

Problemas sobre la fechación y el autor.
Tradicionalistas, oralistas, individualistas
y eclécticos

1

1.1. En un principio, siempre el códice

El *Poema del Cid* se conserva en un códice que hoy se guarda en la Biblioteca Nacional de Madrid como uno de los tesoros bibliográficos más preciados. Este códice es la base principal de nuestro conocimiento del PC y su edición, lectura y estudio han sido el fundamento de los trabajos de erudición, historia y crítica que, dentro de la Ciencia de la Literatura, se han realizado sobre esta obra.

La obra conservada en el códice de Madrid aparece, en una consideración de la Literatura vernácula primitiva, relativamente aislada. Si observamos el conjunto de la épica española, ocurre que son pocos los Poemas que conocemos y todos presentan incompleto el texto (sobre el conjunto de la épica española Menéndez Pidal ha escrito una * *Historia de la épica* que se publicará en la colección de *Obras Completas* del mismo, según anuncia D. Catalán, 1979, 83). De la épica española quedan, según A. Deyermond (1980, 83) unos 8.000 versos (de los que 3.730 pertenecen al PC, el más completo de ellos, o sea casi la mitad) frente al millón aproximado que se conservan de la épica francesa. Se plantea, por tanto, en el principio la cuestión de saber si esta situación tan dispar en una y otra Literatura es consecuencia de una pérdida de textos o si es que hubo pocos Poemas en relación con los muchos de la épica francesa. En cuanto a esto, Menéndez Pidal en sus varias obras (en especial, 1951) se muestra propicio al posible reconocimiento, a través de referencias secundarias, sobre todo de índole cronístico, de un cierto número de Poemas que presume hayan existido, mientras que los más recientes investigadores, como A. Deyermond (1977 y 1978), son mucho más cautos en la interpretación de estas noticias indirectas.

Nuestro propósito es el estudio del *PC* pero, por lo que representa esta obra como testimonio poético casi único por la extensión de su texto y por la perfección del mismo, tendremos que referirnos con frecuencia a cuestiones relativas al género de la épica vernácula medieval, dentro de la cual se sitúa y a la que, por este azar de la conservación documental, la representa en muchas ocasiones.

En lo que toca al *PC*, resulta evidente que el códice conservado es un texto perteneciente a una determinada serie de Poemas en la que está comprendida la obra que examinamos. La posible existencia de otros *Poemas del Cid* adscribibles a esta serie será discutida en las próximas páginas a través de las interpretaciones de los críticos. La base fundamental del estudio del *PC* se ha de limitar, por este motivo, al códice subsistente; no ocurre como en otras obras medievales —por ejemplo, con el *Libro de Buen Amor*— en las que se plantea la previa cuestión de fondo de ordenar y relacionar los textos de varios manuscritos con lecciones diferentes de una misma obra. En este caso, todo habrá de establecerse tomando como centro el *PC* del códice.

Conviene decir que Rodrigo Díaz de Vivar, el héroe del *PC*, fue personaje de gran fortuna literaria y que aparece en otras obras medievales. Así se halla como personaje central de otra obra épica que se conserva en un códice de la Biblioteca Nacional de París, refundición que realizó un clérigo de la diócesis de Palencia hacia 1360-1370 de una Gesta de las mocedades de Rodrigo (perdida y que dejó huellas en Crónicas). Este otro Poema ofrece un texto maltrecho, al que me referiré más adelante. Se trata de una obra que pertenece a otra serie épica diferente de la serie que hemos indicado es la propia del *PC*. Menéndez Pidal persigue esta fortuna del Cid en la Literatura, de tal manera que abre un capítulo de su libro sobre la epopeya castellana sólo con el tema de Rodrigo y de Jimena (1945a, cap. IV).

Por tanto, el estudio de la figura de Rodrigo en el *PC* será sólo un aspecto de la múltiple configuración literaria de esta personalidad histórica, convertida, de diversas maneras, en personaje literario. Conviene, pues, penetrar en el motivo de este *Panorama* indicando que de este conjunto de obras tocantes, en forma total o parcial, a Rodrigo Díaz de Vivar, el *PC* destaca principalmente por ser la primera obra en lengua vernácula que conservamos de la épica española, y la única que nos ha llegado, casi completa, de la serie a que pertenece en relación con el Cid heroico que pone de manifiesto. La entidad literaria que nos ofrece el *PC* conservado en el códice de Madrid constituye una unidad textual suficiente como para considerarlo una obra con una constitución poética total y acabada.

El estudio del *PC* plantea, en principio, numerosas cuestiones; y una de las más importantes es la preparación del lector actual para percibir su contenido poético de una manera satisfactoria.

El *PC* queda lejos de nuestro tiempo y, en consecuencia, de nuestro habitual contorno literario: hoy ni se escriben poemas épicos en verso ni se leen con el objeto de entretenerse, a no ser que queramos conocer la obra por algún motivo exterior a la misma: para su estudio en los cursos de la Literatura española o, de una manera más general, para extender nuestra formación literaria. En consecuencia, el *PC* atrae sobre todo la atención de los investigadores de la Literatura y algunas veces de los de la Historia del Arte y de la Estética, si consideramos la trascendencia de su forma y contenido, o de la Lingüística si la inmanencia del texto. En este sentido se han realizado numerosos estudios de signo positivista sobre el poema (fijación del texto, vocabularios, concordancias, listas de sus elementos, establecidas por computadoras, etc.). Por otra parte, la peculiar constitución del *PC* obliga a plantear la cuestión de la relación entre esta obra literaria y la Historia. Junto a los estudios sobre aspectos concretos de la obra, abundan otros que son tanteos,

interrogantes, propuestas de solución a problemas de toda
índole que ofrece el texto, observaciones, hipótesis y afirma-
ciones o negaciones basadas en teorías previas; y todo esto
con el fin de arropar el único gran Poema que se nos conserva, rodeándolo de un «aparato crítico» que de algún modo
nos permita «entenderlo» poéticamente, percibir su contenido de una manera más plena y así volverlo a convertir en
lectura «actual» de una obra que es irremediablemente un
testimonio de primer orden en el pasado literario y una
pieza clave de la tradición cultural de la Edad Media española.

Toda la labor acumulada revierte en esta última realidad
poética irreemplazable: el códice con el texto del PC, que
será el primer objeto del estudio. La inmediata realidad objetiva que se nos ofrece es el material (pergamino grueso, 74
hojas más las dos, de guardas) y la letra, que ofrece el aspecto de ser una derivación de la gótica con rasgos más anchos
y redondos, propia para la escritura de códices. Menéndez Pidal (1956a, 4-6) dice que la opinión más general «es que la
escritura del códice del CMC corresponde, con seguridad, al
siglo xiv» (idem, 6).

No sabemos dónde, ni con qué fin ni de qué manera se
escribió el PC en el códice que lo conserva; en seguida me
referiré a las circunstancias de su escritura pues en su discusión se inician ya las teorías divergentes sobre la interpretación de la obra. Lo que parece más plausible es que andu-
vo en manos clericales, pues en el reverso de la hoja 74 se
copiaron en el siglo xiv las primeras líneas de una traducción castellana de la *Altercatio Hadriani Augusti et Epicteti
philosophi* y se escribieron varios renglones en latín eclesiástico, entre ellos el comienzo del Salmo 109. El texto ofrece
correcciones de varias manos, algunas del propio copista
según Menéndez Pidal (idem, 7-10). Es probable que el códice fuese a parar al Consejo de Vivar por razón de la nombradía del Cid, el más ilustre y famoso hijo del lugar, en
cuyo archivo se conservaría como una reliquia histórica; el
20 de octubre de 1596 lo copió Juan Ruiz de Ulibarri y Leiva
(ms. 6328, Biblioteca Nacional de Madrid). Poco después,

el benedictino fray Prudencio de Sandoval, al que mencionaré más adelante, tuvo ocasión de verlo, pues se refiere a él denominando el contenido «unos versos bárbaros notables» (1601, fol. 41, b). De algún modo pasó al convento de las monjas de Santa Clara. En el siglo XVIII Eugenio Llaguno y Amírola se lo llevó de Vivar para que Tomás Antonio Sánchez realizase su edición (1779).

Lo que sigue luego entra en el dominio de la historia de la Literatura que, de una manera metódica, se inicia durante este siglo XVIII y de la que me ocuparé en la Parte 5 de este *Panorama*.

Después de una larga peregrinación el manuscrito llegó a la Biblioteca Nacional de Madrid, donado por la Fundación March que lo había comprado a su último poseedor, Roque Pidal y Bernaldo de Quirós. La conservación del códice no es buena; ya Menéndez Pidal señaló que el mencionado Juan Ruiz de Ulibarri puede que ya hubiese usado reactivos para su lectura y esto prosiguió después (1956a, 10-12) con el resultado de que el manuscrito se encuentra en una «preciosa y fragilísima ancianidad», según I. Michael (1981, 54), editor de la obra que pudo leer algunas partes con ayuda de la lámpara de cuarzo. El asunto ha repercutido incluso en la prensa diaria. Angel Luis López ha escrito: «Con el deterioro del códice del *MC*, que avanza sin poder impedirlo, la cultura española está perdiendo uno de sus documentos más valiosos» (*Ya*, 5 septiembre 1981, 33).

El códice ha sido reproducido en edición facsímil en 1946 (Conmemoración del Milenario del nacimiento de Castilla, Madrid), de buena calidad, y en 1961 (con motivo de la donación del códice a la Biblioteca Nacional de Madrid), no tan lograda como la anterior, repetida en 1977 (por los Servicios de Publicaciones del Ministerio de Educación y Ciencia).

1.2. FECHA DEL *PC*

De este códice de Madrid partimos para las primeras cuestiones objetivas: una de ellas es la fecha de la composición del *PC;* la problemática sobre este asunto está recogida por M. Magnotta (1976, 17-37 y 208-18). Si bien figura en el explicit (o conclusión formularia final) del mismo una cifra de fechación, los problemas se levantan en seguida en torno de ella. Al fin del códice aparece escrito

> Quien escrivió este libro, dé'l Dios parayso, amén.
> Per Abbat le escrivió en el mes de mayo,
> En era de mill e CC[...]xLv años...

(v. 3731-3733)

En primer lugar me referiré a la fecha. La *era* mencionada lo es del César o hispánica; esta *era* se refiere a la cronología usada por los Reinos cristianos de la Península Ibérica (excepto la parte de Cataluña), que comenzaba a contar del año 38 a. de JC; por tanto, la mencionada era de 1245 equivale al año 1207 del cómputo cristiano o común (La era cristiana se implantó en Aragón en 1350, en Valencia en 1358, en Castilla en 1383, y en Portugal en 1422). La tachadura indicada [...] pudo servir para borrar otra C, y en ese caso lo que primero se escribió fue «era de 1345» (o sea año 1307 de nuestro calendario). ¿Por qué se borró el signo? ¿Qué signo era? Ya T. A. Sánchez supuso que el copista pudo raspar un signo escrito por error; o que alguien lo hizo después para «envejecer» de esta manera el manuscrito.

Ante esta situación cabe pensar que son posibles varias interpretaciones. La primera cuestión es si Per Abat fue el copista del códice conservado o si el explicit ya estaba en el texto que un copista estaba trasladando. Otra cuestión es si reconstituimos la *C* y entonces la fecha es 1345 de la Era (1307); o si admitimos que, en efecto, debió borrarse y entonces la fecha es 1245 de la Era (1207).

De todas maneras lo evidente es que el códice representa la labor de fijación de un texto literario o según unos, previamente escrito (por vez primera, poco probable, o a través de copias, lo más probable); o según otros, comunicado oralmente para su escritura. Resulta muy difícil admitir que el códice de Madrid sea una primera versión; lo más probable es que proceda de la copia de otro que el escribano tendría delante o le dictarían de otro códice, si se admite la tradición escrita; o que fuese un texto dictado por alguien que lo conservaba a través de una tradición oral, memorística o formulística; o que ambas vías se hayan mezclado a través de una sucesión de versiones, imposible de conocer. Con esto hemos dado en una de las cuestiones más difíciles de la literatura de orígenes: el establecimiento de las vías escrita y oral de los textos en las obras primitivas, y la relación y cruces que pudieran haber existido entre ambas vías. Es indudable que o en la una o en la otra de las vías o en su mezcla, el texto del *PC* obtuvo un grado de fijación necesario como para que la obra quedase asegurada en la unidad poética que constituye en sí, identificable, en cierto grado, por el público coetáneo y por la tradición difusora posterior. Desde la fecha en que se escribió el códice y gracias a su afortunada y peregrina conservación, existe para nosotros el *PC* como obra literaria.

Este múltiple planteamiento de las circunstancias de la escritura del códice de Madrid vale sólo para establecer la posible fecha del trabajo de su fijación material. Para la Historia de la Literatura conviene establecer la fecha de lo que llamaremos su «composición», o sea, la formulación literaria que hizo posible la existencia del *PC*, y de la que el códice de Madrid depende de una manera más o menos cercana, según los críticos.

Por de pronto, hay un punto de partida para la cuestión de la fecha: Rodrigo Díaz nació hacia el año 1040 y murió en 1099. La teoría de que el *PC* es una obra de fuerte tensión histórica acercará la hipotética composición inicial a la vida del Cid; los que entienden que es una obra con un intenso contenido de ficción la alejarán de su vida. La cuestión, sin embargo, no es tan sencilla, pues los factores que entran en consideración son de muy distinta procedencia y muchas veces de difícil cronología.

En principio cabe señalar que los planteamientos que realizaron los iniciadores de la crítica del *PC* en el siglo XVIII orientan en gran parte las investigaciones siguientes; en este sentido es curioso consignar que los opúsculos de R. Floranes, que recoge sus notas a la edición del *PC* de T. A. Sánchez, y la respuesta de éste representan una controversia en la que apuntan muchas cuestiones que después se desarrollarían (véase M. Menéndez Pelayo, 1908).

T. A. Sánchez, que vivió de 1723 a 1802, ya llama al *PC* «narración histórico-poética» (1908, 401); en su edición conjeturó (1779, I, 220-230) por el lenguaje y estilo que el *PC* era anterior a Berceo y que se «compuso a la mitad, o poco más, del siglo XII, acaso medio siglo después de la muerte del héroe...» (idem, 223); por motivos históricos, la mención del «bon emperador» (v. 3003), Alfonso VII, señala que debe «colocarse después del año 1157 [en que éste murió] y antes del 1200...» (II, 1 y 1908, 405).

Con esto se marcan las dos fuentes de motivos más importantes que intervendrán en las discusiones sobre el *PC*: las lingüísticas (que irán ganando precisión a medida que se conozcan más textos de la épica, de cualquier índole, como indicaré en la Parte V al ocuparme de la lengua del *PC*), y las históricas (que se basarán en las referencias onomásticas, geográficas y de sucesos que aparecen en el *PC* y en su variada interpretación, según veremos más adelante); ambas se desarrollarán en el siglo XIX y en el actual, en el que han intervenido también los motivos estrictamente literarios, si bien en menor cuantía, por la gran dificultad existente para la cronología y el conocimiento textual de la literatura primitiva.

En una posición contraria a la anterior, Rafael Floranes, que vivió de 1743 a 1801 (1908, 360), dio como fecha de la composición el año 1245, basándose, entre otros motivos, en la indicación de los versos finales (v. 3723-24) de que el Cid llegó a ser después de su muerte pariente de reyes de España, y esto sólo ocurrió después de 1221; para esto cree Floranes que se olvidó, además de tachar la *C*, de enmendar *era* por *año* (1908, 359). Andrés Bello lo situó entre 1207 y 1230 y otros más le acompañaron en esta opinión (véase M. Magnotta, 1976, 20-23).

Desde que Menéndez Pidal, con diversos motivos, fijó en 1908, la fecha de 1140, la polémica prosigue. El examen de los datos internos y externos del *PC* ha aportado pruebas muy diversas en uno u otro sentido. Así es el caso de los aspectos numismáticos del *PC*, que hizo que F. Mateu llegase a la conclusión de que «su autor vivió en el primer tercio del siglo XII, según las monedas» (1947, 56). Pero en otra disciplina histórica P. E. Russell encuentra motivos para creer que la composición fue posterior a 1178 por la referencia a la carta enviada por Alfonso VI a los ciudadanos de Burgos (v. 23-48), pues los sellos pendientes sólo comenzaron a usarse a fines del siglo XII y comienzos del siglo XIII (1978e, 16-24). No obstante, P. N. Dunn (1975) estima que es probable que la referencia sea imprecisa, dado que lo es el documento referido y la circunstancia en que se exhibe pertenece a la parte ficticia de la obra.

Los editores recientes del *PC*, teniendo en cuenta la bibliografía reunida sobre el asunto, se inclinan por las fechas avanzadas; así I. Michael «probablemente hacia el final del siglo XII o el comienzo del XIII, tal vez entre los años 1201 y 1207», (1981, 58) y C. Smith propone que, como solución más evidente, «la fecha que aparece al final del texto —1207— es correcta» (1976, 41).

En un repaso del problema D. W. Lomax (1977) señala que la tendencia de los últimos críticos es alejarse de 1140 (y, por tanto, de la posibilidad de una memoria cercana de los hechos), y se acercan o sitúan en 1207, fecha que figura en el códice y que conviene, según él, con algunos aspectos lingüísticos. Venimos a dar, pues, en el reinado de Alfonso VIII (1158-1214), para los que prefieren la fecha avanzada, mientras que los que proponen la fecha anterior indican que el autor tuvo muy en cuenta la memoria de Alfonso VI y en particular los desposorios entre Blanca de Navarra y Sancho III de Castilla, contraídos en 1140. Estas y otras indicaciones se exponen en M. Magnotta, 1976, 23-37, a las que hay que añadir las puntualizaciones de R. Lapesa, unas de carácter lingüístico (1980b) y otras, histórico (1982) que critican algunas de las objeciones hechas a los trabajos de Menéndez Pidal y a las que me referiré más adelante.

La tesis de la fecha avanzada y de la relación con Alfonso VIII aparece defendida por M. E. Lacarra (1980) en un libro en el que se examina el material acumulado, al que añade sus propias investigaciones a las que tendré ocasión de referirme más adelante: los procedimientos jurídicos de la *ira regia* y los de las Cortes, las referencias a los documentos sellados, la táctica guerrera y el reparto del botín, el énfasis en la mención del dinero monedado, la presión social que se percibe procedente de la nueva clase social burguesa sin que suponga deterioro de los fundamentos de la nobleza (entre otros argumentos) le llevan a la conclusión de que el Poema data de fines del siglo XII o comienzos del XIII.

La cuestión no está resuelta con una propuesta que admitan todos los críticos. Incluso J. M. Aguirre (1968, 28-30), apoyándose en una concepción oralista del *PC*, indica que el problema carece de sentido, pues cada emisión de la obra, desde su mismo origen, se establece en el curso de una tradición continua, intermitente en sus realizaciones poéticas concretas, en la que puede mezclarse el arcaísmo genérico propio de la obra con la novedad que supone cada interpretación.

De todas maneras, la cuestión de la fecha y del autor del *PC* ha arrastrado consigo el problema de su originalidad, entendiendo esta palabra en un sentido etimológico, o sea la relación que el texto del códice de Madrid pudiera tener con un * texto, oral o escrito, que fuese el que le dio origen en el sentido de que lo hizo posible como punto de partida. Tanto los partidarios de una procedencia juglaresca como los del autor individual coinciden en que la forma del *PC* del códice de Madrid requiere otros antecedentes, o sea que se trataría siempre del texto de un autor-refundidor. En el caso de los juglares porque cada uno de ellos actúa, según digo más adelante, como un refundidor en potencia, pues cada audición supone un cambio, mínimo, menor o mayor, con respecto al prototipo que recuerda o que reinventa el juglar. Y en el caso del poeta porque hubo una elaboración de un material precedente, que es posible fuese de algún modo literario, además de noticiero o documental.

Apurando así la cuestión, cabe esforzarse todavía más y proponer un examen en profundidad para tratar de percibir varias situaciones precedentes que fueran también *Poemas del Cid* en un sentido de participación con el *PC* conservado. Así ha ocurrido con Menéndez Pidal (1970a, 171-173), que, al admitir (como veremos en el epígrafe siguiente) dos autores en la elaboración del *PC*, establece dos posibles fechas: una, temprana, que no sería posterior a la primera década del siglo XII, hacia 1105, y otra, que sería la forma conservada a través del códice, hacia 1143.

E. von Richthofen propone una sucesión de estados que alínea de esta manera:

1. En el origen de la evolución de la epopeya cidiana estaba el diario de guerra; 2. Después de los sucesos significativos y particularmente a consecuencia de los hechos heroicos y gloriosos se resumían textos escogidos del diario de guerra a fin de publicarlos en forma de noticiero; 3. Un poeta (o varios poetas épicos) se servía(n) de la misma fuente para transformarlos en «gesta» —o crónica— rimada, conservando sus detalles más característicos pero introduciendo algunas ligeras modificaciones, sin dejar de observar al mismo tiempo la técnica cíclica de los noticieros; 4. Finalmente llegaron los refundidores a los que debemos los elementos legendarios añadidos, las ampliaciones o continuaciones inventadas y la historiografía confundida (1970, 142).

Esta hipótesis se completa con la propuesta de interpretación vertical del *PC*, a la que me referiré más adelante.

Por su parte, J. Horrent (1973a, 310-11), ofrece otra explicación, pues establece con indicios un rastreo textual; así le parece que pudo existir una forma del *PC* temprana, como veinte años posterior a la muerte de Rodrigo (1099);otra, arreglada entre 1140 y 1150; y otra más, modernizada hacia 1160, realizada en tiempos de Alfonso VIII, rey que desciende del héroe castellano. Esta última es la que nos ha llegado gracias al códice escrito por Per Abat, que copiaría un modelo de 1207.

En su último trabajo sobre el Poema (publicado póstumo, 1982, pp. XX-XXIV) se inclina por situar el «original» del *PC* hacia 1130.

Las exploraciones sobre lo que pudiera haber habido detrás del texto del códice de Madrid obligarán a un replanteamiento de la fecha de su composición, problema en cuya compleja fijación (aun aproximada) entran numerosos factores, como iremos notando en los próximos epígrafes.

1.3.   La problemática de fondo

La cuestión de la fecha de la composición de la obra conduce directamente al problema de quién haya sido su autor, tal como trata en una información general M. Magnotta (1976, 38-77). Este asunto no puede plantearse de una manera aislada, pues las propuestas de su solución dependerán del concepto general que se tenga de la épica medieval vernácula. Una obra literaria es siempre un determinado uso del lenguaje, establecido en el cauce de una poética genérica. ¿Es el *PC* obra de un autor único? ¿Es el resultado de las colaboraciones sucesivas de coautores que, modificando sucesivamente los textos, nos conducen hasta el códice conservado? ¿Resulta innecesario buscar un «autor» por cuanto la obra del manuscrito es la elaboración de sucesivos intérpretes dentro del cauce de una «tradición poemática» establecida y conservada en la memoria de los juglares o rehecha en cada ocasión dentro de una improvisación de carácter oralista? Estas y otras interrogaciones se han venido planteando desde las primeras críticas del *PC*, y aquí sólo mencionaremos las teorías más recientes y que mejor sirvan para entender el problema en los términos actuales de la investigación, aunque no se resuelva el caso.

El *PC* es evidentemente una obra de creación «sostenida»; queremos con ello decir que, en cualquiera de las teorías que se propugne, se requiere que haya habido un esfuerzo continuo, mantenido en vigor hasta lograr llegar al fin de la obra de gran extensión. Cabe pensar en las diferentes soluciones que hemos apuntado entre los interrogantes anteriores:

1)   El autor es culto en un sentido amplio del término; es decir, actúa como un creador literario que expone con un criterio poético el contenido de la obra. Entonces hubo de actuar como un *dictator* que compone la obra al tiempo que o la escribe él mismo o la dicta a un copista. Esta labor sería difícil y compleja, dadas las condiciones de los escritorios medievales; lo es hoy cuando un autor escribe una obra y dispone de un aparato de fichas, papeles y libros y se vale de borradores sobre los que configura la obra. Aun en este caso, el autor habría de poseer un profundo conocimiento de la Poética correspondiente, un acusado sentido rítmico para el verso y un uso muy ágil de fórmulas y procedimientos de composición que le permitiesen urdir los episodios de la larga obra.

2)   El copista traslada el texto de otro códice que tiene delante o que le dictan. Esta labor pudo variar: por de pronto la copia a la vista o al dictado acomoda, por lo general, la grafía al sistema que use el copista y esto trae una matización dialectal que se encuentra con frecuencia en los diversos manuscritos de una misma obra. Más allá de una copia cercana se encuentran las re-composiciones (o refundiciones) que alejan la obra del texto o textos primeros. Entonces hay que conjeturar si podemos considerar la obra copiada como perteneciente a la misma serie (en nuestro caso representada por el códice de Madrid).

3)   El copista toma el texto al oído de alguien que conoce su contenido (entonces el *dictator* sería un juglar). Esto plantea los problemas del paso de la literatura oral a la escrita, y la adaptación de la primera a los procedimientos de la segunda. Por de pronto nos encontramos con el problema de identificar la procedencia de la versión oral que el *dictator*, juglar en este caso, comunica al copista; y luego se encuentran los problemas del ajuste entre los textos oral y escrito para que la copia resulte lo mejor posible.

De una u otra forma, esta cuestión de fondo aparece en las diferentes interpretaciones de la composición del *PC*. Algunos críticos las estiman incompatibles, pero en seguida aparecen posibles conexiones entre ellas: un autor del grupo primero puede ser un «juglar» en el sentido de que conoce los procedimientos de comunicación de la obra; un copista del grupo segundo puede alcanzar categoría poética de creador si refunde y renueva el material con genial habilidad; un *dictador* del grupo tercero puede unir a su función interpretativa una facultad de invención, en el mismo curso de la comunicación, de efectos creativos.

En cuanto al *PC*, también aquí poseemos un dato básico en el explicit del manuscrito, pues en uno de los versos finales a que nos referimos en el epígrafe anterior y que volvemos a copiar, se lee:

> Per Abbat le escrivió en el mes de mayo...
>
> (v. 3732)

La acepción común de *escribir* es «poner en escrito»; de esta manera aparece dentro del *PC* (v. 527, 1259, 1773 y 1956). No implica, pues, necesariamente actividad de creación literaria.

Sabemos poco sobre lo que se hacía en los escritorios en el caso de estas obras primitivas; aun tomando la palabra *escribir* en su significación más elemental («trazar las letras sobre el pergamino o papel»), Per Abat fue un *escrividor* (según la palabra usada por Berceo, *Vida de Santo Domingo*, 386d, que sacaba por escrito los relatos que le contaban del Santo); fue *escritor* en el sentido inicial de la palabra: sabía escribir y esto implicaba mucho. Por de pronto, por eso sólo cabe adscribir a Per Abat entre los clérigos que poseían la técnica de la escritura y a los que me refiero más ampliamente en un próximo epígrafe y, a su vez, esto trae consigo que alguien representativo y con medios para ello entendió, en una determinada situación cultural, que el *PC* era una obra a la que merecía aplicarse la técnica de conservación escrita del texto. Una copia de esta especie no se hizo sin alguien que cubriese el dispendio que supone la labor material de la escritura, pues requiere las hojas de un códice extenso y un trabajo de copia de muchas horas, y después necesita que haya existido una biblioteca en la que se haya guardado el códice, desde donde pasó a Vivar.

Ahora bien, frente a este Per Abat que dejó en el códice de Madrid (al menos) la señal de su identidad como *escritor* del *PC*, se encuentra la tesis que propone que el Poema fue obra de juglares y mantenida y difundida por juglares, y que la aparición de este nombre concreto es un episodio secundario en la historia literaria del *PC*.

1.4. LOS JUGLARES EN RELACIÓN CON EL ORIGEN DEL *PC*

Para poder plantear este asunto hemos de comenzar indicando que la noticia de la vida hazañosa de Rodrigo Díaz de Vivar se difundió por otros medios que el códice de Madrid y los otros de la misma familia. Estas noticias es posible que ya desde pronto tuviesen un carácter legendario que tempranamente se encauzó por varias vías literarias, algunas de las cuales conocemos, como digo más adelante. El texto conservado es sólo un testimonio escrito en forma de poema épico en lengua vernácula. El mismo texto, por su organización estilística, permite suponer que la difusión del Poema se realizó por la vía oral y que los intérpretes fueron juglares que lo dieron a conocer ante una variedad de públicos en tanto que la épica vernácula se mantuvo vigente como género literario activo.

La crítica romántica, como señala W. D. Lange (1982) en el estudio de estos precedentes, apoyándose en el prestigio que obtiene la idea del pueblo como creador de poesía, y en una concepción de los juglares como vates populares, sigue caminos que conducen hasta Menéndez Pidal, que depura y actualiza esta corriente en su teoría de la épica española; él juntó (1957) la más abundante información existente sobre esta figura variopinta del juglar medieval y sus numerosas actividades lúdicas. De los juglares hemos de hablar en varias ocasiones; aquí toca considerarlos en cuanto a su intervención en la composición del Poema y, en particular, de esta versión que Per Abat «escribió» con su letra en el manuscrito de Madrid.

En la edición que Menéndez Pidal hizo en 1913 para la colección «La Lectura», en el curso del prólogo usa indistintamente la mención de *juglar* y de *poeta* refiriéndose al que supone primitivo autor del texto inicial de la obra: este primer autor es «nuestro juglar» y «nuestro poeta» (1913, en la misma página 72); un poco más adelante escribe: «nuestro juglar planeó su poema en torno de un pensamiento, con fuerte unidad» (idem, 74). Según esto el autor se identifica con un juglar que es capaz de componer la obra de la manera que, a través de una sucesión de textos de índole conservadora, llega hasta el códice de Madrid.

Más adelante, Menéndez Pidal estimó que era necesario establecer una mayor precisión en su teoría del poeta-juglar; así que cuando indicó que el *PC* fue compuesto por un juglar, precisó al mismo tiempo que «al hablar de juglares en el siglo xii, no quiero decir sino 'poetas que escriben para legos', pero 'no poetas indoctos, desconocedores de la literatura latina'» (1945b. 80). El poeta, pues, conocía de algún modo la técnica literaria adecuada para la composición de estos Poemas como parte de su formación cultural; «entiéndase juglar docto y altísimo poeta», aclara poco después Menéndez Pidal (idem, 92), y de su «oficio» de poeta procede su conocimiento de la literatura de la época. Las fronteras entre el poeta y el juglar quedarían, según esta interpretación, muchas veces imprecisas; la existencia de un poeta (creador)-juglar (intérprete) resolvería así la cuestión. Menéndez Pidal, por otra parte, señala con ejemplos que la comunicación entre «clérigos» y «juglares» pudo establecerse en una misma persona. «Era siempre fácil el paso del juglar al clérigo, y viceversa...» (1957, 30). La cuestión de identificar los poetas doctos, conocedores de la poesía latina, a los que antes se refería Menéndez Pidal, y los clérigos, queda preformulada en la mención que acabo de citar. Y después de estas precisiones Menéndez Pidal afinó aún más su teoría con la identificación de los dos poetas-juglares que intervinieron para lograr el estado poemático que nos ofrece el códice de Madrid, como indicaré.

Siguiendo esta teoría, la aparición de un poema de esta clase se verificaría (y más en el caso del *PC*, obra madura dentro de su especie), dentro de un sentido orgánico de la creación literaria; el poeta se encontraría metido en unos cauces que señalarían los modelos en la predeterminación del género, afirmada por la necesaria conformidad de los públicos. En estos cauces se asegura la continuidad y también actúa en ellos la moda literaria, pues habría parte de público, sobre todo el conocedor y, en cierto modo, letrado, al que le agradaría la renovación, mientras que existiría otra parte de público en el que dominarían las tendencias conservadoras. En este caso, pues, la obra inicial, concebida y ejecutada en estos límites poéticos, se mantiene y a la vez se renueva a sí misma en un constante equilibrio de su estructura, pues el juglar-intérprete reproducía el Poema en un inevitable ajuste que cada recitación requería en relación con el público oyente. Nunca pudo haber dos recitaciones exactas, pues esto lo saben los actores más disciplinados, y más en este caso en que nadie reclamaría sobre la autenticidad total del texto oído. El juglar-intérprete tenía su propio arte personal que repercutía en el Poema; y así puede pensarse en que en cada recitación se establecería una tácita relación entre el texto que el juglar conocía por haberlo aprendido y lo que el propio juglar creyese conveniente modificar para el caso en cuestión. Esta relación puede que fuera desde el ajuste ocasional hasta una remodelación intencionada y extensa, manteniendo siempre la necesaria cohesión poética en cuanto a la versión precedente.

Hay que contar también con que los juglares poseían una organización adecuada para aprender nuevos textos y renovar los que ya conocían; hay más noticias en el caso de juglares de cámara, dependientes de un señor, que reciben subvenciones para «ir a las escuelas» probablemente de música (Menéndez Pidal, 1957, 91); en Sahagún, en el camino de Santiago, se menciona un numeroso grupo de juglares (idem,

257), de lo que se puede deducir que estaban considerados como una clase más al lado de los otros artesanos (curtidores, zapateros), con lo que es de suponer la existencia de un aprendizaje, como ocurría con los otros gremios. En estos lugares, y viviendo junto a los que eran maestros en el arte, se ejercitarían en la técnica memorística necesaria para retener los textos y aprenderlos, así como en la interpretación y sus recursos orales.

Los juglares acudirían a los monasterios e iglesias en donde los clérigos les podían ofrecer textos de muy diversa especie (hay versiones ajuglaradas de contenido bíblico o hagiográfico). De esta manera el juglar, aunque fuese sólo intérprete, disponía de una relativa libertad para acomodar su texto ante el caso concreto de cada recitación. Además, en una época en que la lengua vernácula acusaba una gran matización de rasgos dialectales, el juglar andariego habría de ajustar su recitación para que fuese entendido por los oyentes de distintos lugares; y esto es posible que lo hiciera con una flexibilidad muy superior a lo que ocurre hoy. Por otra parte, la andadura estilística arcaizante, propia de la Poética de estas obras, actuaba como un elemento conservador y adecuado para limitar una posible dispersión dialectal. Si en el caso de obras clericales (como en el del *Libro de Alexandre*, que se conserva en un manuscrito de rasgos leoneses y en otro de aragoneses, con un posible original castellano, por citar un ejemplo), ocurre que éstas nos han llegado en textos con diversas tendencias dialectales, ¿qué pudo pasar con los poemas épicos, menos pendientes aún de una escritura fijadora?

Para intentar establecer una comparación con una situación actual que resulte de algún modo semejante con la de la Edad Media, se ha estudiado el caso de los cantores yugoeslavos de Poemas, a los que me he de referir dentro de poco. Sin embargo, estos cantores son casi todos analfabetos, y su profesionalismo se encuentra limitado; su situación en la sociedad del siglo xx, en la que la lectura y la escritura correlativa son ya comunes a un gran número de población, es diferente de la del juglar medieval, rodeado de una mayoría analfabeta, incluso entre las clases nobles. El juglar cumplía la función de ser el intérprete mayoritario de la literatura vernácula primitiva. Siendo muy limitado el número de los que sabían leer, los autores de las obras primitivas hubieron de entregar a los intérpretes (juglares representantes o lectores) la difusión de las obras literarias. Más adelante, desde el siglo XIV, el autor en lengua vernácula confiaría en medios más seguros para fijar y difundir los textos de las obras siendo su fin entonces establecer la forma final y completa de la escritura.

Menéndez Pidal, el más apasionado conocedor de los juglares, fue abriendo a lo largo de su vida una participación cada vez mayor a la escritura en la transmisión del Poema épico. Así escribe en la versión de 1957 de su estudio sobre los juglares: «La difusión del cantar de gesta o poema extenso es, pues, mixta: esencialmente ha de ser oral, cantada, pero se sirve también mucho de la escritura» (1957, 369). Para seguir siendo fiel a su teoría, de base lingüística, supedita la escritura a la oralidad en el caso de la épica vernácula:

... a pesar de este doble carácter [oral y escrito], las variantes, si bien cuando la transmisión es escrita se hacen más propagables y más estabilizadas, no por eso dejan de producirse, y así el cantar de gesta aun en sus manuscritos vive en continuas variantes lo mismo que el romance... (idem, 369).

Y en relación con los efectos que produce la transmisión escrita dice:

... el transmitirse frecuentemente por escrito el Poema produce dos resultados opuestos: en el transmisor sin iniciativa produce una mayor fidelidad al texto recibido, pues la lectura ayuda a un más exacto aprendizaje de la memoria; por el contrario, en el transmisor de mayor originalidad, la gran extensión del Poema y el uso de la escritura promueven el deseo de dedicar a la labor refundidora más tiempo, más cuidado, rehaciendo muchas partes del relato recibido (idem, 369).

Esta es la teoría que apoya la concepción de los dos poetas para llegar al texto actual del *PC*. Así Menéndez Pidal, después de insistir en que el juglar-poeta que compuso el *PC* había de ser docto en las artes literarias, reconoció más adelante en 1961 a dos autores en la constitución del *PC* conservado en el códice: el uno, el «poeta de San Esteban de Gormaz», compuso un poema de índole informativa con las noticias de los hechos de Rodrigo Díaz, que así ascendía a la condición heroica en el marco de la geografía de sus hazañas; esto pudiera haber ocurrido en los tiempos en que aún vivían Jimena y las hijas del Cid. De este primer poeta serían el Cantar primero, parte del segundo y un poco del tercero. Después de éste, hubo otro al que llama el «poeta de Medinaceli», que atendió más bien a los efectos poéticos, acentuando los rasgos literarios de la narración.

E. Moreno Báez (1967, 438) recogió esta división y estableció el siguiente juicio en cuanto a los efectos artísticos de la elaboración sucesiva que comporta la hipótesis de Menéndez Pidal en relación con la impresión de unidad que la obra ofrece: «Si el juglar de Medinaceli amplió el escenario del *Cantar* e intensificó su dramatismo al introducir la afrenta de Corpes y las Cortes de Toledo, a él le deberíamos el estiramiento de la figura del Cid *desde el plano de la experiencia al de lo extraordinario* como dice A. Castro [1957, 10-11], y la felicísima conjunción de realismo y ejemplarismo; aunque no podemos probar que a ello fuera ajeno el juglar de Gormaz, mucho más verista, cabe al otro la gloria de haber logrado entre ambas tendencias el perfecto equilibrio en que se fundamenta la unidad del *CC*.»

De acuerdo con estas presunciones, habría ocurrido que la parte del Cantar del destierro sería la que llegó al manuscrito menos retocada; aumenta el grado de su elaboración literaria en el Cantar segundo y culmina esta refundición más libre de la materia épica en el tercero. Esta recomposición del Poema habría ocurrido ya lejos de los hechos y de su geografía, en 1140, en el tiempo en que se celebraron los esponsales de los niños que serían luego Sancho III de Castilla con la bisnieta del Cid doña Blanca de Navarra, según Menéndez Pidal (1970, 171).

Estableciendo un análisis de la estructura del *PC*, G. Orduna (1972) corrobora la hipótesis de Menéndez Pidal de los dos «poetas» en la obra, y confirma los rasgos que les asignó Menéndez Pidal.

1.5. EL SUSTRATO FOLKLÓRICO

La función del juglar resulta difícil de concebir en nuestro tiempo después que la literatura se difundió comúnmente mediante el libro impreso. Ni siquiera el caso actual de la existencia, muy empobrecida, del Romancero oral vale para hacernos una idea de la misma. Queda la grave cuestión de si un poema épico medieval puede considerarse, en razón de su «popularidad», obra folklórica o en qué condiciones puede aducirse el Folklore para establecer sus orígenes y su posterior difusión. La referencia de una obra al concepto de pueblo, establecida sólo por la impresión que la obra produce, resulta imprecisa e insuficiente para un rigor científico y más después del alegre uso que de este concepto extendió el Romanticismo.

Para que un relato o un canto sean folklóricos es necesario que pueda ser percibido y hasta cierto punto interpretado por un público representativo de la comunidad de que se trata. Hay varios motivos para estimar que esto no puede ocurrir con los Poemas épicos: su gran extensión que hace que la interpretación no pueda ser obra de cualquiera y, por tanto, se requiera una técnica profesional en la comunicación de la obra. Esto no ocurre con el romance, la canción lírica o el cuento, piezas siempre de relativamente breves dimensiones, que sólo precisan para su comunicación ciertas aptitudes más comunes y generales. La obra folklórica requiere unas circunstancias en su comunicación que hacen posible su interpretación en romerías, ferias, fiestas de la familia o acompañamiento del trabajo; no pasa lo mismo con el Poema épico donde sólo se menciona —y aun de forma pocas veces precisable— la ocasión de reuniones en la plaza del pueblo o en el castillo o palacio que hace las veces de Corte.

El juglar es, por esencia, ambulante y andariego, y su llegada a un lugar resulta en cierto modo imprevisible, si bien aprovecharía para su negocio las fiestas de la nobleza y del común de las gentes, las romerías y los caminos concurridos. Pudo en efecto haber existido una «popularidad» tomando el término del concepto alfonsí en el sentido de la concurrencia de las clases sociales: «Pueblo llaman el ayuntamiento de todos los hombres comunalmente, de los mayores, de los medianos y de los menores...» (*Partidas*, II, título X, ley 1; véase mi libro 1979, 271-274). La difusión por medio de los juglares nos permite suponer una amplia propagación, pero hay que contar con que los juglares de gesta ejercían sólo una actividad limitada dentro de las muchas del oficio y además resultan los más difíciles de conocer según Menéndez Pidal, que los agrupa en la «juglaría anónima e incógnita» (1957, 240-43).

Por otra parte, las noticias más conocidas de la difusión del juglar de gesta aparecen en círculos cortesanos; según Alfonso el Sabio los caballeros deben oír las historias de los grandes hechos de armas durante las comidas; para esto se acudía a los libros, a los caballeros «buenos y ancianos» que contaban sus experiencias y, si no había ni unos ni otros, se hacía «que los juglares no dixiesen antellos otros cantares sinon de gestas o que fablasen de fecho d'armas» (*Partidas*, II, título XXI, ley 20). Esto desvía el Poema de otros públicos más numerosos; en todo caso habría que acondicionar la recitación a las circunstancias de la representación y esto impide una directa expansión folklórica de los Poemas.

Una cuestión difícil de resolver es la que plantea la presumida existencia de Poemas más cortos y elementales, a los que se refieren Menéndez Pidal y otros, propios del primer período de la poesía épica vernácula. Pero ¿cabe aplicar esto al caso del *PC*? No sabemos lo que serían los «cantos noticiosos» que a veces mencionan Menéndez Pidal y otros en relación con la «forma primitiva» del Poema si la hubo, y si esas formas primitivas quedarían más cerca del Folklore. Acudiendo a posibles paralelos, a siglos de distancia, cabe pensar en un aprovechamiento del fondo folklórico, semejante en algún modo al caso del cante flamenco; en el siglo XIX se produjo una peculiar desviación del canto lírico folklórico que algunos intérpretes que se profesionalizaron «representaron» (letra, música y un contexto peculiar) en los cafés cantantes; ellos impusieron una técnica personal en la comunicación de la obra que pronto formó un público de aficionados, más reducido y selecto —en exigencias artísticas— que el público general del canto popular. Con esto sólo pretendo mostrar el ejemplo de una peculiar desviación de una obra folklórica, ocurrida en España, y el paralelo no tiene otro sentido que la comparación funcional.

El Poema épico (tal como se presenta en el grado del *PC*) pudiera ser, desde esta perspectiva, la reorganización poética, esto es, realizada por un autor-creador, de un primitivo canto más extendido e incorporado a la vez como creación y audición a la comunidad en un tiempo en que la escritura no recogía sus manifestaciones. Esta teoría no resulta así incompatible con la que requiere al autor en un sentido culto, pues éste pudo recoger el material argumental de los cantos primitivos y tratarlo con su arte literario aprovechando los resortes comunicativos de aquellos. El juglar entonces sería el intérprete que se encuentra entre el depósito de una tradición de cantos primitivos, posiblemente más cercanos a la condición folklórica (¿formas poéticas de la leyenda?) y la obra que puede recibir de un autor que le entrega una creación compuesta por medio de un arte poético elaborado y establecido sobre una materia épica. La relación entre la pieza folklórica y la artística resulta así posible creándose la obra que participa de ambas situaciones.

Por otra parte, cabe suponer un extenso período de coexistencia entre ambas modalidades con el consiguiente acercamiento: la forma primitiva y elemental acabaría por desaparecer, mientras que la forma artística perduraría más tiempo por la ocasión de renovarse y de permanecer por medio de la escritura, que era la modalidad textual que acabaría por imponerse, sin que, sin embargo, desapareciese la forma folklórica de la Literatura en otras manifestaciones: lírica, cuento, conseja, refrán, etc.

Todo esto resulta hipotético, pues no se ha encontrado ninguno de estos Poemas primitivos. Lo único seguro que existe en una posible relación entre el Folklore y el Poema es la identificación de algunas piezas folklóricas incrustadas en el curso del *PC*, de que me ocupo en la parte 4 de este *Panorama*.

1.6.   LA TEORÍA ORALISTA

Un nuevo factor hubo de añadirse a la discusión del problema, y éste procedió del estudio de los cantos épicos orales que se recogieron a comienzos de siglo en Yugoeslavia. Estos cantos modernos han ofrecido una organización poética que se ha comparado con la de la épica de tiempos pasados, y, para nuestro caso, nos interesa su posible relación con la épica medieval (véase la exposición de A. Lord (1960) y un examen de la situación actual del problema en lo que toca a estas tradiciones europeas y la épica española, en J. S. Miletich (1977)).

La tesis de los oralistas, deducida del examen de estos cantares actuales, consiste en estimar que estos intérpretes, más que en el cultivo de la memoria para repetir el texto del Poema, se valen del uso de fórmulas verbales, de módulos narrativos preestablecidos, de un fondo de temas y motivos asegurados por la tradición del género, con el que establecen una técnica de recomposición oral que reiteran en el curso de la realización formal de la obra. Así poseen un estilo predominantemente formulístico (o formulaico) que hace posible una especie de improvisación dentro de los cauces épicos y les sirve para apoyar el curso de la recitación. Para esto no necesitan de un texto escrito, pues su arte es de índole oral.

Esta teoría, llamada oralista, se relacionó con situaciones anteriores de la épica; y en cuanto a la medieval no tardó en aplicarse al *PC*. Así L. P. Harvey (1963) propuso que el texto del códice del *PC* provenía de la recitación o dictado de un juglar «oralista» a un escribano. La perspectiva crítica que aportó el oralismo fue inteligentemente aprovechada por E. De Chasca en un libro de 1967 (ampliado en 1972) que resultó ser uno de los más completos exámenes de la composición poética del *PC*. También J. J. Duggan (1974) aportó datos en relación con los procedimientos formulísticos franceses; añádanse las precisiones de K. Adams (1976) y M. Chaplin (1976).

El paralelo entre el procedimiento oralista de los cantores actuales y los juglares de la Edad Media no satisface a todos los críticos, pues las diferencias son muchas, como comentó Menéndez Pidal (1965-66), que confiaba más en la función de la memoria profesional de los juglares que en la improvisación sobre un fondo combinatorio de fórmulas como propugnan los oralistas. Además, el uso de los formulismos en los poemas medievales resulta menor, así como el empleo de los motivos, según indicó M. Chaplin (1976). Hay que señalar, en principio, que las dificultades de la comparación entre la épica yugoeslava y el *PC* como representación de la épica española son grandes; son obras que pertenecen a circunstancias muy dispares, y entre las que no ha podido existir una comunicación directa: aparecen en situaciones históricas y tiempos distintos. Sin embargo, pertenecen al fondo común de la épica europea y ha podido actuar lo que pudiéramos llamar una poligénesis dirigida por esta comunidad de fondo que permita comparar los procedimientos expresivos de su creación y difusión. Cabe explorar las vías que ofrezcan un medio de encontrar paralelos a la juglaría épica; el mismo J. M. Aguirre propone estudiar la rima como una base de la oralidad, según ocurre con el gran número de versos que terminan en un nombre propio o en formas verbales (1968).

De todas maneras el oralismo ha aportado algunos medios de conocimiento del arte poético del *PC* que se han aceptado en general. Así ocurre con los procedimientos formulísticos que se reiteran a lo largo del *PC* y el uso de motivos determinados que también establecen un sintagma reiterativo en sus elementos expresivos. Los oralistas insisten en la libertad del intérprete (cantor-juglar) dentro de un curso de motivos para la composición del Poema; los que defienden la existencia del autor estiman que estos procedimientos forman parte del conjunto del arte poética general y que constituyen una manera de componer, adecuada a la técnica de la difusión juglaresca a la que van destinados los Poemas en su estructura estilística general.

Por otra parte, no existe uniformidad en los poemas yugoeslavos que se estudian en estas cuestiones de la oralidad y, además de los conocidos por Lord, hay otros Poemas que han compuesto autores cultos valiéndose del estilo tradicional, como manifiesta J. S. Miletich (1978), al que estos le parecen más cercanos al *PC*; este mismo crítico (1981) ha estudiado determinados rasgos (la repetición) en el Poema español y los yugoeslavos.

El caso está en considerar si la teoría oralista es incompatible con otras teorías, como defendió A. Lord, o puede establecerse una crítica que conceda al oralismo una función creadora dentro de la técnica «primitiva» de la composición de los Poemas.

1.7. LA TEORÍA DEL AUTOR CLERICAL O CULTO

Frente a la teoría del juglar profesional como actor-representante (memorizador de textos) o como improvisador formulístico (creador y recreador a un tiempo), la otra teoría del autor «culto» prefiere señalar la artificiosa elaboración literaria de un escritor que, aunque pueda ser anónimo (si interpretamos que Per Abat es sólo un copista), actúa fijando el texto del Poema en un proceso de escritura, del que resulta la creación de la unidad literaria que comporta la obra poética. De acuerdo con este criterio, esta otra teoría acentúa con énfasis que el manuscrito conservado del *PC* ofrece peculiaridades suficientes como para entender que el poeta elaboró la materia literaria que comparte (bien procediese de poemas anteriores desconocidos o de datos de crónicas, anales, documentos históricos, noticias de índole diversa, incluso del folklore legendario), de forma que el estudio del *PC* tiene que basarse en las apreciaciones sobre el proceso que conduce al resultado de una creación única, dentro de las condiciones del grupo genérico de la épica vernácula que requiere un arte poético. Una primera persona aparece en dos ocasiones como el relator de la obra; una de ellas ocurre cuando los Infantes de Carrión hablan en secreto de casarse con las hijas del Cid:

De los Iffantes de Carrión *yo* vos quiero contar

(v. 1879)

Y la otra se halla en la parte en que, yéndose los Infantes alabando de la deshonra de las hijas del Cid, el autor introduce a Félez Muñoz:

mas *yo* vos diré d'aquel Félez Muñoz

(v. 2764)

A estos casos, podría añadirse el del uso implícito del *yo* a través del verbo, como en el verso:

Dirévos de los caballeros que levaron el mensaje

(v. 1453)

Usos de esta naturaleza representan el avance del narrador hasta el primer plano de la expresión en la obra, pero no poseen valor indicativo y parecen más bien un elemento formulístico, si bien hay que notar que en las dos primeras ocasiones el argumento ofrece un importante quiebro emotivo: el comienzo del caso de los infantes y el punto en que se inicia la salvación de las hijas (véase M. Muñoz Cortés, 1974).

Por de pronto, ahí está el dato irrefutable de ese Per Abat que deja constancia de su labor. Un medio podía ser desviar cualquier implicación culta entendiendo que estos eran los nombres de un juglar, como insinúa J. M. Aguirre que «sin sentido alguno de la métrica se puso a escribir una representación del *CMC*» (1968, 29). Pero esto resulta demasiado sencillo, y el camino para encontrar al autor del *PC* (y al de otros Poemas) consistió en buscar en un medio social diferente del de los juglares, para así hallar un marco más adecuado a la composición de la obra e incluso para filiar de algún modo al Per Abat del códice. Y este medio se halló en la clerecía, como pronto se formuló en la crítica española en el caso de R. Floranes, al que antes me referí, que atribuye la obra a un benedictino «don Pedro Abad, chantre de la clerecía real» (1908, 359).

Esta corriente crítica que acerca la composición de los Poemas épicos hacia la clerecía obtuvo su formulación decisiva en los libros de J. Bédier (1864-1938), aplicada fundamentalmente a la épica francesa. Según esta teoría, la creación de esta poesía épica es propia de los monasterios, dentro de las actividades culturales que desarrollaron en el período medieval. El monasterio era una «civitas Dei» perfectamente organizada: la Teología preveía tanto sobre lo divino como sobre lo humano. De entre los muchos cometidos que se realizaban en los Monasterios, uno de ellos tocaba a la promoción y la conservación de la Literatura: así ocurría con las bibliotecas y también con su enseñanza y con su creación. Esta Literatura podía ser de alta condición intelectual, escrita en latín, propia de los clérigos, y también podía dirigirse a los fieles que sólo conocían la lengua vernácula. En estos casos se trataba de una Literatura escrita con un fin de devoción y también de propaganda de la institución, radicada en un lugar con una historia propia en lo religioso (sus santos) y en lo civil (sus héroes). Esta tesis, que resultó una innovación frente a lo que había sido la teoría de la tradicionalidad, expuesta, por ejemplo, por J. Bédier (1926-29) fue rechazada por Menéndez Pidal, cuyos puntos de apoyo crítico eran diferentes y aun opuestos. Sin embargo, otros críticos han querido aplicarla al caso español y han buscado en qué medio clerical y, más en concreto, en qué monasterio pudo haberse originado el *PC*. Revisando las condiciones de los centros religiosos en los Reinos hispánicos, se quiso encontrar el más idóneo para que en él se enraizase un poema o un ciclo poemático sobre Rodrigo Díaz de Vivar.

El elegido fue el Monasterio de Cardeña, cerca de Burgos, y en el que reposaron los restos mortales del Cid, como digo más adelante al ocuparme de la fama póstuma del Cid en la parte 3 de este *Panorama*.

Pero no es preciso limitarse a la mención de un solo Monasterio; en otros muchos de ellos y en otros centros eclesiásticos, mayores y menores, y después en las escuelas y en las Universidades, pudo haber clérigos entre cuyas actividades culturales estuviese la de escribir en la lengua vernácula para ennoblecerla con una literatura «elevada». Más allá de la literatura folklórica, esta voluntad de literalización de la lengua conduce a los que defienden que el Poema tiene un autor definido y, en la medida de lo posible en la literatura de los orígenes, identificable. (Véase mi obra 1979, 300 y 326, y mi artículo 1981a).

Para abrir cauces en esta investigación, hay que tener en cuenta que con el nombre de *clerecía* se designa un ámbito cultural muy amplio: no es sólo lo que toca a la Iglesia como institución gobernada por los clérigos de diversa condición, sino también todo cuanto se relaciona con los saberes establecidos en la lengua latina y dentro de su disciplina intelectual. La clerecía recogió en esta parte de la Edad Media el conjunto de conocimientos que abarcaban desde la filosofía a las demás ciencias medievales, y en este sentido pueden considerarse clérigos, además de los religiosos que poseen las ciencias de base teológica, los civiles o seglares que estudiaron las Artes liberales, como los administradores y oficiales de las cancillerías, los hombres de leyes, médicos, etc.

La búsqueda de un clérigo llamado Per Abat, posible autor del *PC*, comenzó con la misma historia literaria de la obra: R. Floranes (1908, 359) encontró un Per Abad, chantre de la clerecía real. Menéndez Pidal indica la dificultad de dar con una identificación plausible porque es un nombre muy común y entre sus papeles, sin rebuscar mucho, encontró más de diez clérigos con este nombre (1956a, 17-18).

La cuestión está en dar no sólo con el nombre en un documento, sino en reunir un número suficiente de indicios para que la propuesta sea aceptable por varios motivos. Así T. Riaño Rodríguez (1971) propone para esto a un Pero Abat, firmante de un documento notarial de 1220, clérigo de Fresno de Caracena, lugar que queda cerca de las rutas del Cid en la Extremadura de Castilla. C. Smith (1977a), a su vez, encuentra su candidato en otro Per Abat «de Santa Eugenia», mencionado en el resultado de un pleito del registro de Aguilar de Campoo sobre unos diplomas cidianos falsificados; Smith muestra que

> hubo un Pedro Abad, laico y abogado, que vivió en el momento apropiado y que estuvo lo bastante enterado de la historia y leyenda del Cid como para haber sido el refundidor del poema en 1207 (1977a, 34).

Su hipótesis se circunscribe más en el sentido de que, por su profesión, cabe que llegase a los archivos cidianos, con los que pudo haber compuesto la misma base del texto de 1207. La propuesta de C. Smith se apoya en un planteamiento de la épica española del que resulta que el *PC* tiene su origen en un Per Abat, identificado en un abogado o notario (véase el cuadro general donde se reúne su teoría, 1980b). A. Ubieto (1972, 190) propuso, basándose en argumentos histórico-geográficos, que Per Abat fuese «un hombre nacido, criado y vivido en las tierras turolenses, cercanas a Santa María de Albarracín»; esto ha sido rechazado por R. Lapesa que rebatió uno a uno los citados argumentos (1980b y 1982).

La búsqueda del «autor», identificado o no con Per Abat, se ha de entender en el sentido de que no se trata de encontrar un creador literario según la concepción moderna; el «autor» compuso su obra sobre un material preformado, y la discusión se encuentra en si este material de que dispuso estaba ya dentro de un orden literario épico, o si se trataba de leyendas con una cierta figuración poética, o si de noticias cronísticas, documentales o mantenidas de viva voz procedentes de los que habían conocido al Cid, y hasta qué punto pudo elaborarlo imaginativamente dándole la forma del poema épico.

Otras tesis han propuesto autores que no eran Per Abat y que han identificado con otros nombres de la época a base de presunciones que no han obtenido apenas eco en la crítica del *PC*. Así ocurrió con M. Alonso (1942) que propuso al Canciller Diego García de Campos, pariente de Domingo de Guzmán, y con M. Laza Palacios (1964) que estimó que el autor pudo ser Domingo Gundisalvo, un mozárabe que pertenecía al grupo de escritores toledanos del siglo XII y al que atribuye, además de sus escritos filosóficos, la *Chronica Adefonsi Imperatoris*, el *Poema de Almería* y el *PC*.

1.8. TRADICIONALISTAS, ORALISTAS E INDIVIDUALISTAS

Estas diversas teorías, matizadas a veces con otras cuestiones, siguen siendo objeto de discusión entre los críticos, como puede leerse en el examen que de estos conceptos realizó Ch. B. Faulhaber (1976). Se ha establecido una división entre los críticos; y así los que defienden la función de los juglares como primordial se han reunido en las historias de la Literatura bajo la denominación de *tradicionalistas*: con la función de estos juglares, de condición civil (laica o lega), va implícita la aceptación de una poesía épica tradicional, conservada en grado de latencia, que los juglares realizan (o sea que convierten en audición poética ante un público) en cada ocasión. P. Le Gentil (1953 y 1959) y W.-D. Lange (1982) se han ocupado de estos conceptos básicos de la tradición en Menéndez Pidal.

Los *oralistas* han renovado con sus nuevas propuestas esta corriente, pasando de los argumentos históricos a una técnica en la disposición del Poema emitido que resultaría comparable en este caso de las obras medievales con algunos de los procedimientos que hoy usan los cantores yugoeslavos.

Los que proponen como autor a un clérigo (o persona culta, en un sentido amplio) recibieron en general el título de *individualistas* por el énfasis que ponen en señalar la función de un autor inicial, al que sitúan en un medio clerical y religioso (sobre todo, el monástico); por tanto, estiman que la obra épica es tardía en su realización escrita, que es la que ellos consideran fundamental.

Sin embargo, una división radical entre estas posturas no conduce a poner luz en los diversos problemas de la épica. Más bien un acercamiento entre las diferentes posiciones parece que es lo más hacedero en muchas ocasiones. Esta es, por citar un caso, la posición de P. E. Russell, que acaba así el examen de la posible relación entre el *PC* y San Pedro de Cardeña:

> «... me parece que, al discutir la historia de la poesía épica medieval española, la crítica muchas veces cae en el error de olvidar que, en la vida cotidiana, había contactos constantes entre aquellas dos culturas (la cultura de los clérigos y la cultura de los legos, sea esta caballeresca, popular o perteneciente a lo que Alfonso el Sabio denominó 'ciencia de las leyes'» (1978c, 109).

Y añade que no sólo cabe referirse a «contactos», sino a situaciones que pueden ser sustantivamente comunes admitiendo un concepto amplio de clerecía.

A la altura actual de las investigaciones sobre el *PC*, cabe proseguir la investigación sin atenerse en exceso a estas clasificaciones. Lo importante es la resolución de cuestiones concretas, independientemente de esas posiciones de principio. De esta manera se conseguirá una labor fructífera, pues sólo el resultado del conjunto de los trabajos que orientan mejor las diferentes cuestiones pendientes de estudio e interpretación acabará por favorecer una u otra posición. Para esto habrán de intervenir otros factores, partiendo siempre de que el *PC* es una obra literaria. De esta manera ya no podrá insistirse en que el *PC* sea una obra fundamentalmente histórica; en ese sentido laboraron los tradicionalistas insistiendo en los elementos históricos que la obra manifiesta, (como diré más adelante) ni podrá afirmarse que el *PC* sea sólo obra de ficción (aspecto que acentúan los individualistas). Intervienen también, como veremos, factores lingüísticos, y en este sentido es indudable que el texto del códice no es el primer estado de la obra (los tradicionalistas pretenden que ha existido una larga tradición de textos, y los individualistas, que hubo pocos).

De esta manera aparece en el cuadro de la teoría de la épica otro grupo conciliador (llamado también ecléctico) que procura establecer un acuerdo entre los dos anteriores. Ya nos referiremos en otras ocasiones a I. Siciliano, P. Le Gentil y a otros estudiosos de la épica que formularon sus tesis procurando acercar estas orientaciones. Por otra parte, he señalado ya que el propio Menéndez Pidal también fue matizando las conclusiones de sus primeros libros; incluso en sus últimas obras empleó para su posición crítica el nombre de *neotradicionalismo* (1959). El presente libro, por su mismo carácter pedagógico, se encuentra en esta orientación ecléctica por tener que informar sobre los más diferentes puntos de vista insistiendo en un criterio integrador en torno del *PC*, que es su objeto fundamental.

Cuando se lee y estudia hoy una obra como el *PC*, queda patente que en un principio hubo un poeta, en cualquier sentido que sea, que elaboró unos materiales de contenido: el texto del códice de Madrid presenta el sentido unitario propio de la obra literaria (no es como una suma de romances, estableciendo la comparación con un género posterior pero muy inmediato al *PC*). A través de su percepción por la audición o por la lectura, resulta evidente que la obra estableció una resonancia poética en la sociedad de la época y de las inmediatas, en tanto que el grupo genérico de la épica vernácula persistía en su vigencia. En esta sociedad la clerecía verifica una función importante en la promoción de la literatura, y así resulta que en el *PC* pueden encontrarse testimonios de sus efectos. Esta clerecía aparece integrada en la vida de la corte como institución en la que obtienen reflejo numerosos aspectos de la nobleza y de la caballería en su función política.

En el reverso de la última hoja del códice del *PC*, Menéndez Pidal (1956a, 3), cuando describe las notas que añadieron los que lo tuvieron en sus manos, dice que, con letra del siglo xiv (es decir, de la mano de un lector del Poema próximo a la escritura del códice), hay el comienzo del Salmo 109:

> «Dixit Dominus Domino Meo: Sede a dextris meis, Donec ponam inimicos tuos scabellum pedum tuorum. Virgam virtutis (Sceptrum patientiae) tuae amitet (protendet) Dominus ex Sion: Dominare in medio inimicorum tuorum». («dijo el Señor a mi Señor: Siéntate a mi derecha mientras pongo a tus enemigos como tarima en la que apoyes tus pies. Extenderá el Señor desde Sión la vara de tu fuerza (o el cetro de tu poder): Domina en medio de tus enemigos».)

Con acierto nota Menéndez Pidal que esto fue «escrito acaso pensando en el triunfo del Cid sobre sus enemigos» (1956a, 3, nota 2); la referencia estimo que es plausible, y esta relación entre el *PC* y la Biblia me parece un episodio más de este acercamiento entre el Poema épico y su posible resonancia clerical. El *Pater noster* y el *Ave María* que siguen no son incompatibles con el vaso del buen vino o con el dinero o prendas que pide el juglar (o quien se fingiese como tal) y cuya petición incorporó al colofón del Poema, lo mismo que Berceo pudo hacer otro tanto en su prólogo. Juglares y clérigos están así, juntos, sobre estas partes liminares que orillan el texto de la obra dentro del códice del *PC*. Por tanto, sólo cuando alcancemos a comprender la complejidad de los factores que pudieron intervenir para que hoy podamos contar con el *PC* en el códice de Madrid, estaremos en condiciones de establecer una lectura de la obra a la medida de nuestro tiempo.

2

UNIDAD Y COMPOSICIÓN DEL CONTENIDO DEL *POEMA DEL CID*

Historia y ficción

2.1. Unidad y partes en la composición del *PC*

La primera consideración para comenzar el examen del
PC se refiere a la unidad constitucional de la obra. A mi
juicio esta unidad se encuentra formulada en el empleo de la
palabra *libro* (v. 3731) que aparece en el explicit de Per Abat;
lo que él escribió fue un libro, y esta palabra serviría para
dar entidad a un gran número de obras medievales: los *Libros*
de Juan Manuel, el *Libro de los çient capítulos*, etc., en prosa;
y el *Libro de Alexandre*, el *Libro de Apolonio*, etc., en verso.
La complejidad que encerraba el concepto de libro ha sido
estudiada por Colbert I. Nepaulshing («The Concept "Book"
and Early Spanish Literature» en *The Early Renaissance*,
Acta, 5, 1978, 133-155) que lo relaciona con los términos
de la composición clerical de una obra. En este caso, Per
Abat entiende que su labor sirvió para dar una entidad material al conjunto poético que había escrito; en el sentido
material el término subraya el *sensus literalis*, pero la palabra
pudo establecer también cierta relación con el *sensus spiri-
tualis* en cuanto que la obra se encontraría dentro de una
determinada corriente literaria a la que él concedía un sentido artístico. Per Abat actúa así (cualquiera que haya sido
su relación con la composición de la obra) como el primer
crítico del *PC*.

Esta consideración no invalida la eventual difusión juglaresca de la obra, sino que asegura el medio escrito por el
que ha llegado hasta nosotros. Por tanto, hay que pensar

en un compromiso entre ambos medios de conservación de los textos, el oral y el escrito, propio del período primitivo de cualquier literatura vernácula; en este caso se plantea en seguida el problema de la unidad de la obra, compatible, en cierta manera, con la entidad del *libro* que la contiene y la sucesión de las copias hasta llegar al códice de Madrid, así como con las recitaciones juglarescas del Poema que sirvieron para su difusión por la vía oral.

Pero, además de esta declaración del explicit, la obra se presenta ante el oyente (o lector actual) dotada de una evidente unidad en cuanto al héroe que mantiene el desarrollo del argumento del comienzo al fin, insistiendo en unos mismos motivos de acción, diversificados para sostener la gran extensión del Poema, pero que siempre se hallan en relación con el Cid: son 3730 versos, más los pocos de la mención de Per Abat, y una fórmula juglaresca posterior, más las anotaciones clericales añadidas. Un poema tan largo requiere, por tanto, un criterio firme en cuanto al proceso de su realización; es una obra que el que la llevó a cabo tuvo que meditar primero y luego disponerse a componer siguiendo unos cauces genéricos preexistentes en los que dio forma literaria a unas «noticias» verídicas, legendarias o ficticias (la materia del argumento) que había reunido con este fin. El escaso conocimiento de los otros Poemas que precedieron al del Cid, la dificultad de reconocer la procedencia de las «noticias» que se juntan en el Poema y la falta de una Poética declarada específicamente para estos fines, han hecho que la cuestión se haya planteado según determinados condicionamientos teóricos.

Nos hemos referido ya a la posición crítica de los tradicionalistas y de los individualistas. En este punto se enfrentan (al menos aparentemente) los que insisten en la unidad que se desprende del *PC* como libro y los que observan que, dada la escasez de lectores existentes en la época de su difusión y la evidente naturaleza oral del aparato lingüístico de la relación sintáctica, un poema de esta naturaleza tuvo que ser comunicado al público por partes, cuya independencia sería posible o por haberse constituido la obra inicialmente por la combinación de otros poemas menores o por haberse fragmentado la unidad inicial en sucesivas acomodaciones a nuevos sentidos de unidad. Y, además, bien sea que se admita un primer origen dentro de la literatura escrita o que se sitúe en el caso de la oral, la forma inicial de la obra nos ha de resultar, mientras no aparezcan otros documentos, inalcanzable, así como el proceso de retoques y refundiciones, bien fuesen en un sentido de reducción o de ampliación. Sólo comparaciones con el uso del *PC* como documento histórico (aún sin poder precisar la relación entre el texto usado y el *PC* que se conserva), permiten algunas consideraciones parciales.

Tal como nos llegó en el códice de Madrid, la obra aparece dividida en tres partes: siguiendo la propuesta de Pidal, a la primera parte se la llama «Cantar del destierro» (hasta el v. 1086); a la segunda, «Cantar de las bodas de las hijas del Cid» (v. 1085-2277); y a la tercera, «Cantar de la afrenta de Corpes» (v. 2278-3730). La indicación de fin y principio de las partes se establece en relación con las menciones que aparecen en medio de la obra (v. 1085) y al fin del llamado Cantar segundo (v. 2276), a las que me referiré dentro de poco a propósito de la interpretación que les dio E. von Richthofen.

Cabe pensar, sin embargo, que estas menciones de comienzo y de fin de parte en un poema épico, destinado, como todos ellos, a una eventual recitación pública, fuesen fórmulas de división que el intérprete podría situar en el lugar más conveniente, en el caso particular de una comunicación de la obra a un público determinado. En esa circunstancia la división en estas tres partes habría sido ocasional para este códice o para la serie de manuscritos al que este perteneciera, o bien pudo haberse realizado en alguna «escuela o artesanía juglaresca» para así dividir la larga sucesión de los versos del conjunto. La división en estas partes también nos deja la duda de si la interpretación de cada una pudiera haber servido para llenar el tiempo adecuado para una recitación, pues esto dependería del que dispusiese el juglar para su comunicación. Además, ocurre que es muy posible que los poemas hayan obtenido un grado de difusión suficiente como para pensar que una gran parte del público ya poseía un conocimiento del argumento de la obra y que fuese posible una recitación parcial del Poema, de manera semejante a como determinadas partes de una ópera o de una zarzuela se interpretan en forma independiente. En la literatura primitiva no hay que contar más que de manera relativa con la novedad que sorprende a los oyentes o lectores.

En general, los intentos para caracterizar las posibles divisiones internas del PC aceptan estas tres partes, a las que se procura encontrar notas propias en cada una de ellas. Menéndez Pidal (1970a) cree que la parte primera (o Cantar del destierro) es la menos retocada en relación con un texto primitivo, algo más la segunda (o Cantar de las bodas), y mucho más la tercera (o Cantar de la afrenta de Corpes).

G. Orduna (1972), detrás de la defensa de los dos «poetas» propuestos por Menéndez Pidal, estima que la unidad de la obra es indiscutible y que la división en tres cantares es ajena a ellos. Según J. Horrent la división no pertenece a la composición de la obra (1982, XII).

En términos generales se establece así una ordenación plausible del conjunto o *libro*, tanto en lo que hace a la división de la extensión (entre 1000 y 1500 versos cada parte), como en cuanto al curso argumental. De este modo E. V. De Chasca distingue así las partes por el tono de su contenido:

> El primer cantar es patético y bélico; el segundo, bélico, aparatoso y triunfal; el tercero, violento, dramático y triunfal (1972, 86).

La diferenciación de E. de Chasca procede de la impresión que la lectura produce a un lector actual; el contenido de la obra se matiza de esta manera otorgándole con ello una alta calidad literaria al graduar de esta manera los efectos que causa su percepción.

También acepta M. Molho (1981, 196-203) la división en tres partes desde un punto de vista estructural, y así se correspondería la Parte I con una *situación-a* negativa; la segunda sería la que ofrecería la inversión operativa que conduciría, a su vez, a la III en que la situación se convertiría en *no-a*, o sea positiva.

Hay, sin embargo, otras hipótesis que parten de los datos que nos ofrece el mismo *PC*, interpretados de otra manera.

Un gran conocedor de la épica europea, E. von Richthofen (1970a), propuso una división diferente; según él, el centro poético de la obra sería la parte segunda del Poema (v. 1085-2277) que comienza con lo que, en el actual estado del códice de Madrid, es un incipit interior

> Aquí 's conpieça la gesta   de myo Çid el de Bivar
>
> (v. 1085)

Y concluye con un explicit interior:

> Las coplas deste cantar   aquí 's van acabando.
> El Criador vos val.la   con todos los sos santos.
>
> (v. 2276-77)

Evidentemente estas indicaciones se han de entender de alguna manera. El término *gesta* no aparece más que en esta ocasión; Menéndez Pidal lo interpreta como «hechos memorables, hazañas», y es palabra muy usada en la latinidad medieval y después por autores de clerecía (Berceo, *Libro de Alexandre*, etc.). Lo mismo ocurre con *cantar*, que no aparece en otra parte del *PC*. El v. 1085 tiene una posible variante en las líneas manuscritas, poco legibles; Menéndez Pidal en una de ellas interpreta: «deçir uos quiero nueuas de mjo cid de biuar» (1956a, 3). *Nuevas* aparece en más ocasiones. E. von Richthofen llama «vertical» a su hipótesis de trabajo, con la sucesiva formación de los cantares II, I, III; el II sería así el poema de base, completada con el cantar I:

Según esta hipótesis, un último autor habría interpolado las Bodas del Cantar segundo, el episodio de las arcas de arena y acaso también el de la huelga de hambre del conde de Barcelona, y agregado la Afrenta de Corpes íntegra que exige la existencia igualmente ficticia de las Bodas (E. von Richthofen, 1970a, 146).

H. Salvador Martínez es de la opinión de que «tal vez nunca una hipótesis estuvo tan cerca de los hechos» (1975, 371), pues esta propuesta ofrece un poema corto (977 versos), centrado sólo en la toma de Valencia y en la reconciliación con el Rey, que habría sido el núcleo de las sucesivas refundiciones de la obra hasta llegar al *PC* del códice de Madrid. En esta II Parte se acumula el mayor uso de la palabra *nuevas* (o «noticias»): 2 en la I, 15 en la II y 8 en la III; véase R. Pellen (1979, 164). Las *nuevas* del Cid suenan y se difunden:

> Las nuevas de myo Çid,   sabet, sonando van.

(v. 1154)

Suenan las nuevas en el Poema épico, lo mismo que pueden incorporarse en Crónicas de la clerecía las *nuevas* de lo que le ocurre a Alejandro en sus lejanas conquistas, según le dicen los de su consejo:

> cosas sabrán por nos   que non serian sabidas
> serán las nuestras nuevas   en corónicas metidas

(*Libro de Alexandro*,
ms. P, 2291 c y d)

Si bien D. A. Nelson en su edición crítica (Madrid, Gredos, 1978) prefiere reconstruir «...en [cántico] metidas», no me parece mala lectura *corónicas*.

M. Garci-Gómez, en su edición del *PC* (1977) establece una división general diferente, en dos partes, la primera hasta el v. 2277, y la segunda, más corta, hasta el final. Llama a la primera «Gesta de Mio Cid» (apoyándose en el verso 1085) y trata de la conquista de Valencia; y a la segunda «Razón de mio Cid» (según el verso 3730) y se refiere a las bodas de las hijas del héroe.

La cuestión, como observamos, implica el problema de las diferentes remodelaciones de la obra. Los exámenes a que ha sido sometido el *PC* con criterios en cierto modo automáticos llegan a la conclusión de que existe una unidad en el conjunto. Así ocurre con F. M. Waltman (1973) apoyándose en conceptos de A. B. Lord, y lo mismo ocurre con un examen tagmémico del mismo (1975) o examinando el uso de las expresiones formulísticas en relación con los temas a lo largo del *PC* (1980). En ese caso habría ocurrido que los sucesivos arreglos y refundiciones de la obra se habrían realizado de forma que hubo un último poeta que rehizo totalmente la obra, de tal manera que las investigaciones actuales ponen de manifiesto una unidad de creación. La especial peculiaridad de la Poética de la épica habría favorecido este proceso de una remodelación que hoy se identifica como unidad constitucional. Con esto se confirma la opinión de otros muchos críticos que por otras vías propusieron la unidad; así, G. T. Northup encuentra en el *PC* «the most perfect structural unity» (1942, 17). Esta unidad aparece también destacada por un crítico como L. Pollman que considera el Poema, comparándolo con otras obras épicas francesas, como pieza que presenta una unidad: «La unidad del Cid es menos la de una actuación que la de una conciencia» (1973, 75); el Cid es cabalmente el mismo del comienzo al fin del Poema.

El reconocimiento de las partes del *PC* plantea inmediatamente el estudio de la estructura interna de la obra, pero esta cuestión será tratada más adelante, pues en este lugar sólo me quise referir al problema de la unidad del *PC* en relación con los datos que con este fin aparecen en el códice de Madrid. Como la obra no presenta un claro título propio en su mismo texto (aun con el riesgo de los peligros del anacronismo, pues la palabra *poema* no se usa en español hasta principios del siglo XVII, según Corominas), prefiero darle el título convencional de *Poema del Cid* para subrayar así que se trata de una obra determinable por su unidad poética en torno del Cid, adscrita a la épica medieval vernácula, dentro de la cual constituye un libro determinado de orden poemático. Y prefiero dejar la mención de *cantar* para cada una de las divisiones internas que ofrece el códice de Madrid.

2.2. La línea del argumento: sus dos orientaciones básicas

Para comenzar a establecer el conocimiento previo del Poema, tengo que contar lo que ocurre en el argumento tal como puede percibirlo un lector de nuestro tiempo. Pues es muy distinto lo que le parezca el Poema al lector actual que el efecto que produjo la obra en el tiempo en que se compuso y difundió cuando era una obra poética vigente. Y aun podemos imaginar que no sería lo mismo el Poema interpretado por los juglares en las fiestas del pueblo de las villas y ciudades, que recitado durante una sobremesa de caballeros en un castillo, ni leído por un cronista que se documenta para escribir una historia o por un letrado que, junto a los manuscritos latinos que habitualmente lee, siente curiosidad por esta nueva manera de la literatura vernácula. Y a través de los años pensamos que el brillo poético de la obra se iría apagando, olvidada o transfundida su esencia a otras formas literarias, hasta que dejó de ser vigente como documento literario.

Algo muy importante tiene el lector de hoy en común con el Poema, y es la lengua de la que el poeta de la obra se valía con tanta soltura como el lector de hoy usa la de nuestro tiempo; y también permanece, a través de muy diversos acontecimientos, una continuidad inevitable, en la cual los hombres del pasado y los de hoy se hallan inmersos en una común historia que fluye desde el ayer hacia el mañana.

Esta descripción que haré pretende sólo dar una idea del curso del argumento poniendo de relieve sus elementos más característicos.

El argumento del *PC* se desarrolla a través de un progresivo ascenso en la consideración social de Rodrigo. En los primeros versos (estudiados por J. A. Nelson, 1973) el Cid se encuentra en apurada situación; en el comienzo del Poema, tal como aparece en el códice de Madrid, el Cid, contemplando la desolación de su casa, con referencias insistentes al arte de la cetrería que aparecen al echar de menos a sus aves de presa, no puede menos que llorar y suspirar:

Sospiró mio Çid,   ca mucho avie grandes cuidados

(v. 6)

Y al término de la obra el héroe se halla en la cima de su prestigio social:

Oy los reyes d'España   sos parientes son,
a todos alcança ondra   por el que en buena ora naçió.

(v. 3724-5)

El *Poema* se organiza, pues, siguiendo esta progresión de una parte de la vida del Cid, desde que pierde el favor real de Alfonso VI hasta que lo recobra, y sus consecuencias son la culminación señalada. Su figura heroica ocasiona una constante tensión argumental cuyos sucesivos desenlaces parciales constituyen la razón básica de la unidad del Poema en cuanto a su contenido.

Si consideramos el Poema en su desarrollo argumental, encontramos que el autor reúne en su unidad dos orientaciones en cuanto a la materia de la narración. La primera es la aventura del destierro del Cid, ocasionado por la ira de Alfonso VI, y que causa el beneficioso efecto de la toma de Valencia y luego la reconciliación de señor y vasallo. Y la segunda es la aventura de las bodas de las hijas del Cid, de las que resulta la afrenta de Corpes, y que se resuelve a la mayor gloria del héroe, pues emparienta luego por nuevas bodas con reyes de España. Ambas orientaciones narrativas requieren diferente disposición en el desarrollo argumental: la primera es una aventura de conquista, y la segunda lo es cortesana. Para una y otra orientación el autor ha contado con una materia narrativa diferente cuyo desarrollo implica ritmos poéticos distintos.

Para la primera orientación el autor se ha valido de la memoria de los hechos del Cid; ésta pudo llegarle de muy diversas maneras. La determinación de la fuente depende de dónde se sitúe al autor en el tiempo; así, para los críticos que prefieren una redacción temprana, ésta pudo hallarse en los mismos acompañantes de Rodrigo, testigos cercanos que pudieron relatar estos episodios de la vida del Cid que se cuentan en el Poema: el destierro, la toma de Valencia y sus relaciones con el Rey. Estos relatos primeros («diario de guerra», cantos noticieros, etc.) pasarían a versiones «legendarias» en las que se mezclarían la condición informativa y panegírica acercándose así a la literaria. Por lo menos este es el proceso que señalan quienes dicen que pudo haber en el fondo del Poema una materia que traía una conformación (¿folklórica?) orientada hacia la Literatura.

Si se estima que el Poema (¿hasta qué punto podía entenderse que era el Poema del Cid que está implícito en nuestro *PC*?) fue elaborado más tardíamente, hay que seguir el curso de la fama histórica de Rodrigo en lo que éste pudo servir como motivo de los Poemas latinos y «noticia» dentro de las Crónicas, en donde ocupaba un espacio entre los acontecimientos ocurridos en la vida de Alfonso VI. Por otra parte, las Cancillerías reunieron los documentos y se copiaron con más o menos fidelidad con diversas intenciones. Los papeles del Cid se juntarían en los archivos; en el mismo *PC* aparece que la venta de Alcocer la han «metudo en carta» (v. 844); las cuentas de las batallas se consignan en cartas (v. 511), etcétera. P. Russell (1952) y C. Smith (1976, 41-42) indican si estos documentos han podido volver desde la casa del Cid en Valencia a Burgos y a Cardeña.

De todas maneras, por importante que sea la fijación del origen de las noticias que aparecen en el *PC*, el autor sabe muy bien que no escribe una Crónica o historia según se concebía esta en la época en que se suponga que se ha escrito según las hipótesis de trabajo. Por eso no establece una secuencia de hechos documentada, tal como hubiese correspondido a un historiador, sino que compone una versión narrativa de ritmo poético, al que supedita el curso de la acción, consignando, interpretando, acomodando e inventando el argumento necesario. En lo que hemos designado como primera orientación de la materia argumental (o aventura del destierro y la reconciliación), el ritmo dominante es la andadura

épico-heroica, considerada como actividad del héroe del Poema frente al contrario, sea musulmán o sea cristiano, y esta
es la vía para recuperar el aprecio del Rey y aumentarlo; un
enemigo del Cid, el conde García Ordóñez, lo expresa muy
adecuadamente en el centro del *Poema*:

> ¡Maravilla es del Çid,   que su ondra creçe tanto!
>
> (v. 1861)

En la segunda orientación del argumento (bodas y afrenta
de Corpes) se testimonia otro tono general narrativo. Los hechos bélicos, las correrías por los espacios abiertos, dentro
y fuera de Castilla, el espíritu de conquista alternando con
tratos con el vencido que permite que el Cid y los suyos
sobrevivan como un grupo desterrado de la sociedad gobernada por el Rey, se cambian por los hechos cortesanos, los
viajes pacíficos de emisarios y cortejos, y el ritualismo jurídico de las venganzas legales. El autor conoce las leyes (o alguien le aconseja sobre esto) y los usos; utiliza hábilmente
los recursos «novelísticos», y sabe mantener la emoción de
los oyentes, volcada en el caso humano de las hijas del Cid y
de sus desgraciadas bodas.

Reconocer estas dos orientaciones narrativas no nos obliga a romper la unidad de la obra: una y otra son confluyentes
y acaban en una mayor gloria del héroe. La primera culmina
en la recuperación del favor del rey Alfonso VI; la segunda
en la ascensión de la fama del héroe. El resorte que mueve
los hechos es en ambas análogo, y el oyente o el lector de la
obra no se siente defraudado: el Cid es el mismo, desde el
primero al último verso, y lo que de él cuenta el poeta concuerda en la base de la percepción del que oye o lee la obra.
Y esto, además, no impide cualquier exploración previa sobre
la autoría, la tesis de los dos poetas de Pidal y de cuantas
puedan proponerse a través del resultado de finísimos tami-
ces, si se reconoce, al fin, al hacedor de la unidad tal como
aparece la obra en el estado del códice de Madrid. El *PC*
es, pues, insisto, un *libro* con entidad unitaria, considerado
desde esta perspectiva del contenido argumental.

2.3.   LOS RESORTES CORTESANOS: LA RELACIÓN SEÑOR-VASALLO

Esta unidad que Rodrigo personifica a lo largo del *PC*, lo es también en cuanto a los motivos sociales que acompañan al héroe en la una y en la otra de las orientaciones narrativas. Así acontece que ambas secuencias del Poema tienen su fundamento en los lazos que relacionan al Rey, en su función del señor, con el súbdito, en la suya de vasallo, bien sea en la recuperación del favor real o bien sea en su ascensión a pariente de Reyes. La expresión viene repetida insistentemente en el Poema: el rey Alfonso es para el Cid «mio señor natural» (v. 2031), y el Minaya, en nombre del Cid, dice que este con respecto al Rey:

> razonas' por vuestro vassallo   e a vos tiene por señor.
>
> (v. 1339)

Y en otra parte Rodrigo confiesa en público:

> —Quemo yo so su vassallo,   e él es mio señor,—
>
> (v. 2905)

El amor social, pues, acabó por unir otra vez a señor y vasallo, y la relación ha venido por la vía de la honra, sustancial para concebir la unidad de la obra en las dos orientaciones argumentales indicadas. Más adelante (al tratar de Alfonso VI) me referiré a la peculiaridad de este vasallaje en cuanto a las ideas sociales de la época; la relación entre señor y vasallo (sean éstos el Rey y el Cid o éste y sus vasallos) funcionó como un resorte poético efectivo e indiscutible para todos: autor y públicos de entonces, y así lo hemos de aceptar.

Cualquiera que sea el matiz jurídico con que se interpreten los términos *señor-vasallo*, en cuanto a los efectos poéticos ambos actúan como un binomio elemental que produce la necesaria tensión de relaciones entre los dos personajes básicos de la obra: el uno en función permanentemente acti-

va y conduciendo el desarrollo argumental del principio al
fin, y el otro en función irradiante de prestigio y valor sociales como corresponde al concepto del rey soberano en sus
decisiones. Y así ocurre que, desde esta base sustentadora
de la obra, se pasa de la persona (personalidad histórica real
y documentable en su vida) al personaje (personalidad literaria cuya realidad pasa a ser poética y condicionada por la
función que le otorgue el autor). Lo que discuten los críticos
en las distintas corrientes es de qué orden es este paso de
persona (en la vida histórica) a personaje (en el orden interno
del Poema); de ahí que quepa la interpretación historicista
y la novelizadora, según el énfasis se sitúe en lo que se conserva en el *PC* de la persona histórica o en lo que el autor recoge de la versión legendaria o inventa por su cuenta.

2.4. El discutido verso 20 del *PC* y la cortesía

Un verso, sin embargo, ha dado mucho que escribir a los
comentaristas de la obra; y será objeto de un detenido comentario porque en su interpretación podría encontrarse
un argumento sobre esta función básica de las buenas relaciones entre señor y vasallo que situamos como uno de los
motivos básicos en la contextura poética de la obra. Es el
célebre verso 20, una exclamación colectiva que se encuentra
precedida de otros versos que indican quiénes son los que
la vocean. Se trata de unos versos que en el códice de Madrid aparecen escritos de una manera confusa y que más
adelante (pp. 170-71) transcribo íntegros por su importancia en
otro aspecto del *PC* también discutido. Aquí lo que importa
es la exclamación que corona la serie y que dice así en la
transcripción paleográfica:

Dios, q*ue* bue*n* vassalo   si ouiesse bue*n* Señor

Acabar con versos de alta tensión de entonación excla-
mativa es un procedimiento común para cerrar una serie. Obsérvese, además, en este caso, desde un principio,

que se trata de una exclamación y que, por lo tanto, el autor abandonó el lenguaje meramente expositivo de la relación de los hechos y pasó al tono exclamativo, de significación emocional.

Los críticos han realizado malabarismos con la interpretación morfosintáctica y semántica de este verso. Las primeras interpretaciones daban al *si* un valor condicional, dentro del tono exclamativo: «¡Dios, qué buen vasallo [sería el Cid] si tuviese buen señor!». A. Alonso (1944 y 1946) interpretó el *si* del comienzo del segundo hemistiquio como un «sí» ([a]sí, procedente de un *sic* desiderativo-optativo con el sentido de «ojalá»), y partió el verso de esta manera: «¡Dios, que buen vasallo [es el Cid]! ¡Sí [ojalá] tuviera buen señor!». L. Spitzer (1946) matiza la interpretación tradicional con este sentido: «¡Qué buen vasallo el Cid, [todo sería perfecto] si tuviese buen rey!». Menéndez Pidal, aun admitiendo la interpretación de A. Alonso, señala que la condicionalidad del *si* puede entenderse no contra Alfonso, de quien ya no era vasallo, sino en términos generales, de manera que el sentido fuese: «Dios, qué buen vasallo [sería el Cid, adonde quiera que fuese], con tal de que encontrase un buen señor [que supiese valerse de sus servicios]»; o sea indirectamente «¡Qué buen vasallo pierde Alfonso por no ser buen señor, desterrando al héroe!» (1956, 1221). A. Badía Margarit (1954) cree posible la sucesión de los dos sentidos, de los que el *si* = *así* sería el más antiguo y propio de la épica primitiva, y considera el *si* condicional como de una época de sintaxis más madura; de esta manera aventura la hipótesis de que la primera interpretación pudiera ser la de la forma del Poema, situada acaso en 1140, y la segunda, de la versión de 1307.

Para E. De Chasca este discutido verso 20 refleja una realidad histórica; según él, subraya la condición negativa que representa el que el Rey haya alejado de su lado a un súbdito tan fiel, sin detrimento de reconocer más adelante su bondad desde el punto en que el Rey otra vez aprecia la valía del vasallo; en efecto, desde el verso 1378 en adelante se aplica sin restricciones el adjetivo *bueno* a don Alfonso;

la conclusión es que «humanamente el rey es quien asciende al nivel del vasallo, más bien que lo contrario» (1972, 67-76). En esto último no está conforme C. Bandera, que admite ambas interpretaciones (la del *si* condicional como juicio del acierto o eficacia de la decisión, pero no el carácter ético de una intención; la optativa como exposición del rigor del rey, pero no de su mala intención), pero no cree que haya de verse intención de juzgar la moralidad del hecho histórico (1969, 37-48).

N. Marín (1974) se inclina por interpretar el *si* como condicional y esto le lleva a la conclusión siguiente: «Lo que los burgaleses ven es que por las calles de Burgos cruza, con los *suyos*, uno que no es de *nadie*. Podría ser por su bondad manifiesta un gran vasallo, pero sólo desde el momento, y no antes, en que encuentra un buen señor de la misma bondad. No se trata, pues, de un juicio moral sobre el rey —implícito antes o después si se quiere, como algunos ya han observado— sino de un lamento ante un hecho irreversible» (idem, 495). Y el patrón de la frase le parece que es el verso 3354 de la *Chanson de Roland*: «Dé! qual vasal s'el fust cristier», referido al moro Baligant y que había sido propuesto por M. de Riquer (1968).

Garci-Gómez (1975, 62-77) ha propuesto entender el primer hemistiquio como una exclamación poética de la gente de Burgos ante la situación del Cid; y el segundo *Señor* representaría el deseo de que entre el infanzón de Vivar y el Rey airado apareciera un «hombre bueno» (representado en el *Señor* del verso) que sirviese de mediador; éste sería Alvar Fañez que más adelante lograría que el Rey admitiese otra vez al Cid como vasallo rehabilitado.

Me inclino, una vez más, por entender que los de Burgos —los *burgueses* del texto— comprimen en esa exclamación un contenido muy amplio, indicado resumidamente de una manera emocional; el pensamiento que le corresponde, a mi juicio, es: «¡Dios mío, qué buen vasallo fue el Cid hasta ahora con respecto a su señor Alfonso! ¡Bien quisiéramos que, de acuerdo con los méritos que ha manifestado hasta aquí, mientras estaba en el favor real, encuentre en adelante un buen Señor que lo acoja tal como él se merece!» Con esto coincido con la interpretación de M. E. Lacarra: «... el verso 20 expresa el deseo colectivo de los burgaleses de que el Cid encuentre un buen señor en el destierro» (1980a, 122). Lo que no saben los de Burgos es que el Cid ya ha escogido a este *buen* Señor.

Y en esta interpretación encuentro un enlace definido con otras menciones posteriores de la misma naturaleza. Por de pronto, el Cid elige otra vez a un Señor adecuado a sus méritos: es el propio rey Alfonso, del que Rodrigo acaba por recobrar el favor. Y, en efecto, un verso análogo enlaza las palabras *vassallo* y *señor,* en el cual ambos términos se encuentran indudablemente identificados; esto ocurre en la obra cuando el Rey declara su protección al Cid con motivo de la fijación del duelo en Carrión; los que combatan por el Cid estarán asegurados por Alfonso VI, el cual le dice:

> Hyo vos lo sobrelievo   como [a] buen vassallo faze señor
> (v. 3478; admito la corrección
> más común de pasar la *a* que en
> el ms. figura entre *faze* y *señor*
> al lugar que indico.)

Aquí es el propio Rey el que proclama al Cid como *buen vasallo* y él, al garantizar la suerte de los suyos, se comporta como [*buen*] *señor.* Y la mejor prueba de esto consiste en que el Rey ha cambiado su actitud primera, establecida de acuerdo con la ley y según las informaciones de los enemigos del Cid, en otra cada vez más conciliadora, procurando favorecer al desterrado hasta convertirlo otra vez en su fiel vasallo; y por esto, en este caso, asegura a los caballeros que lucharán por el Cid en Carrión.

En relación con la efectividad política y social del vasallaje en la constitución del *PC,* es importante añadir que en el Poema existe la clara formulación de un segundo rango de vasallaje en el que don Rodrigo es el Señor y los que lo siguieron sus vasallos (mis vasallos, v. 249; v. 376, etc.). En este caso la relación se mantiene siempre concorde y armoniosa, de tal manera que el discutido verso 20 obtiene su paralelo en otros dos que muestran lo que ocurre cuando las relaciones entre un buen Señor (en este caso el Cid) y sus vasallos (las *compañas* de don Rodrigo) van por el buen camino y se logra la armonía del grupo social bajo el signo del bien:

> Bien aguisado viene   el Çid con todos los sos,
> buenas compañas   que assí an tal señor.

> (v. 3022-3)

La bondad del señorío es comunicable, y está claro que el sentido va del Señor al vasallo; de ahí el significado punzante del verso 20, al considerarse en este caso la bondad suma del vasallo que requeriría un altísimo grado en el Señor-Rey que lo acogiese, como ocurre con el propio rey Alfonso, según indicó R. M. Walker (1976).

Fuera ya de la lengua vernácula, la exploración de la Literatura latina ha ofrecido (como estudió F. Carrasco, 1969) el caso de una expresión análoga en los *Anales* de Tácito (VI, 20); ocurre ésta en un dicho que un orador refiere a Tiberio y Calígula refiriendo que nunca hubo «neque meliorem unquam servum neque deteriorem dominum fuisse». No parece que haya habido una relación entre el verso 20 y esta frase (aunque no es imposible). Esto trae la tan debatida cuestión de la poligénesis, pero no olvidemos que en el caso latino y en el vernáculo hay una tensión retórica semejante de opuestos *servus-dominus*, *vasallo-señor*, aprovechada para establecer una frase que se pretende que choque en la percepción del receptor de la obra.

De todas maneras, los esfuerzos por dar sentido al verso 20 no han logrado una solución satisfactoria para todos porque se trata de un acierto poético de un gran efecto en los oyentes y lectores que plantea la cuestión de la ambigüedad fundamental de la poesía lograda. De ahí la posición de O. Ar-

mand (1972) que lo califica de verso fundamentalmente ambiguo en el sentido creador, que es a un tiempo exclamación
de las gentes ante la desgracia del Cid, juicio y profecía de
una futura redención social.

Y junto con este binomio señor-vasallo, el poeta exalta
también en su obra otra razón de vida social propia de la
clase noble: la «cortesía», según se desprende de los hechos
de la obra, defendida por los que estaban con el Cid; y la
infamia de los Infantes de Carrión resulta así ejemplarmen-
te vengada. Muy alto lo proclamaría el Poema para lección
de todos:

> ¡Qui buena dueña escarneçe   e la dexa despuós,
> atal le contesca,   o siquier peor!

(v. 3706-7)

Y con esto el Poema es un exponente de ejemplaridad social no sólo en lo referente a los hombres, sino también en
relación con las mujeres, que así aparecen integradas en esta
sociedad que, dentro de la obra, proclama los valores que se
desprenden de las relaciones entre señor y vasallo, y de lo que
representa la cortesía entre los nobles.

Los versos 20 y los que con él hemos enlazado, referidos
a la relación vasallo-señor y los 3706-7, sobre lo que le espera
al que no trate con la debida cortesía a las señoras, repre-
sentarían así los resortes activantes de los dos núcleos argumentales que hemos reconocido a través de la lectura de la
obra. Ambos pertenecen al ámbito cortesano y orientarían
la acción del Cid (parte del Poema con relación a los hechos
del héroe de Valencia) y el caso de las bodas de sus hijas
(parte del Poema en la que la novelización actúa más intensamente). De esta manera el *PC* queda inscrito en una literatura que expone estos valores en una eficiencia ideal, en el
sentido de que se ofrecen actuando de una manera positiva
en los que los incorporan a su personalidad: el beneficio
es así material (riquezas) y espiritual (honra). En esta clara
demostración consiste la ejemplaridad de la obra para los
oyentes.

2.5. LA RELIGIOSIDAD COMO ELEMENTO INTEGRADOR DEL CONJUNTO DEL *PC*

Establecidos así los resortes básicos del *PC* en relación con la condición heroica de la relación vasallo-señor y con la cortesía, exploraremos ahora la religiosidad que aparece en el mismo y de qué manera actúa en la integración de la obra. En el *PC* se percibe la manifestación de una serie de motivos religiosos que son fundamentales para un hombre de la Edad Media, esté dentro del Poema como protagonista, o bien sea el autor o el refundidor (o, por medio del texto, el que lo interprete), o quede del lado de afuera como oyente o lector de la obra. Tocante, pues, a todos y comprometiéndolos en una común cosmovisión, en el Poema actúa una concepción religiosa del mundo dentro de la cual un héroe de la medida del Cid no puede aparecer como un solitario que actúa sólo para sí mismo, ni el derroche de energías que realiza cabe entenderlo como una actividad que se dispersa sin sentido ni fin.

El poeta tiene conciencia de que hay un juego de fuerzas, soterradas unas, declaradas otras, que mueve a los hombres; unas veces los muestra reunidos por la dependencia familiar, otras en grupos que actúan con un sentido político según circunstancias de prestigio, relaciones o acción, y se cuida también de ordenarlos en clases sociales con una interdependencia económica determinada. Los hombres reunidos por el cruce de estos lazos conviven en un tiempo y en un espacio, y el curso de la vida hace que a veces tengan que unirse para realizar un cometido común, y a veces se enfrenten hasta el odio y la violencia, ocasionando una lucha en la que se esfuerzan por salir triunfantes. La del poeta es una conciencia oscura, pero suficiente para valerle de primaria inspiración en su obra creadora, y su esfuerzo poético pretende comunicarnos, según las convenciones literarias de la épica vernácula, lo que le pasó en el espacio de unos años de su vida a Rodrigo Díaz de Vivar. El poeta sabe que este hombre se levantó por encima de los otros y alcanzó un nivel heroico y ejemplar, del que quedó viva memoria entre las gentes. Por algún motivo político y social, el infanzón de Vivar subió este escalón de la gloria poética y desde allí arriba tiene que incorporar un paradigma de virtudes, organizadas dentro de un sentido de la religiosidad que el autor del Poema tiene interés en ponernos de manifiesto porque sabe que una obra de esta naturaleza tiene, como indicamos antes, un gran poder de ejemplaridad ante los públicos.

Dentro de este sentido de ejemplaridad, el Poema presenta la figura del Cid inserta en una participación activa con la religiosidad que atempera el afán de gloria primitivo y feudal de la «caballería de los caballeros», tal como indica O. H. Green (1969, I, 27). Admite como dominante el afán de gloria, pero la obra no pertenece a la épica violenta, sino que la «caballería del clero» posee también su función dentro de la orquestación del Poema.

Desde el punto de vista del reconocimiento de los esquemas básicos existentes en el fondo del argumento en el PC, J. R. Burt (1980) encuentra como base del argumento fundamental de la obra dos patrones directores: la primera parte de la obra (o sea las aventuras del Cid hasta la toma de Valencia) estaría dispuesta sobre la figura de Moisés, también forzado al exilio y vencedor al cabo; y la segunda (los episodios que comporta la acción de los infantes y la pacificación justiciera del caso) estaría dispuesta sobre la figura de Cristo (y sus discípulos, representados por la mesnada).

Todo cuanto aparece en este sentido se ajusta estrictamente al patrón clerical de la Iglesia en su función básica; es lo que un seglar necesita conocer para situarse dentro de una Teología elemental adecuada para la salvación del alma.

Lo primero que el poeta sabe es que el mundo transitorio (*el siglo*, v. 3726, de que habla al mencionar la muerte del Cid en el fin del Poema) existe en relación con el otro, el eterno, donde Dios es el *Creador*, el *Rey de los cielos*, el *Padre que está en lo alto*, el *Padre espiritual*, junto con la *Gloriosa, Santa María Madre* y todos los *Santos*. Dios, *que del mundo es Señor* (v. 2493), se invoca con mucha frecuencia;

los hombres le piden amparo y a El dan siempre gracias por
su favor. Esta constante invocación nos lleva a imaginar la
representación artística de la Divinidad que se halla en el
Poema tal como la expresó el Maestro Mateo en el Pórtico
de la Gloria de Santiago de Compostela (año 1188), y también
como lo interpretan las numerosas efigies del Pantocrator
que reina desde su serenidad en las iglesias románicas, fondo
arquitectónico de la obra, o en otras pinturas, como las de
la bóveda del Panteón de los Reyes de San Isidoro de León
(hacia el año 1180), santo reiteradamente citado en el Poema.

Dios y la Virgen y los Santos están así en el Poema como
una última instancia a la que el héroe acude cuando busca
ayuda, remedio o protección en el curso difícil de una vida
apurada, que los oyentes del Poema siguen con curiosa atención emocionándose con la suerte (la *ventura*, v. 223) del
hombre ejemplar que desde la miserable situación del comienzo de la obra llega al triunfo final.

Los restantes personajes de la obra participan de este
espíritu religioso, cada cual a su manera. Así Alfonso VI invoca con frecuencia en sus juramentos a San Isidoro de León
(v. 1342, 1867, 3028, 3140, 3509), un santo del reino leonés
que daría viejas resonancias imperiales de orden cultural
a la figura del rey. De una manera indirecta, con motivo
de la presencia del Obispo don Jerónimo, en el Poema cabe
mencionar un hecho importante de la política papal de
Alfonso VI: la sustitución del rito litúrgico toledano tradicional en España, por el romano, que favorecía los afanes de uni-
versalidad de Gregorio VII. Los benedictinos de Cluny intervinieron en favor de la nueva situación, y uno de ellos, don
Jerónimo, llegó a ser obispo de Salamanca. Un dato de la reforma documentado en el Poema es la mención de la misa
de la Santa Trinidad (v. 319 y 2370, con ocasión de la despedida de Cardeña y don Jerónimo, antes de la batalla), que
los cluniacenses favorecieron en el culto litúrgico.

Doña Jimena, por su parte, expresa la pena que siente
al separarse del Cid, su esposo, por medio de una oración
(v. 330-365) que reza en las gradas del altar del Monasterio
de Cardeña; las noticias sobre su identificación pueden en-

contrarse en un estudio de P. A. Russell, según el cual esta pieza religiosa es

> una forma inventada que, para satisfacer las necesidades de verosimilitud, basándose en reminiscencias de la liturgia [...] intenta transmitir la impresión de que es lo que no es: una auténtica oración (1978b, 153).

Por su parte E. M. Gerli estima que el poeta del Cid adapta el *Ordo Commendationis Animae* al desarrollo de la obra; la oración le sirve para proclamar que cree en Dios, su justicia y en Rodrigo mediante un uso adecuado de los elementos del *Ordo* (1980). J. Talens (1978) hizo un análisis semiótico de la oración de Jimena.

El fondo religioso del *PC* se corresponde con el sentido ecuménico del Medievo; la relación entre Dios y el hombre aparece establecida en cualquier aspecto de la vida (y sobre todo del arte, que es su proyección). La Biblia forma un sustrato en este fondo, como indica M. Edery (1967), y la Iglesia es la institución permanente entre los hombres perecederos, que representa a Cristo en las naciones. Por esto, sus manifestaciones visibles, las catedrales, los monasterios, las iglesias y sus ministros se encuentran en los versos del Poema como testimonio de esta concepción de la vida y del mundo, en la que el poeta se siente integrado y, con él, sus héroes y personajes, reales y de ficción, y todo cuanto les sucede en la obra resultante de su imaginación creadora. La Catedral de Burgos, *Santa María* (v. 52) (derribada en el siglo XII para alzar la actual), recibe el adiós de Rodrigo al salir de Burgos (v. 215) y desde Alcocer envía para sus altares un rico donativo (v. 822). Doña Jimena, la mujer del Cid, y sus dos hijas quedan durante el destierro bajo el amparo de un llamado abad don Sancho (v. 383). Según el Poema, Rodrigo envió desde Valencia mil marcos de plata para el Monasterio (v. 1285), como dando ejemplo a los oyentes del presente y del futuro acerca del comportamiento de los señores con respecto a los religiosos a los que protegen.

Otras dos catedrales aparecen en los versos del Poema, sólo que mencionadas de una manera indirecta; ambas menciones se encuentran con ocasión de referirse a la grandeza de Alfonso VI, citando la extensión de sus dominios. Así se lee:

> Rey es de Castiella   e rey es de León
> e de las Asturias,   bien a San Çalvador,
> fasta dentro en Santi Yaguo   de todo es señor,
> ellos comdes gallizanos   a él tienen por señor.

(v. 2923-2926)

La mención de San Salvador ya fue referida por Menéndez Pidal a Oviedo (San Salvador de Oviedo, 1956, 838), pues la catedral de esta ciudad está dedicada a este santo. La indicación de que esta mención fuese un anacronismo, formulada por A. Ubieto (1972, 68-9) ha sido rechazada por R. Lapesa (1982, 63-64), que recuerda que Alfonso VI estuvo en Oviedo en 1075 en un solemne acto religioso en el que donó un precioso relicario, el Arca Santa, para guardar las reliquias orientales; esto fue ocasión para el comienzo de un auge económico de la Catedral por las donaciones y privilegios, y de un acrecentamiento de su fama, como lo prueba el que aparezca en el *PC* para designar un punto extremo de las Asturias, y sonado (compárese «*bien a* San Çalvador» con el verso 3655 «[la espada] raxo'l los pelos de la cabeça, *bien a* la carne legava», en el sentido de «hasta la...»). La otra mención a Santiago envuelve también a su catedral, a la que volveré a referirme por ser el punto final de las peregrinaciones.

Con ocasión de la llegada a Valencia de la mujer y de las hijas del Cid, el obispo don Jerónimo se prepara para recibirlas con solemnidad religiosa:

> Reçebidas las dueñas   a una grant ondrança
> el obispo don Jherónimo   adelant se entrava;
> y dexava el cavallo,   pora la capiella adeliñava;
> con quantos que él puede,   que con horas se acordaran,
> sobrepelliças vestidas   e con cruzes de plata,
> reçibir salien las dueñas   e al bueno de Minaya

(v. 1578-83)

El obispo va en busca de los que pudieran acompañarle, los que hubieran hecho un acuerdo en cuanto al rezo de las horas canónicas, y tomando las vestimentas y las cruces de plata, forman un grupo que con sus atuendos y signos contraste con el de los caballeros que las reciben con festejos cortesanos. Recordemos, a este propósito, que este fasto religioso de la bienvenida se celebraría en un marco en que la arquitectura del lugar era árabe. ¿Imaginarían los oyentes del Poema que la *capiella* donde vistieron los trajes y guardaban las cruces era un edificio de trazas árabes? ¿Sería la gran mezquita de Valencia a que se refiere Menéndez Pidal (1969, 522)? La Iglesia española podía ofrecer estos contrastes.

En otra parte del Poema el Cid vela en la iglesia de *San Servando* (v. 3047) la noche antes de las Cortes de Toledo. El poeta sabe, en este otro caso, darnos una impresión de recogimiento espiritual en el que los ruegos y las palabras musitadas en la oración expresan la sumisión a Dios de este hombre invencible (v. 3055-8).

La «orquestación» religiosa del *PC* se ofrece en este marco de referencias que rodean al héroe y a los personajes; por otra parte, el poeta no establece un abierto auxilio de la Divinidad en relación con el protagonista principal, que rompa la verosimilitud estrictamente humana de las hazañas que le atribuye. Sólo en una ocasión se cuenta que el Cid tiene un sueño en el que el *Angel Gabriel* (v. 406) consuela al desterrado, pero esta intervención es levísima: cinco versos en que se refiere, además, una aparición ocurrida en la imprecisa conciencia de un dulce sueño. Sin embargo, la fe que declara el Cid de que está de la parte de Dios es un motivo que enuncia en relación con su propia persona:

Con Dios aquesta lid   yo la he de arrancar
(v. 1656)

O con el conjunto de los suyos:

Dios nos valió   e vençiemos la lid
(v. 831)

Y esto no ocurre sólo desde el punto de vista del Cid o de sus mesnadas, sino que el mismo rey de Marruecos lo proclama desde el campo contrario, y esto significa que era opinión común entre cristianos y moros:

> e él non ge lo gradeçe   sinon a Jhesu Christo
>
> (v. 1624)

Esta voluntad del poeta de situar al Cid y sus combatientes debajo de la protección de Dios, entendiendo que así cumplen una misión providencial, permite reunir las ventajas materiales que pudieran sacar del combate con el sentido religioso que así adopta la lucha contra los moros; por esto reciben la amplia absolución que les da el obispo don Jerónimo antes de salir a la batalla:

> El que aquí muriere   lidiando de cara,
> prendo'l yo los pecados,   e Dios le abrá el alma.
>
> (v. 1704-1705)

Sirviendo y ayudando a su señor Rodrigo, los combatientes se han encontrado, en virtud de las condiciones peculiares de la vida española, en el camino de la salvación eterna. La suya, pues, resultó ser una aventura privada que vino a dar en una empresa bélica al servicio de la Cristiandad castellana, una provincia de la Europa religiosa encabezada por Roma; el Cid y los suyos ganaban el pan y la tierra, y al ensanchar, con las armas, los límites del dominio político de su creencia, creían obrar de buena manera y servir la causa de Dios, al tiempo que acrecentaban su poder y caudales. Estas y otras expresiones análogas se mantienen en la Literatura como el signo de una España providencial; a este tenor, Quevedo escribió: «La diestra de Dios venció en el Cid» («España defendida», en *Obras en prosa*, Madrid, 1932, 299). En el Poema el héroe, invocando la ayuda de Dios, obtiene la victoria con su esfuerzo, si bien la interpretación posterior no puede referirse a nuestra obra de una manera inmediata, como diré luego en la Parte 5.

Con ocasión del episodio de la afrenta de Corpes, un tema de índole religiosa aparece en el curso de su desarrollo: es la petición de las hijas del Cid de que los Infantes las conviertan en mártires, antes de que las traten de una manera deshonrosa. Esto supone la posibilidad de que este tema proceda de alguna relación con leyendas de mártires, como insinuó J. K. Walsh (1970-71) y le parece plausible a C. I. Nepaulshing (1980).

El léxico cultural de la obra está cuidadosamente establecido (como señaló J. Terlingen, 1953); y las ceremonias religiosas se reflejan de tal manera que F. Serrano Castilla (1954) indicó que la acogida que dispensó el abad don Sancho al Cid (v. 242-247) puede proceder de los usos de la Regla de San Benito, establecidos para recibir a los visitantes.

De esta manera el *PC*, tanto en las ideas de fondo que lo apoyan, como en lo que dicen y hacen sus personajes y en la organización de los episodios, se basa en una concepción católica de sentido europeo que en los Reinos hispánicos desde el siglo XI estaba sobrepasando la grave cuestión de disciplina ritual en que se encontró empeñada. Esto es lo que cabe esperar en una obra de esta naturaleza y no conviene entender que sólo por esto su autor pudo haber sido hombre estrictamente de iglesia. Lo que se dice en la obra refleja las convicciones religiosas comunes en cualquiera que participase de algún modo del espíritu clerical de aquellos tiempos, aunque su autor fuese un hombre civil. Iremos viendo cómo todo se integra en la construcción artística que estamos describiendo; no se trata de una suma de episodios, sino de una cohesión poética en la que todos estos elementos se reúnen en la unidad poemática.

Un punto de este aspecto del *PC* ha resultado especialmente controvertido: el de si aparece en la obra el espíritu de la Reconquista. G. Perissinotto (1979) estima que sí se encuentra en el Poema: «La Reconquista está muy presente en el Cantar y es mucho más importante de lo que se ha venido pensando» (idem, 3); y así se establece la compatibilidad entre el afán de riqueza y la religiosidad de la empresa que aparece en el grito de guerra de Santiago (vv. 731, 1138, 1690), que no es una fórmula fósil, sino una apelación eficaz para las filas cristianas.

En este aspecto no hay que mezclar la perspectiva de la realidad histórica con lo que se manifiesta en el Poema, si bien hay que establecer entre uno y otro aspecto la debida relación. Hay unos versos que ponen alguna luz sobre esto: el Cid resuelve su situación personal día tras día hasta que gana la ciudad de Valencia; entonces el poeta sitúa en el héroe, después de la derrota de Búcar, un atisbo revelador de lo que sería el curso de la conquista de España por los cristianos españoles de los distintos Reinos. Cuando el Cid derrota a Búcar, rey de Marruecos (según el Poema), piensa que le teman hasta los moros de «allende el mar», y aun puedan llegar a pagarle tributo a él o a quien él designe (v. 2500). Es la parte en que el Cid alcanza los más altos vuelos en su guerra con los moros, en particular contra los africanos. Puede decirse que incluso sobrepasa los que fueron límites de la Reconquista, pero esto no pasa de ser un desplante que se le ocurre en la alegría de la victoria, pues él mismo impone la mesura en su propósito, indicio de la *sapientia* que significa el conocimiento de los propios medios:

> . allá dentro en Marruecos,   o las mezquitas son,
> que habrá[n] de mí salto   quiçab alguna noch:
> ellos lo temen,   ca no lo pie[n]sso yo;
> no los iré buscar,   en Valençia seré yo.

> (v. 2498-2502)

No, el Cid no llegará ni siquiera a intentar tal plan de acción bélica, pero el propósito quedaba en el aire como un cometido que tenían que cumplir los Reinos cristianos que seguirían, limitado al espacio peninsular, como estudia K. H. Bender (1980).

2.6. La concepción jurídica de la obra

Otro aspecto del fondo clerical en que se apoya la obra es la concepción y la práctica jurídicas que subyacen en su cons-

titución poética. El Poema se compone conociendo las leyes
y usos que tocaban de un modo directo a diferentes episodios que se articulan en el argumento; el recurso de valerse
de este fondo y de los términos jurídicos que el mismo comporta indica que su autor confiaba en él para organizar el
Poema. Por este motivo el estudio del Derecho en el Poema
fue un tema muy tratado por juristas e historiadores, como,
por ejemplo, E. de Hinojosa (1899), P. Corominas (1917),
J. García González (1961), I. R. Galbis (1972), M. E. Lacarra
(1980a) y L. Polaíno (1982). La cuestión tiene un planteamiento
que ha esbozado S. D. Kirby (1980) y dentro de él, el *PC* aparece como una obra notable en este sentido; no sólo ha ofrecido
materia para el estudio del Poema, sino que C. Smith (1977b)
ha indicado que su autor pudiera muy bien ser un profesional
de las leyes, «laico y abogado», como ya indiqué antes al
referirme al problema del autor de la obra. D. Hook (1980)
corrobora con su estudio que el autor poseía experiencia
jurídica y también en la práctica de la administración; tras-
pasando este conocimiento al contenido de la obra, el Cid
y los otros personajes se comportan atendiendo a estos motivos que así se convierten en poéticos. El consistente lega-
lismo del *PC* no es sólo «una cuestión de fraseología, sino
también —si no de modo primario— de actitudes y de mentalidad» (idem, 51). Desde este punto de vista el *PC* se interpreta como una obra que pone de manifiesto, con el poder
de persuasión de la poesía, la ejemplaridad de su héroe, mesurado y que prefiere el uso de las leyes a la violencia, mostrándose como un sostenedor del derecho, un «law-abiding
citizen», según lo califica S. D. Kirby (1980, 165).

El problema de la concordancia entre las prácticas jurídicas en la época de Alfonso VI y las que muestra el Poema es cuestión aparte del uso literario de elementos del
derecho como motivo poético, según estudian los críticos;
cualquiera que sea su interpretación, todos están de acuerdo
en que la amplitud del recurso es manifiesta a todo lo largo
del Poema, y así resultó que la obra levanta su dignidad civil
con la intervención jurídica del monarca, que no cesa en
toda la extensión de la obra.

El reciente libro de M. E. Lacarra (1980) recopila las noticias y la bibliografía reunida sobre esta condición del *PC* y examina la concepción jurídica de la obra considerando los textos legales aducibles (*Fuero Juzgo* en León y el fuero consuetudinario en Castilla, y además el *Fuero Viejo de Castilla*, el *Fuero Real* y las *Siete Partidas*) y también los documentos reales que pudieran suplir la falta de códigos. Desde su comienzo el Poema se apoya en un concepto jurídico que justifica la posición del rey: se trata de las consecuencias que produce la aplicación de la *ira regia* (v. 219), una institución de origen germánico y factura visigoda que había pasado a la legislación medieval. La *gran saña* (v. 22) de Alfonso VI, la pérdida de la gracia real que suponía la situación del Cid *airado* (v. 882) (o sea, que sobre él había caído la *ira regia* instituida como ley), es el resorte de origen en la obra. El motivo de esta *ira* procede en el Poema de la información que dieron al rey los *enemigos malos* (v. 9) del Cid sobre haberse quedado éste con parte de las parias del rey moro de Sevilla destinadas a Alfonso VI (v. 109-112), si bien las noticias históricas mencionan una algara por el reino moro de Toledo, con la que el Cid rompe la paz que este Reino tenía concertada con Alfonso VI. La pena dictada por el Rey es la de destierro y confiscación de bienes; el Cid recibe un plazo para abandonar el reino de Alfonso VI, y durante el mismo confía a su familia en encomienda (v. 256) al monasterio de Cardeña. La mesnada del Cid tiene que atenerse a las consecuencias económicas que les comporta acompañar al desterrado, de las cuales se cuida de compensarles su capitán. El Cid en el destierro evita enfrentarse con su rey, y sólo en el caso de Castejón se apodera de bienes de moros protegidos por el vasallaje a Alfonso VI, abandonando pronto el lugar para evitar el encuentro con las tropas reales. El perdón real va estableciéndose por grados hasta que alcanza al mismo Cid (v. 1898b), y la ceremonia se realiza con toda espectacularidad, de una manera pública. El autor del Poema ofrece, por tanto, un caso en el que el uso de la *ira regia* provoca un conflicto trágico en su dimensión humana, pues el Cid no puede defenderse de las acusaciones y sólo su heroica conducta le permite sobreponerse a la adversa fortuna, aprovechándola en beneficio propio para enriquecerse y crecer en honra. Por otra parte, Alfonso VI, ante los hechos del Cid, vuelve de su primera actitud contraria y acaba por reconocer la valía del héroe.

La base de esta parte del argumento requiere unos conocimientos jurídicos por parte del poeta; sin embargo, M. E. Lacarra nota algunos desajustes en la aplicación de las leyes. El plazo de nueve días para dejar el reino coincide mejor con los fueros locales (Teruel y Calatayud) que con los plazos de los grandes códigos antes citados. La carta dirigida al pueblo de Burgos amenazando a los que ayuden al Cid resulta anómala, pues el destinatario de tales avisos habría de ser un gran señor, en el caso de haber reflejado un documento contemporáneo de los hechos. Tampoco los grandes códigos aplican el castigo de la *ira regia* a las familias del culpado. La espectacularidad del perdón tal como aparece en el Poema encuentra un mejor paralelo en los documentos del siglo XII y principios del XIII, según la interpretación de M. E. Lacarra.

Las menciones del Poema al botín que logran el Cid y los suyos refleja también una cuidadosa legislación de fueros que atendía en particular a este aspecto de la vida económica en la Edad Media. En la campaña de Valencia, el Cid actúa como un caballero desterrado que se aplica a él y a su mesnada las atribuciones del Señor con respecto a sus súbditos, semejantes a las establecidas en los fueros. Don Rodrigo recoge el quinto del botín, lo mismo que correspondería al rey y distribuye el resto entre sus huestes. La conquista de Valencia resulta así ser obra suya e impone su señorío sobre la tierra llegando hasta nombrar obispo en ella; no la gana para el Rey: él no trata de justificarse ante su señor, sino que se comporta de manera que la acusación pierde valor por razón de esta conducta propia de un buen vasallo.

Llama la atención M. E. Lacarra sobre la valoración en moneda de los bienes del botín, repetidamente manifiesta, que se corresponde con la situación económica que desde 1140 en adelante muestran las ciudades y villas, aumentando el uso de la moneda, que crece cada vez más a partir del último tercio del siglo XII con el impulso que da Alfonso VIII a la reconquista y a la hacienda.

La institución matrimonial aparece en el Poema en un contexto jurídico: el rey actúa como mediador en los tratos de las bodas, entre los Infantes de Carrión y el Cid; aceptada la proposición, el Rey verifica la *traditio* simbólica y en las bodas de Valencia Alvar Fáñez representa al Rey, y el Cid acepta la propuesta sin consultar con Jimena. El orden del ceremonial no es, sin embargo, el que cabe esperar: misa, bendiciones, y la *traditu in mano* a cargo del sacerdote, sino que ocurre primero la *traditu in manu*, las bendiciones y, al fin, la misa. Las cuestiones económicas implícitas en el casamiento ofrecen algunas dificultades: sobre todo el que no se hable de las arras sino como motivo del que se valen los Infantes para sacar a sus mujeres de Valencia. El divorcio tiene como causa el abandono de las hijas del Cid, que si bien los Infantes resuelven con la pena pecuniaria al Rey, Rodrigo exige la devolución del ajuar que les dio por no considerarlos ya sus yernos. Sobre las arras de los Infantes, el Cid estima que es cuestión del Rey y no plantea el asunto.

El encauzamiento jurídico de la recuperación de la honra por el Cid ocurre por la vía del derecho y por eso el Rey asegura que: «Con el que toviere derecho yo dessa parte me so» (v. 3142), apoyando, por tanto, la preferencia por un derecho que establezca la justicia dentro de la ley. A. Zahareas (1964) ha considerado que este episodio es fundamental en la constitución argumental de la obra, pues es un motivo de unidad artística y en él destaca la grandeza del héroe en su plenitud, esta vez levantada por el Rey que es buen señor para el excelente vasallo.

Sobre este aspecto insiste L. Polaíno (1981) que considera que Rodrigo ha actuado en esta parte de su reivindicación con un gran tino jurídico (como había hecho en su vida), primero apoyado, «en un campo jurídico ordenado por unas normas de Derecho bastante influenciado por los romanistas» en lo que se refiere a sus espadas y a los resarcimientos económicos; y después «vuelve al arcaico juicio de ordalía o juicio de Dios, de raigambre germánica» (idem. 96-97), en cuanto a los duelos.

El resultado de las Cortes es que los jueces admiten las alegaciones del Cid y los Infantes quedan acusados de *menos valer;* sólo el duelo entre los contendientes señalados (unos van en representación del Cid y otros son los Infantes y su pariente Asur González) puede resolver el caso. El Rey ordena que se cumpla el veredicto y se haga lid en tierras de Carrión con el aparato prescrito, y la victoria de los combatientes por el Cid asegura la acusación de *menos valer,* con lo que los Infantes quedan en deshonra manifiesta ante la Corte y, por tanto, ante el Reino entero. La venganza privada que los Infantes se tomaron deshonrando a las hijas del Cid queda sobrepasada por un procedimiento de derecho público, sostenido por el Rey y su corte, que permite una solución justa al caso presentado por don Rodrigo.

En esta parte del Poema el autor expone (en forma indirecta, a través de la trama) las ventajas de la institución de la Corte para resolver los problemas dentro de un proceso legal, en cuyo curso pueden exponerse los argumentos de los contendientes. Si el procedimiento de la *ira regia* fue el resorte en la primera parte de la obra, el de las Cortes es la base de la parte segunda. Con ello el autor recoge la corriente que favorece la progresiva institución de normas generales de justicia según el modelo del derecho romano, tal como incorporan sucesivamente los nuevos fueros en la segunda mitad del siglo XII. En el Poema el Rey recomienda a los jueces «conocedores» que escojan el *derecho* (v. 3138), y de una manera pública y según los cauces de los procedimientos de la reunión de unas Cortes, que den marco legal a la decisión final del Rey. Por tratarse de un caso privado, entre familias de nobles, hubiese bastado con las Cortes ordinarias, pero el Rey, para realzar su aprecio por el Cid, las convoca con carácter extraordinario, sin que acudan sin embargo las dignidades eclesiásticas. Sobre los que formaban la Corte, hubo variación en las diferentes épocas: en el Poema es un infanzón, el Cid, noble de segunda categoría, el que da lugar a la reunión y el que asiste a ella.

2.7. LA REALIDAD HISTÓRICA DE LOS MOROS
     Y SU PRESENCIA EN EL PC: EL ESPÍRITU DE FRONTERA

Un elemento muy importante, y que en seguida destaca
como uno de los decisivos, es la intervención del pueblo
árabe (los moros, como se llama tanto a los moros españoles
como a los de fuera; y *morisco* es lo propio de los moros:
la *piel morisca*, v. 178, y los *caballos moriscos*, v. 796) en la
constitución de la obra. Estos moros del *PC* representaron
una realidad histórica que contó en muchas ocasiones en la
vida de los Reinos españoles y, en particular, en el de Castilla.
Encontrarlos en el curso del *PC* no es una sorpresa, sino una
confirmación de esa realidad; y esto sitúa a la obra en un
contexto cultural en el que todos, autor y públicos, estaban
implicados de una u otra manera. K. H. Bender (1980) ha
verificado una investigación sobre la historicidad y la recepción del *PC* en lo que se refiere a estas relaciones entre moros
y cristianos.

De ahí que sea conveniente recordar que, siglos antes, el
Reino visigodo de España quedó desorganizado en el año 711
por la acción de los musulmanes. Los Reinos cristianos de
la Península que lo habían sustituido en la parte que quedó
libre del gobierno de los árabes, o que se iba liberando, cuando se compuso el Poema, hacía ya siglos que mantenían
relaciones de todo orden con los árabes; las de carácter béli-
co pertenecían a la misma razón de su ser político. Estas
guerras fueron para los reinos cristianos de España la fe de
vida de que pertenecían a los últimos límites de la Cristiandad romana; primero fueron esfuerzos para sostenerse sobre
un pedazo de tierra, libre del poder moro; luego, para asegurarse y «encastillarse», y, finalmente, llegaron a convertirse
en el medio para recuperar el dominio de lo que antes había
sido el espacio de la España goda y cristiana. Había, pues,
una confusión entre el impulso político y la condición religiosa, propia de los pueblos en los que la libertad política
de la comunidad, organizada según los patrones de la época,
se consideraba unida a la presencia de la Iglesia.

Paralelo a esta realidad histórica secular, se encuentra un episodio de la historia europea, el de las llamadas Cruzadas a Tierra Santa, en el que, en el año 1096, se quiso liberar los Santos Lugares, en medio de una gran conmoción de los Reinos cristianos del Occidente. Sin embargo, antes de esto en España había acontecido lo que Menéndez Pidal llamó «una Cruzada antes de la Cruzada» (1969, 147-151); fue la expedición que el papa Alejandro II había promovido en 1063 contra Barbastro, entonces en poder de los moros. Los caballeros europeos que asistieron a la misma ganaron la villa, pero no pudieron conservarla mucho tiempo para la Cristiandad; a fines de abril de 1065 Moctádir ganó otra vez la ciudad para el Islam, y sólo treinta y cinco años después fue reconquistada de una manera definitiva. La técnica de la Cruzada no sirvió en este caso, y los caballeros de la expedición no supieron seguir una norma acertada ni en la guerra ni en el trato con los árabes de España, que eran diferentes de los musulmanes orientales.

Por tanto, la presencia de los moros en el Poema y sus guerras y tratos con el Cid obedecen, en gran parte, a este imperativo de la circunstancia histórica de la época. De esta manera, la audición de un Poema en el que un héroe castellano vencía y dominaba a los moros sería bien recibida por todas las clases de público en la España cristiana: la obra realizaba entonces un servicio de propaganda en el sentido de que reanimaba el ardor combativo de las poblaciones que, de un modo u otro, podían llegar a combatir con los moros. De ahí que una interpretación del *PC* sea la de J. Fradejas (1962, 4); entre otros aspectos de la obra, este crítico destaca que el poeta calla el número de bajas del campo cristiano para animar a un posible alistamiento en una guerra que duraba siglos y cuyo fin era imprevisible.

Tal situación implicaba una «política» en que contaba lo mismo la guerra que el pacto de treguas, y que se acomodaba flexiblemente a la extensa línea de contacto entre las dos culturas peninsulares: una era la cristiana, constituida políticamente en los Reinos de León y Castilla, Navarra y Aragón,

con Cataluña y Valencia, y contando en esta parte tanto los
cristianos de origen como los repobladores y añadiendo la
población de los judíos y la de los moros sometidos. Y la
otra parte estaba constituida por el reverso: los musulmanes,
los mozárabes (donde aún persistían) y los renegados cristianos, todos los cuales vivían bajo el signo del Islam. En
ambas partes había una gran variedad de gentes, de entre
las cuales el Poema refleja sólo las que convienen al argumento de la obra.

De esta manera, en un sentido amplio puede afirmarse
que gran parte de la España cristiana y mora que aparece
en el *PC* participa del aire de la frontera, pues el héroe y
sus gentes han de transpasarla en muchas ocasiones. Los reinos cristianos de España son el último país de la Europa
occidental en que se puede encontrar esta voluntad colectiva
de seguir siendo europeo (o sea católico en religión, admitiendo el magisterio de la Antigüedad a través del latín, participando del sentido cultural de la clerecía, promoviendo
las formas de vida caballeresca en un cierto grado, entre las
cuales se halla el desarrollo de la lírica cortés, etc.) y, al
mismo tiempo, resulta posible una penetración de las formas
de vida árabe de muy diversa especie.

La frontera no era, como hoy, una línea marcada sobre
un mapa, sino una realidad de existencia que se matizaba
gradualmente, y que alcanzaba su punto culminante en los
«caballeros de frontera», o sea en los que vivían en los bordes
de esta zona de separación entre los dos mundos, cada uno
con su cultura, la cristiana y la árabe. El Cid fue un prodigio-
so caballero de frontera que situó la Cristiandad dentro de la
tierra mora, y allí organizó una minúscula sociedad que
poseía en su dinámica social una disposición peculiar, tal
como han observado los historiadores; J. M. Lacarra indica:

En la segunda mitad del siglo XII puede percibirse en Castilla
una distinta estructuración de la sociedad en las tierras del interior y de la frontera. En los lugares del interior las gentes
se agrupan en infanzones, clérigos y labradores; en la frontera
son caballeros y peones (1975, 52).

En cuanto a su grado social, Rodrigo fue un infanzón extraordinario que, desde dentro de Castilla, pasa por la frontera y organiza fuera del Reino una corte propia y personal, en la cual siempre se requiere permanecer en disposición de combate, tal como ocurre en los castillos de la frontera. Fue así como dentro de esta tensión humana y social de la frontera se registró el hecho de que un desterrado por la ira del Rey dejase sus tierras y saliese del Reino para ganar, él y los suyos, el pan en la tierra de los moros; el hecho en sí era de escaso relieve político, resultado de una intriga cortesana, y apenas este y otros casos semejantes merecerían unas líneas en las crónicas de la época.

Esto le ocurrió a Rodrigo Díaz de Vivar, infanzón de Vivar y vasallo de Alfonso VI, rey de León y Castilla, y el Poema se basa en el trasfondo de esta realidad histórica. Tanto la vida del Cid como los hechos que le atribuye el Poema coinciden con esta corriente histórica de la vida de España. El poeta pudo acomodarla a la significación poética de la obra, que poseía una entidad literaria propia; y esto lo hizo sin alterar lo que la Historia testimonia dentro del conjunto de la política de los Reinos hispánicos: la expansión política, de fuerza ya secular, con que los pueblos cristianos del norte, a través de sus Reinos, iba arrinconando a los árabes hacia las tierras del sur andaluz. Esta conquista de Valencia, clave en el Poema, representaba consustancialmente, dentro de la peculiaridad de cada caso, una prematura extensión del cristianismo por unas tierras arabizadas en política y en religión, en las que los mozárabes habían mantenido un rescoldo de fe cristiana en circunstancias cada vez más adversas para la vida espiritual.

El Cid logró con su esfuerzo volverlas al dominio cristiano en una ocasión ciertamente excepcional (y en ello se ha de ver un motivo más de su posible transformación literaria, pues la poesía prefiere los hechos fuera de lo común).

Con esto Rodrigo declara (y obsérvese que el poeta hace que lo diga él mismo, refiriéndose al grupo que encabeza) que él se reconoce como un noble aventurero al que las circunstancias del destierro han obligado a que se establezca

sobre una tierra que le es ajena, y cuyos moradores se defienden, como para ellos era de razón y de justicia, de su
acción militar. Pero el infanzón aventurero no se siente solo
ni sus hechos resultan episódicos, sino que el poeta lo convierte en un héroe que logra modificar la situación política
y religiosa de la frontera y, con la conquista de Valencia,
erigir allí un obispado por su propia iniciativa:

> ¡Dios, qué alegre era   todo christianismo,
> que en tierras de Valençia   señor avie obispo!
>
> (v. 1305-1306)

Según C. Bandera (1969, 49-55) este *cristianismo* está constituido en primer lugar por los que acompañan al Cid, que
participan de una manera directa de esa alegría, y después
por los que en el Reino de Alfonso VI se unirán a ella;
no es, dice, la Cristiandad entendida a la manera de un
Carlomagno, sino la vivida desde el hecho de la conquista del
Cid.

Pero aun matizando de esta manera la interpretación, no
hay que olvidar que la noticia importa también a los demás
cristianos de Europa (el poeta se refiere a *todo el cristianismo*), pues el condicionamiento espiritual de la religión es
común a todos. Se trataba, pues, de una expedición de índole
personal, que el Cid había emprendido para resolver una
situación propia, aprovechable tanto para el fin de extender
la Cristiandad, como para obtener riquezas con las que ganar honra.

Por otra parte, el Cid no impuso su religión católica a
los moros vencidos, sino que llegó con ellos a un acuerdo
político que apenas perduró más allá de su muerte; había,
pues, al propio tiempo, una peculiar convivencia con el moro
sometido, que no implicaba para éste el abandono de su ley
y religión. Es cierto, pues, que el Cid se entiende con los
moros y aun puede llegar a ser su amigo (como veremos
más adelante) y que no se propone su derrota completa, y
que sus hechos se pueden interpretar como aventuras personales, pero lo es también que su acción sirve el propósito

de expansión de la Cristiandad, adecuado a su época, bajo el signo de las armas; la diferente perspectiva que se produce al considerar uno u otro aspecto aparece tratada y resumida por E. De Chasca (1972, 157-164).

La significación que las aventuras del Cid habían tenido para los otros países de la Europa cristiana aparece en la resonancia que tuvo la noticia de su muerte. El Cronicón del Monasterio de Maillezais de Poitou, en el centro de Francia, recogió así la muerte del héroe:

En España, dentro de Valencia, falleció el Conde Rodrigo, y su muerte causó el más grave duelo en la Cristiandad y gozo grande entre los enemigos musulmanes (1969, 576).

2.8. Mito, historia y ficción en el PC

En el relato del argumento que antes resumí, me he referido a unos protagonistas y a hechos que tuvieron un cierto grado de realidad histórica: el Cid, su familia y amigos, sus enemigos, el Rey, la situación política entre castellanos y leoneses, los moros, el fondo religioso de la obra son elementos que existieron en su tiempo. Esto no obsta, sin embargo, dentro de la concepción poética de la épica, para que el Poema tenga que ser considerado sustancialmente como una obra literaria. Desde Aristóteles, que en esto, como en otras cuestiones, está siempre presente en la cultura occidental, se sabe que la Historia refiere las cosas ocurridas, y la Poesía las cuenta tal como pudieran haber ocurrido. Como ya dije antes, no se le hubiera pasado por la imaginación al poeta (en cualquiera de los grados que hemos considerado), ni tampoco a los oyentes o lectores, confundir ambas especies de obras, históricas y poéticas, y los que escribieron sobre la teoría literaria en todos los tiempos han insistido sobre lo mismo.

San Isidoro en la segunda mitad del siglo VI había distinguido:

Entre historia, argumento y fábula existe la siguiente diferencia: la «historia» es de cosas verdaderas que han ocurrido; el «argumento» [palabra que aquí tiene un sentido muy deter minado] es de las cosas que, aunque no han ocurrido, son posibles, y las «fábulas» son de aquellas cosas que ni han ocurrido ni pueden ocurrir porque son contra naturaleza (*Etimologías,* I, XLIV).

El Cid del Poema no es ni histórico ni fabuloso, sino de especie diferente: es un héroe del que el Poema cuenta un «argumento» a la manera isidoriana, unas hazañas que resultan creíbles para los oyentes y lectores de la obra, al menos mientras perdura la memoria que ha dejado el Cid de su vida. Rodrigo tuvo la fortuna de atraer sobre sí un brillo poético por medio de otras obras a las que me referiré más adelante. Por estas obras fue adquiriendo relativamente pronto un carácter peculiar, extraordinario, que le hizo levantarse del ras común de las demás gentes, por encima de nobles y reyes, y esto lo condujo —seguimos repitiendo— a ser un caso de ejemplaridad humana de condición heroica. Este afán de perfección conduce a la aplicación del concepto de mito a la figura del Cid (M. Magnotta ha recogido la sucesión de opiniones sobre este punto desde Menéndez Pelayo, 1976, 224-228). La cuestión estriba en ver si lo que se valora como mítico supone un alejamiento de la condición humana del protagonista. Sin embargo, es indudable que el Cid del Poema es un hombre excepcional y que el Cid de la realidad histórica fue un caballero infanzón cuya vida tuvo altibajos propios de su carácter y de la política de la época.

Los críticos insisten en señalar que uno de los motivos más característicos del *PC* es el acercamiento entre la proyección «mítica» que requiere el héroe de la épica y la evocación poética de la vida de la época.

Una dificultad inicial para los críticos que se ocupan de este aspecto es la diversidad de significaciones que posee el término *mito.* Existen unos mitos de orden general, universales, de procedencia folklórica, que pueden rehacerse en diferentes situaciones de la historia de la cultura de un pueblo occidental; ya nos referiremos a ellos en algunos casos.

Dentro de la mención del mito se encuentran también las creaciones de figuras y, a veces, de conceptos más o menos figurados que aparecen en la cultura europea y que pueden encontrarse reflejados en diferentes personajes literarios. Más adelante, al tratar de la magnificación del Cid notaremos que se le empareja con Hércules en los períodos literarios propicios a estos paralelismos. También los críticos modernos se han referido a estas figuras de grado mítico que realzan su concepción; en este sentido Ch. V. Aubrun (1972, 18-22), además de la figura del héroe imbatible (un semi-dios, hasta cierto punto), encuentra en el Poema una variación sobre el mito de David y Goliat (el infanzón vence a los nobles de más alta alcurnia) y otra sobre el tema de la sucesiva apoteosis que ocurre en la obra en el curso de la vida de las hijas del Cid (desde niñas hasta casadas con parientes de Reyes), en una vía de ascensión establecida por el crecimiento del honor, puesto en peligro por la villanía de los Infantes de Carrión. Estos tres resortes, intemporales y desprovistos de historicidad, impulsan la significación universal del *PC* y valen para que el lector actual pueda leer la obra como una experiencia moderna. Antes me referí al paralelismo de Moisés y Cristo con el Cid, propuesto por R. Burt (1980).

Otros motivos míticos son de orden particular, limitados, de procedencia histórica, creados por la fama colectiva de una persona y aprovechables en especial para fines políticos. La interpretación de Menéndez Pidal es que el Cid fue adquiriendo esta representatividad en vida e inmediatamente después de su muerte, de manera que el Poema sería la culminación poética de esta corriente; otros opinan que la gran fuerza de la obra procede del autor que supo concentrar en el héroe la representación manipulada de unas fuerzas contemporáneas de orden político y social, adaptando a ellas la noticia histórica. No parece que ambas posiciones sean tan irreductiblemente incompatibles, pues el poeta que dio la forma a nuestra obra pudo recoger la tradición de Rodrigo hacia la categoría heroica y cifrar en ella sus aspiraciones, cuya interpretación actual depende del énfasis con que se señalen determinados hechos.

A. Castro pretende encontrar la clave de la épica castellana (al menos en lo que se refiere al *PC*) en esta estricta
y voluntaria combinación de mito épico e historia:

> La épica castellana, en su más íntima sustancia, es tan distin-
> ta de la germánica como de la francesa, las cuales ignoraron el
> arte de combinar la creencia en el mito épico con la experiencia
> del vivir contemporáneo. La desconcertante «historicidad» de
> la épica castellana es fenómeno único (1954, 251).

Los factores que, en la opinión de Castro, entran en juego
son tres: el *mito épico* es una abstracción que se establece
en relación con la épica europea como fenómeno poético;
la *experiencia del vivir contemporáneo* tocaría al autor, intérpretes, juglares y público en un tiempo en que el Cid había
muerto; y el tercer factor sería el Cid vivo, con toda su complejidad humana.

Seleccionar los «datos» poéticos del Cid sin quitarle una
aparente condición histórica fue, según C. Bandera, la intención del autor del *PC*, que elaboraba una materia histórica
transfigurándola a través de una oscura relección (organización en ordenación de materiales); el resultado es un carácter
mítico subyacente sobre el cual el entusiasmo del poeta establece la obra (1969, 56-70). También estudia el carácter mítico
de la estructura del *PC* P. Dunn (1962 y 1970), identificándolo
con el proceso general de la obra, la reparación del héroe sa-
biamente culpado y la vuelta triunfante del mismo; y G. Martin (1980), en cuanto a la ideología que implica.

De todas formas, el mito pudo referirse y transfigurar lo
que fueron en un principio acciones humanas; en este caso
del *PC*, el proceso que va de la realidad a la fábula no se ha
verificado por entero. La condición mítica pudo impulsar el
proceso de la conversión del infanzón don Rodrigo en el Cid
Campeador del Poema, pero este proceso no apartó al personaje creado de una medida humana en el sentido de que
sus acciones en la obra épica resultan una lección para los
hombres que constituyen el público de la obra, imitable si
se alcanza a desarrollar las virtudes del héroe propuesto.

M. Molho (1981) establece una relación entre «memoria de historia y símbolo»; la interferencia de ambos sirve para señalar la originalidad más sugestiva del *PC*. La distorsión de la realidad ocurre como un imperativo de la estructura simbólica del Poema, que el crítico estudia en varios aspectos.

La realidad histórica se encuentra en el *PC* tratada como una materia literaria. En este sentido R. Wellek y A. Warren han escrito en su libro *Teoría literaria*:

> Hay una diferencia medular e importante entre una manifestación, hecha incluso en una novela histórica o en una novela de Balzac, que parece llevar «información» sobre sucesos reales, y la misma información si aparece en un libro de historia o de sociología (Madrid, Gredos, 1953, 36).

El *PC* es una obra literaria y, por tanto, cuenta los hechos de Rodrigo tal como resultó conveniente para que el poeta crease su versión del hombre histórico como héroe de un Poema. Esta elaboración del héroe, cuyo resultado es la figura del Cid del Poema, no fue invención enteramente imaginativa, sino que ha seguido de cerca la fama histórica de Rodrigo Díaz de Vivar; la versión legendaria siguió al Cid como sombra de la vida real. Aun en el caso de que se defienda que el Poema es una obra que pudo ser concebida para que los oyentes y lectores de otra época (la de Alfonso VIII es la que tiene más adeptos) recibiesen una determinada lección política en relación con la vida contemporánea, la obra no hubiera podido «montarse» sin su base en la fama asegurada del Cid, establecida en este caso por una vía literaria comprometida, en gran parte, con el formulismo épico.

Desde el punto de vista de la crítica moderna se ha buscado poner de relieve lo que haya en el Poema de «verdad histórica» y de «ficción poética»; si ambos aspectos se separan o se comprenden de forma distinta de como pudiera haberlos entendido el poeta y la diversidad de sus públicos, se corre el riesgo de obtener una visión parcial de la obra. Es posible que lo que se vaya descubriendo en una paciente investigación documental sobre el Cid y los que le acompañan en el Poema, resulte diferente de lo que haya sido la fama que fue recubriendo desde muy pronto la estricta realidad de su vida. Por eso no es de extrañar que L. Rubio, situándose en una postura exigente, haya escrito que

en la mayoría de los casos el escriba o sufre lamentables confusiones o tergiversa deliberadamente la realidad, impulsado sin duda por el loable intento de enaltecer y difundir la fama del Cid (1972, 184-5).

Y, de la misma manera, es posible que la función de la fantasía creadora se realizase de otra manera que lo que hoy se conoce como un estricto proceso de novelización.

Considerando esto, a un extremo de la valoración crítica del Poema están los que estiman en más la intervención de la elaboración poética, como L. Spitzer, para quien el *PC* era obra más de arte y de ficción que testimonio de autenticidad histórica; la obra le parecía que respondía a un «impulso de *fictionalization*, de anovelamiento» (1962, 11). Según él, el *PC* pertenece a un grupo poético que clasifica como «género de la biografía novelada o, por decirlo así, epopeyizada» (idem, 22); su propósito era ofrecer una «epopeya de la personalidad medieval triunfante» (idem, 25).

La cuestión está en considerar cómo se pudo llegar a concepciones de base diferentes en relación con la historicidad y la ficción implícitas en el *PC*; el asunto ocupó muchas páginas y reaparece con frecuencia de manera indirecta. En primer lugar conviene señalar que Menéndez Pidal, denodado defensor de la historicidad directa y del sentido tradicional de la creación en la obra, buscó en sus últimos años una concordancia entre historia y poesía que expuso así:

El héroe lo es por su realidad histórica que le capta la admiración de su pueblo, y esa admiración, expresada en cantos historiales, va idealizándose progresivamente en las sucesivas elaboraciones de estos cantos (1970b, 229).

Es evidente, pues, que hay que abrir el paso a esta transformación del Rodrigo de la realidad histórica al personaje del Poema, pues el mismo Menéndez Pidal acepta estas «sucesivas idealizaciones progresivas».

En la consideración de este proceso se puede llegar a propuestas como la de G. T. Northup que escribe que el *PC* «es no solamente una obra épica, sino la primera novela (*novel* en el original) de España» (1942, 17); y esto no le impide señalar que la obra es una pintura de las costumbres del tiempo. En otro sentido, la cuestión se resuelve por sí misma si se acepta que la obra fue creación de un solo poeta, como propugna C. Smith; entonces el proceso se verifica dentro del escritor y no se requiere una transmisión oral o escrita de los textos. I. Siciliano cerró su primer libro sobre la épica con estas palabras: «Todo termina en el espíritu del poeta, todo nace de él» (1951, 228). La irresoluble premisa es si en este proceso interior contaron otros poemas o no, según entiende C. Smith.

2.9. LAS RAÍCES HISTÓRICAS DEL PC

Ocultas por debajo de la forma poética de la obra, los críticos han pretendido reconocer por dónde corren las raíces históricas que sostienen la obra. Menéndez Pidal entendió que estas raíces se correspondían con las manifestaciones lingüísticas y con los datos históricos que el Poema expone: es una obra castellana, de la zona de la Extremadura de Soria y su gravitación se inclina hacia ser una manifestación de la política del rey de Castilla y de León, Alfonso VI, encarnada en la figura de un vasallo fiel.

La tesis más dispar de la expuesta es obra de A. Ubieto (1957 y 1972) que ha querido buscar estas raíces más lejos y aun pretender que el *PC* que conservamos es un tronco poético alejado de ellas. En último término formula la hipótesis de que «habrá que pensar que el autor del *Cantar* fue un aragonés que vivió a principios del siglo XIII» (1972, 190). En la parte 4, cuando me refiero a las cuestiones lingüísticas del *PC*, trato de tal cuestión desde este punto de vista; aquí me importa destacar que A. Ubieto elabora su explicación sobre la base de que habría habido un texto primitivo en lenguaje aragonés del siglo XIII, luego copiado malamente y vertido al castellano (idem, 192).

El Cid Campeador por Anna Hyatt Huntington (1927). (De *A History of the Hispanic Society of America*, New York, USA, 1954, página 33.)

El Cid Campeador por Juan Cristóbal. Burgos. Puente de San Pablo.

Las raíces de la obra serían así aragonesas y el *PC* conservado habría sido obra, de hacia 1350, de un juglar que hubiese realizado esta adaptación a instancias de la burguesía de Burgos. Una explicación tan diferente de la común fue realizada interpretando todos los aspectos en los que asoma algún aragonesismo u otro dato histórico que resulta conveniente para su fin, y de esta manera el Poema aparece desde una perspectiva diferente. Dejando de lado las cuestiones lingüísticas implicadas (a las que me referiré más adelante), en lo que toca a las históricas (expuestas por A. Ubieto, 1972, 188-9), R. Lapesa las ha refutado demostrando que no sirven para establecer que el Poema haya sido escrito en 1207, fecha del colofón, necesaria para montar su teoría. He aquí algunas de ellas, según R. Lapesa (1982): no precede el desarrollo de la «burguesía» de Aragón a la castellana; el parentesco de los reyes y la mención de los *portogaleses* (v. 2078) es posible entre 1140 y 1147; la mención del *Poema de Almería* se refiere, según R. Lapesa, a un poema épico; *Navarra* era ya mención del reino de este nombre desde 1104-1134; la mención de San Salvador, catedral de Oviedo, fue posible entre 1140 y 1150; etc.

La tesis del origen aragonés del *PC* aparece desmesurando un hecho indudable: que la obra se desarrolla en las fronteras entre los Reinos cristianos orientales y la Castilla de la Extremadura del Este. Las fronteras entre los Reinos cristianos ofrecen una problemática diferente de la otra frontera con los moros, básica y ostensible en el Poema. Su discusión es obra de la historiografía más reciente y obedece a un afán legítimo de buscar estas raíces del *PC*; la memoria que del *PC* fue quedando no había registrado estas cuestiones como un hecho que tocase a la constitución poética de la obra y a su significación. Menéndez Pidal ya aseguró:

que la región castellana donde se escribió el Cantar sufrió, poco antes de la composición de éste, una fuerte influencia aragonesa y que fue territorio muy disputado por Aragón a Castilla (1956a, 74).

Precisamente uno de los motivos que tuvo para conjeturar que hubo dos poetas en el *PC* de la línea del códice de Madrid es la confusión de algunos topónimos que se da en esta región al lado de la mención de otros, que son exactos. Medinaceli (o Medina), como indicaré en la Parte 3, aparece citada de una manera anacrónica.

En relación con las inexactitudes que se encuentran en el *PC*, se ha formulado la teoría de un doble plano histórico que explicase las mismas: habría habido el plano de la realidad histórica de los hechos del Cid y el plano de otra realidad histórica posterior en el que esos mismos hechos, recibidos por las Crónicas, avisos noticieros, leyendas, poemas primitivos, etc., habrían obtenido una nueva interpretación en relación con esa posterior realidad. En este sucesivo acomodo se podrían buscar los motivos de los cambios ocurridos, que serían inexactitudes sólo si los contrastamos con el primer plano, pero que obtendrían su aclaración en el segundo. En cierto modo, la teoría de los dos poetas de Menéndez Pidal contiene una parecida formulación, sólo que atribuye al segundo poeta una intención fundamentalmente novelizadora con respecto del primero.

Esta interpretación es la que ha culminado en el citado libro de M. E. Lacarra (1980), en el que se examina el peso de datos históricos compulsándolos con otras noticias de índole jurídica y documental, para llegar a la conclusión de que la obra poética responde a unas circunstancias políticas y sociales propias de la segunda mitad del siglo XII y comienzos del XIII, en que el *PC* fue concebido y compuesto como una creación literaria épica. Si esto aparece así desde esta perspectiva, el historiador entonces busca en esta época (avanzada en relación con la otra interpretación que tendía a considerar las fechas anteriores) la otra realidad histórica que guía el desarrollo del Poema; en este caso el poeta aprovecha la fama adquirida en vida por el héroe para producir en una época posterior los efectos políticos y sociales que le convienen para el nuevo cometido literario a que se destina la obra. De esta manera para M. E. Lacarra la obra «refleja las aspiraciones políticas de Alfonso VIII» (idem, 266), tal como tendré ocasión de referir. La teoría del doble plano puede resolver la cuestión de la propuesta de una fecha tardía del Poema porque permite contar con posibilidades de interpretación en dos épocas históricas. J. Fradejas (1962) estableció el supuesto de que Alfonso VIII impulsaría la creación del *PC* para preparar el esfuerzo militar que condujo a la victoria de las Navas de Tolosa en 1212; el *PC* resultaría así un «*panfleto* religioso, heroico, nacional y propagandístico» (1962, 56) que cantaba las hazañas del glorioso tatarabuelo del Rey.

Un planteamiento de esta especie pretende establecer una comunicación entre el texto del *PC* y la historia de Rodrigo, el héroe del *Poema*; el doble plano justificaría algunos de los desvíos y matizaría así la existencia de una ficción que participaba al propio tiempo de otra realidad circundante, percibida por los oyentes de la obra de una manera viva y que justificaría a la vez la impresión de credibilidad y la condición de obra ficticia.

Por otra parte, este segundo plano podría extenderse también a los sucesivos acomodos que la obra hubiese obtenido a través de la interpretación juglaresca. En el curso de las sucesivas recitaciones hemos de contar con los factores estrictamente literarios propios del género: acortamiento o alargamiento de la obra para acomodarse a los diferentes auditorios; la modernización lingüística que cabría realizar en la obra sin que ésta perdiese el arcaísmo estilístico que resulta propio del género, dirigida a su mejor recepción en el público; el juego entre oralidad y escritura, propio de la literatura vernácula primitiva, etc. Y también conviene tener en cuenta estos otros factores históricos, en cierto modo dirigidos por la política. De todas maneras, desde los primeros oyentes del Poema hasta los lectores de hoy todos han ido reconociendo que el Cid real de la Historia (o sea el plano de fondo) estuvo, en efecto, en la «materia prima» de la realización del Poema, cualquiera que sea el grado de la ficción interpretativa que el mismo comparte por su condición de obra poética.

Este reconocimiento plantea, en principio, la formación de un enfoque distinto del juicio literario si se trata de comparar el *PC* con la *Chanson de Roland*; en el caso del Poema francés, ocurre que a fines del siglo XI se cantan hechos del año 778; y en el caso del *PC*, referido a sucesos de la vida de Rodrigo de Vivar, ocurridos entre 1079 y 1099, el Poema se compone, según unos, hacia 1140 o, según otros, a comienzos del siglo XIII. En el caso francés existe una lejanía histórica y menos noticias verificables; y en el español, una relativa cercanía en el tiempo y, por tanto, ocasión de que hayan quedado más noticias, aun considerando un temprano proceso de mitificación poética para levantar a don Rodrigo a categoría heroica, pasando a través de los planos mencionados y produciendo unos matices poéticos peculiares.

Sobre las noticias de que pudo disponer el poeta para la armazón de los hechos del Cid, me parece que no conviene dejar ninguna fuente excluida. Resulta casi imposible que estas fuentes se puedan documentar de una manera específica, en parte por su naturaleza, en parte por la falta de conservación material de los testimonios.

En resumen, podemos decir que el *PC* es, en su arranque poético, obra de frontera por una parte y obra de odios cortesanos entre los mismos cristianos, en lo que va implicándose en su desarrollo. La personalidad literaria del héroe se establece contando conjuntamente con los cristianos y con los árabes españoles, y con los encuentros entre ambos en la guerra y en la paz; también fueron sus enemigos los malos cristianos, y todo esto dijimos que fue propio de la realidad política de la España medieval y experiencia común en muchos hombres; los rencores entre los nobles de la Corte eran verídicos y abundantemente documentados; la vida aventurera de Rodrigo está probada. La España que es paisaje y fondo humano en el *PC* es un ámbito real. El Poema, pues, no pretende cantar hazañas de tiempos pretéritos, aunque éstas pudieron haber dado al poeta motivo para mejor mostrar la fantasía de su invención. No olvidemos que esto es patente en el caso de esta obra, pero ignoramos casi todo sobre lo que eran los textos de los otros poemas épicos del grupo español. De ahí las reservas en cuanto a cualquier generalización que traslade al conjunto de la épica estas características.

Si no se quiere comparar el *PC* con la *Chanson de Roland* para esta cuestión de la distancia entre los hechos y el Poema, puede hacerse dentro de nuestra Literatura en un sentido inverso. Contamos con otro Poema sobre el Cid, el llamado de las *Mocedades* del héroe, que ofrece un contenido muy diferente; todos reconocen que es una obra posterior (una refundición de hacia la segunda mitad del siglo XIV), pero, aun contando con la renovación de gustos dentro del grupo genérico y la pobreza del texto conservado, la variación de su sentido poético resulta radical siendo el mismo el protagonista. El *PC* del códice de Madrid, aun siendo anterior, resulta mucho más perfilado como hecho poético que recrea esta sucesión de planos que tienen su fin último en Rodrigo Díaz de Vivar. Nos hemos referido a un *doble* plano pero podemos entender que pudo haber otros más, en cada uno de los cuales la figura del héroe y los acontecimientos narrados podían haber quedado rehechos y matizados por la obra de un poeta entendido.

2.10. La cuestión del verismo de la épica española:
      la credibilidad en el *PC*

El caso del *PC* se ha definido desde un principio como sintomático y representativo, y sobre él se ha establecido el carácter histórico (o historicista, si se prefiere) de la obra. Cuando me referí al sentido mítico del héroe que era propio del personaje central de un Poema épico, A. Castro, C. Bandera y P. Dunn hicieron notar que esta inevitable presentación no apartaba la obra de un sentido de la «realidad» cotidiana que aún hoy pueden percibir los lectores alertados. Menéndez Pidal fue uno de los más insistentes defensores de esta condición y eligió las palabras *verismo* y *verista* para señalarla. Su opinión fue que la épica española quedó marcada desde sus comienzos por una nota de verismo, y así planteó, en el curso de esta épica, la existencia de una «escuela verista» de la que el *PC* sería su más notable representante:

> La escuela verista, la original española, aspiraba a una íntima aproximación entre la poesía y la verdad histórica, pues cuanto más la ficción corra dentro de los márgenes de la realidad que en otro tiempo existió, tanto más vigor y eficiencia tendrá lo imaginado (1970c, 77).

Y esto vale teóricamente lo mismo para el poeta del *PC* que para sus precedentes lejanos en la épica, como el latino-cordobés Lucano, autor de la *Farsalia* o para sus futuros cultivadores del género, como el madrileño Alonso de Ercilla que logró salir con bien del monumental empeño de contar en un Poema épico un hecho de América.

El término *verismo* ha de poseer, para la inteligencia del *PC*, una significación matizada. En primer lugar ocurre que nunca es posible recoger la realidad de los acontecimientos desde un punto de vista objetivo; aun en el caso del testimonio documental que perdura, en gran parte se encuentra organizado dentro del cuerpo de noticias recogidas en el marco de una Crónica, Historia, Anales, etc., determinados, que serán siempre un aspecto parcial y comprometido de esa realidad que pretende establecer. A su vez hay que concordar la «historicidad» del Poema (de mayor o menor grado) y la «condición poética» que adquiere la Crónica al valerse de los Poemas como elemento de información. Es indudable que la sombra del *PC* influyó para orientar las generalizaciones de Menéndez Pidal; se parte del prejuicio de que el poema es mejor cuanto más alto sea su peso histórico, y entonces se pasa esto al concepto, que se estima positivo, del verismo, que así se conceptúa como nota de «escuela» que sobrepasa una época determinada y alcanza al conjunto de la épica.

En el fondo esta calificación de la épica procede de la aplicación a este género del concepto estético del «realismo español», presente en el arte y las letras españolas como una característica predominante. Menéndez Pidal filtra así esta amplia corriente decimonónica que otorga al arte español la condición de realista:

El realismo español [...] no consiste en ninguna preocupación de verismo inerte, en ninguna sobrestima del pormenor insignificativo, sino en concebir la idealidad poética muy cerca de la realidad, muy sobriamente. («Caracteres primordiales de la Literatura Española...», en *Historia General de las Literaturas Hispánicas*, Barcelona, Editorial Barna, 1949, XXXVII).

Y esto lo aplica al caso de la épica española en general, donde reconoce una «escuela verista» (*PC, Farsalia, Araucana,* etc.) y, en épocas del influjo de Poéticas extranjeras, sobre todo la italiana, esta escuela riñe con la que llama «verosimilista» (La *Jerusalén* de Lope, etc.), reconociendo la primera como peculiarmente española (idem, XLIII).

Esta matización resulta a veces difícil de sostener, aparte de que el concepto de «realismo» no parece a muchos críticos suficiente, en una fácil dicotomía con un «idealismo» enfrentado. En el *PC* hay evidentemente una tendencia a mantener los hechos dentro de una credibilidad (es decir, que posean una lógica poemática que el oyente los pueda estimar como posibles en la realidad). La fabulación poética no alza el vuelo indiferente a una relativa realidad; por voluntad del autor ésta se elabora en la contextura de la obra de acuerdo con la poética del poema épico, sin conceder una excesiva función a la invención siempre posible en el poeta-creador. El autor inventa episodios reelaborando una «materia» histórica que con este traslado al curso poemático se convierte en ficción relativa; es cierto que hubo unos Infantes de Carrión pero no pudieron realizar las acciones que de ellos se cuentan en el Poema. No son verdaderas las Cortes con que Alfonso VI limpia la deshonra del Cid, pero sí lo son las personas allí citadas que, en el caso de que hubiesen ocurrido, pudieran haber dicho y hecho lo que cuenta el Poema.

Verismo, como creo que debiera entenderse, más que atadura a una realidad histórica, significa este aire de credibilidad con que aparecen los hechos sin que el poeta se valga de las cotas más altas de libertad inventiva que le ofrece el género épico; los hechos bien pudieran haber ocurrido así y su entramado literario muestra la condición de un héroe que lo es al tiempo que se manifiestan otros rasgos de su identidad humana.

En el delicadísimo juego conceptual del *Quijote*, Cervantes pone en boca del canónigo una defensa de los libros épicos en los que participa un héroe radicado en un tiempo y lugar; dice a Don Quijote que si «llevado de su natural inclinación, quisiere leer libros de hazañas y caballerías» le recomienda los que cuenten «verdades grandiosas y hechos tan verdaderos como valientes». Y a continuación menciona nombres y lugares específicos como los de «un Alejandro, Grecia», «un Conde Fernán González, Castilla» y —lo que nos importa aquí— «un Cid, Valencia» (*Quijote*, I, 49); aun contando que lo más probable es que se refiere al Poema épico de Diego Jiménez de Ayllón, lo que destacamos es que Cervantes, de una manera premeditada, señala por medio del canónigo un principio de creación en el que la credibilidad venga dada por este acercamiento a una «verdad» que en su propio caso se realiza creando un personaje como Don Quijote, creíble desde dentro de la concepción literaria. Propiamente esto es el origen de la nueva novela europea que representa el *Quijote* y que supone el rechazo (siempre relativo, claro es) de los recursos de la imaginación sin límites, atemperada con preferencia a una medida que el oyente o el lector reconoce como cercana a la propia y, por tanto, que pudiera haber sido vivida, como le ocurre al *PC*. Los primeros conocedores del Poema percibieron esta relación que el autor de la obra podía aprovechar en su favor. Si, como pretenden algunos historiadores, en el Poema se ofrecía el eco poético de situaciones o motivos contemporáneos, establecido sobre la elaboración poética de un Cid ya distanciado en la historia (o sea en el tiempo), esta resonancia era un factor más para actualizar en una época siguiente la figura del héroe, y con ello mantenerla cerca de la consideración, esta vez literaria, del público. A medida que el Poema, con el paso del tiempo, fue alejándose de la inicial realidad poética de la obra, la condición del verismo que señalamos seguía manteniendo tensa la relación entre los públicos de las épocas sucesivas y el Poema, como nota distintiva de su constitución poética.

Sin embargo, basta con adoptar la perspectiva inversa, en la que se estime que la ficción es la materia específica de la obra literaria, y los juicios se vuelven de sentido. Entonces hay motivo para poner de relieve las muchas ocasiones en que el Poema diverge de la realidad histórica; así, a I. Michael le parece que «en muchas cosas esenciales es ficticio desde el principio» (1976, 43-44). Incluso una cuestión como la localización de los lugares del Poema, y, en consecuencia, el establecimiento de una posible realidad geográfica en los caminos del Cid, ha de interpretarse cautamente, como señala J. Horrent (1973b). P. E. Russell piensa que sea resultado de una invención establecida sobre algún itinerario, siguiendo el modelo de ejemplos análogos existentes en poemas franceses (1978a). I. Michael (1976-77) recoge las noticias sobre la exploración de las rutas del Cid.

Dejando ahora la discusión de los grandes conceptos de fondo implícitos en la creación del *PC*, trataré de los personajes que intervienen en la obra inquiriendo su función en el conjunto poético.

3

LOS PERSONAJES DEL *POEMA DEL CID* Y SU CARACTERIZACIÓN LITERARIA

3

3.1. El argumento

El comienzo de la obra se ofrece en el códice de Madrid de una manera brusca:

> De los sos ojos   tan fuertemientre llorando
>
> (v. 1)

Esta aparición repentina del héroe, sorprendido llorando en su salida de Vivar, es fortuita, pero ha tentado una interpretación estética en los críticos, aun en los más recientes: «es difícil imaginar en términos artísticos un comienzo más emotivo que el que tenemos», comenta I. Michael (1981, 75, nota 1), independientemente de que la expresión sea una fórmula épica repetida en otras partes del *PC* y en poemas franceses.

Perdido el folio primero del códice, no sabemos cuál era su inicio (véanse E. Huerta, 1965, y F. López Estrada, 1981b, XLIV y 5-9); sólo cabe reconstruir, con el auxilio de la *Crónica de Veinte Reyes*, lo que se supone que falta. Incluso cabe una posición aún más radical, como la que ofrece A. Pardo (1972) que propone que el Poema comience así, tal como está en el códice y que la falta de la hoja sea obra intencionada:

> No me cuesta ningún escrúpulo suponer que el poeta —y para el caso qué más da sea uno o que sean ene— si por algún avatar del proceso creador había puesto rellenos al principio, se diera cuenta y tirara de la hoja para dejar tan sólo esta pieza maestra de sugestión poética (ídem, 292).

Sin llegar a esto, hay que suponer, de todas maneras, que el principio del *Poema del Cid* (en las versiones que se corresponden con la serie del *PC* del códice de Madrid) estuviese dentro de la técnica narrativa denominada *initio in medias res*: los oyentes y lectores ya conocían de algún modo la noticia y la fama de Rodrigo; el héroe está ya formado como tal y se nos ofrecerá en su varonil edad, casado y figura de prestigio en la Corte. El Poema iniciaría la acción desde esta situación de partida, la varonil edad, que configura su acción, como diré dentro de poco. El argumento se orientaría en los pocos versos precedentes mostrando que unos *enemigos malos* (v. 9) han logrado alejar al Cid de su señor, el rey Alfonso VI. Don Rodrigo ha perdido de golpe posición y honra: cayó en la ira del Rey y ha sido desterrado. En el principio del Poema el Rey está de parte de los encizañadores, enemigos del Cid que lo han convencido para que airase a su súbdito. Por esto Rodrigo se va de Castilla y lleva una vida «airada», como dice al Conde de Barcelona:

> Prendiendo de vos e de otros   ir nos hemos pagando;
> abremos esta vida   mientra ploguiere al Padre Santo,
> commo que ira a de rey   e de tierra es echado
>
> (vv. 1046-8)

El Cid (en el Poema) decide, sin embargo, no enfrentarse con su rey y señor, aun cuando pudo hacerlo de acuerdo con las convenciones legales de la sociedad de su tiempo a las que antes me referí, puesto que lo había echado del reino, y estaban rotos los lazos que unían a los dos:

> Con Alfonsso mio señor   non querria lidiar
>
> (v. 538)

Y, aparte del acoso de Castejón (que casi le resulta obligado pues es el primer lugar de moros con que tropieza, aún con pocos medios para su mesnada), prefiere alejarse y luchar por lugares que no estén bajo el amparo de Alfonso, por tierras de Zaragoza y luego de Levante; y mientras se esfuerza por ganar la subsistencia para él y los suyos, no le alcanza la luz y amparo que pudiera venirle del Rey como cabeza de la sociedad. Hay un medio para salir de esta oscura situación: volver al favor del Rey mediante el envío de ricos y sucesivos regalos que le congracien otra vez con él y así pueda hacer valer la verdad de su conducta por sobre la mentira de los enemigos; un primer presente (v. 810) es aún considerado prematuro por el monarca; el segundo (v. 1271), desde Valencia, complace al Rey, quien se alegra de los triunfos de su vasallo (v. 1341) y deja que su familia marche, aprovisionada por el mismo Alfonso, a Valencia (v. 1355); el tercer presente (v. 1804) es acogido, por fin, con claras muestras de benevolencia hacia el vasallo (v. 1876), ya en la inminencia de la reconciliación.

En este punto, el relato de este lento recuperar el amor del Rey (y con él, las apariencias del honor social) se ve enlazado con el otro asunto que va a formar la segunda línea narrativa propuesta para el curso del Poema: las bodas de las hijas del Cid, la afrenta de Corpes y la vindicación del honor del Campeador. El poeta, con indudable maestría, insinuó ya la cuestión en el segundo presente del Cid, cuando los infantes de Carrión tratan en secreto de la conveniencia de sus bodas con las hijas del Cid (v. 1372); y comienza a desarrollarla en la recepción del tercer presente (v. 1879) (obsérvese que el Poema, con sus 3730 versos, está casi en la mitad de su extensión). El Rey decide dar oídos a la petición de los Infantes, que le ruegan los case con las hijas del Cid (v. 1888), y esto le va a servir, además, para la reconciliación con el buen vasallo, que ocurre en una entrevista a orillas del Tajo:

> aquí vos perdono   e dovos mi amor,
> [e] en todo mio reyno   parte desde oy
> (vv. 2034-5)

Ya está, pues, terminada la primera aventura, y la «pantalla» que había establecido la *ira regia* cayó dejando libre el paso a la luz de la gracia real. El Cid pidió que este amor

fuese renovado de manera pública, y que el Rey lo procla-
mase en voz muy alta para que lo oyeran los allí presentes,
y extendiesen la noticia por la Corte y por el Reino todo:

> que lo oyan todos   quantos aquí son
>
> (v. 2032 b)

Pero ha de llegarse aún a más: el Rey promete casar a
las hijas del Cid con los de Carrión. Aunque a don Rodrigo
no complace la propuesta (v. 1939), acepta la voluntad de su
señor (v. 2089). Los Infantes van a Valencia, celebran las
bodas y dan repetidas muestras de indignidad y cobardía. Los
buenos vasallos del Cid se burlan de ellos (v. 2532). Entonces
los Infantes deciden vengarse de él, que sólo había tenido
con ellos expresiones paternales, escarneciendo a las hijas
del Cid (v. 2543), y lo realizan cruelmente en el robledal de
Corpes (v. 2712). Don Rodrigo pide justicia al Rey (v. 2901),
y entonces señor y vasallo llegan a la mayor unión en el dolor:

> Entre yo c mio Çid   pésanos de coraçón
>
> (v. 2959)

Y el Rey le ayuda de acuerdo con el derecho (v. 2960), y
convoca excepcionalmente unas Cortes en Toledo:

> Por amor de mio Çid   esta cort yo fago
>
> (v. 2971)

Ya están, pues, enlazados vasallo y señor. Y lo que sigue,
hasta el final, es una lenta reparación del agravio según las
normas del derecho y perfectamente escalonada: el Cid pide
primero las espadas (v. 3146), luego el ajuar de las hijas
(v. 3200) y, finalmente, reta a los Infantes (v. 3253). Los dos
Infantes y Asur González, otro hermano, quedan derrotados
por los caballeros del Cid en el mismo Carrión, durante una
lid celebrada ante el propio Rey (v. 3696). Y el poeta, que
anunció las nuevas bodas de las hijas del Cid en el curso

judicial de las Cortes (v. 3393), recoge el hilo y, a la alegría de la honra vindicada, se une la noticia, en pocas palabras, del trato de los casamientos con los Infantes de Navarra y Aragón, que culminan en la mayor gloria del Cid, pues así ha conseguido emparentar con reyes:

> Oy los reyes d'España   sos parientes son
>
> (v. 3724)

3.2. El héroe, Rodrigo Díaz de Vivar

Conocida la constitución argumental del *PC*, trataremos de sus personajes; la caracterización de los mismos y su función en el argumento de la obra se hallan estrechamente relacionados, como estudia T. R. Hart (1977). A lo largo de esta consideración podremos verificar el doble plano en el que se hallan insertos: el literario, en el que desempeñan el papel de personajes del Poema; y el histórico, en el que contaron como hombres y mujeres que vivieron en su época como es el caso de los personajes que resultan identificables; y a esto hay que añadir las modificaciones que pudiera haber establecido el autor, si nos atenemos a que éste pudo entremezclar además otras intenciones relativas a los acontecimientos de su tiempo si es que se admite una fecha avanzada en su composición. Sin embargo, esta separación entre persona y personaje sólo sirve para nuestra información actual, pues en la época en que el Poema era literatura viva y se comunicaba al público, su percepción era única, y el caso de la ejemplaridad heroica quedaba patente a través de los hechos narrados, cualesquiera que estos fuesen, considerados todos ellos en el mismo plano poético, resultasen luego o no documentables para el historiador moderno. Los datos expuestos proceden sobre todo del volumen II de la edición del *PC* de Menéndez Pidal (1956a, 423-904 y 1210-1221), de los índices de *La España del Cid*, del capítulo II del libro de L. Chalon (1976, 12-82) y del resumen de C. Smith (1976, 335-52) y otras referencias específicas.

En primer término, se encuentra el héroe principal, Rodrigo Díaz de Vivar. Un libro de Menéndez Pidal nos ofrece la más completa información sobre Rodrigo y la acción histórica que realizó en la España de su tiempo: es la obra titulada *La España del Cid* (1969). En este libro, tomando como eje de su curso la personalidad del Cid, se examina, basándose en amplia documentación, la situación de los reinos de España; por ser la de Rodrigo una vida que recoge los fundamentales aspectos de las cuestiones de su tiempo, el libro es, a la vez, biografía del Cid e historia de la existencia política y social de la España de entonces. Y de ahí procede el interés de esta obra de Menéndez Pidal que permite apreciar la controvertida valía histórica de las partes del Poema, al ofrecernos, con el más cuidado rigor documental, una información sobre quién fue Rodrigo Díaz de Vivar en la realidad de su época, según muestran los datos de los documentos y las noticias de las Crónicas. Y la condición representativa del Cid ha sido aceptada por los críticos. Como dice C. Bandera:

> su extraordinaria significación histórica [...] lo convirtió en símbolo viviente de las aspiraciones más profundas de una comunidad en vías de definirse históricamente (1966, 214).

De persona a personaje y a símbolo histórico hay una relación que tiene que iluminar a veces, y otras confundir el estudio del Poema.

He señalado, por una parte, el argumento del Poema con sus dos series de aventuras vertebradoras: el amor social del vasallaje, puesto a prueba por la *ira regia* y la vindicación de la honra del Cid, ofendida con una manera privada por los Infantes de Carrión y reivindicada de forma pública y con arreglo a derecho por el héroe. Por otra parte, he notado este peculiar acercamiento entre realidad y poesía, propio de nuestra obra y que ha desempeñado un papel tan importante en la caracterización de la épica española. El poeta, dispuesto para la creación de la obra, tuvo en sus manos una compleja materia sobre la que elaboró el Poema. Y en este conjunto, otorgándole el realce conveniente de su condición, otorga a Rodrigo, el Cid, la condición de héroe, y elige para el argumento del Poema los hechos de su vida madura. Comienza, por tanto, la obra en mitad de la vida del Cid y por eso podríamos llamarla con justicia «la vida madura del Cid» oponiéndola a las «mocedades» del héroe de que se ocuparía el otro Poema del siglo XIV. De este modo el Poema se centra en la personalidad del Cid como hombre de experiencia, en la culminación de su edad, que sabe cómo tratar a los amigos y a los enemigos, y llevar adelante la empresa que acomete. Domina, pues, la significación personal del héroe, de índole biográfica y siempre ejemplar, sin desfallecimientos, que no caben en el varón maduro que ha llegado a la cumbre de su vida.

Ejemplar fue su personalidad, y aun se levanta por encima del común de los hombres, también de los nobles, hasta llegar a una altura en que la condición heroica se convierte en modelo vivo de virtudes personales transparentando una perfección paradigmática de resonancias míticas, hasta el grado en que el mito heroico —como indiqué antes— pudo concebirse como posible en un hombre que ha vivido en un tiempo próximo al poeta y al público que oye la interpretación del Poema. Y esto se logra sin transgredir el sentido de verdad humana del personaje, la condición verídica tan subrayada por Menéndez Pidal.

Conviene señalar, en primer lugar, el grado de Rodrigo en la escala social: el título que se le adscribe en el Poema es el de *infanzón*. Esto ocurre de manera indirecta: son los Infantes de Carrión los que desprecian a las hijas del Cid, pues las consideran «fijas de ifançones» (v. 3298). Menéndez Pidal, apoyándose en varias citas, considera que infanzón es «individuo correspondiente a la segunda clase de nobleza, colocada bajo la de *ricos homes* y sobre la de los simples *fijosdalgo*» (1956, II, 718-19). El término aparece en el Poema asociado con *cuendes e ifançones* (v. 2072, 2964, 3479) en este orden, por lo que se deduce que los condes serían considerados *ricos omnes* (v. 3546) (*cuendes y podestades*, v. 1980) y ocupaban el primer lugar en la consideración social, y los *infanzones*, el segundo, siendo con todo ambos los que

estaban cerca del Rey, las *escuelas* (v. 2072), dentro de la
Cort (v. 1360). Si bien el Cid creció en ¹honra hasta ser pariente de reyes de España, no se menciona explícitamente
otro título para él; los oyentes del Poema considerarían que
Rodrigo había obtenido la cumbre de su fama por los hechos
de él contados, y no apoyándose en títulos de linaje ni tampoco con donaciones reales. Los títulos de *mio Cid* o *Campeador* eran para el poeta de mayor fuerza que los rigurosamente nobiliarios y cortesanos.

Los oyentes del Poema seguirían con gusto el relato de las
hazañas de este infanzón que merece tales sobrenombres y
que logra tal fama por su esfuerzo en los hechos de la caballería combatiente y, de este modo, alza su hombría de bien
por encima de los que presumen de nobleza heredada. En el
fondo del *PC*, y contando con los cauces argumentales que
impone el género épico, hay una tensión de conflicto social
que se manifiesta por la preferencia del poeta hacia los que
deben su lugar en las filas de la nobleza más a su condición
personal que a la herencia de los títulos. El historiador
C. Sánchez Albornoz, señaló que esto es un tono propio de
la tradición castellana, que va desde los pueblos iberos hasta
el Poema, a través del refuerzo germánico:

> Se basó la organización social, más que en la diferencia de
> nacimiento, en la diversificación de la eficacia frente al señor
> y frente al pueblo y, por ende, en la gradación del ímpetu
> (1956, 395).

En cierto modo esta inclinación hacia el héroe activo,
capaz de promover las más admirables hazañas, será la causa
de que Rodrigo se desmesure y alcance límites de jactancia
que le hagan perder la necesaria ponderación heroica; en el
Poema de las *Mocedades de Rodrigo* se leen estos versos
que desdicen de la condición del personaje del *PC*:

> Dixo estonçe don Rodrigo: «Querría más un clavo,
> que vos seades mi señor,   nin yo vuestro vassallo
> porque vos la bessó [la mano] mi padre,   soy yo mal
>
> [amanzellado».
> (ed. A. Deyermond, 1969, vv. 427-9)

Algo parecido pasa en el Romancero, en el que en torno del Cid se plantea el pleito de los abusos de los «mayores con los chicos», como ocurre en el de «Tres cortes armara el Rey...».

Veamos las condiciones que se reúnen en el Cid para que sea el héroe del Poema. Desde un principio destacan sus condiciones oratorias que en cierto modo configuran su imagen pública. Como ha destacado E. Caldera (1965), Rodrigo en los inicios del Poema habla «bien e tan mesurado» (v. 7); la mesurada es una manera de hablar reconocida por la Retórica medieval. El que usa el arte de la Retórica, según se indica en el *Setenario*, de Alfonso el Sabio, debe decir su palabra «amorosamente, non muy rezio nin muy bravo, nin otrosi muy fflaco; mas en *buen* sson *mesurado*, non altas bozes nin muy baxas» (ed. K. H. Vanderford, Buenos Aires, Instituto de Filología, 1945, 31). De esta manera, hablando en la justa medida, el Cid asegura su heroicidad en el plano civil. (Indico aquí, entre paréntesis, que conservamos un discurso de Rodrigo que pronunció el 19 de junio de 1094 en Valencia en los jardines de Ben Abdelaziz, poco después de la toma de la ciudad, recogido por Ben Alcama, tal como indica Menéndez Pidal, 1969, 488-92). En el verso anterior a esta referencia de la mesura, el héroe había suspirado por los grandes cuidados en que se encontraba metido con motivo de la *ira regia*. Las palabras que usa son, pues, indicio de la congoja que lo atribula, pero ésta no conduce a la desesperación. Aun en las mayores dificultades el Cid domina su expresión, y la palabra medida es indicio de la condición de su alma.

Mesurados son (v. 2820) también los varones de San Esteban de Gormaz, que, después de la agresión de Corpes, sienten el dolor del agravio hecho a las hijas del Cid y las confortan hasta que ellas sanan. La mesura es, pues, condición retórica y calidad del alma, forma medida según arte y signo espiritual del héroe que, en el apuro de la hora incierta, pide el auxilio de Dios y se queja sólo de los «enemigos malos» (v. 9), pero no del Rey, al que sigue teniendo como a Señor.

Al entrar en las Cortes de Toledo, ante la expectación de las gentes más importantes de Castilla y León, lo hace *cuerdamente* (v. 3105), y cuantos lo miran reconocen su condición de *varón* (v. 3125). La mesura es arte y virtud fundamentales en el héroe del Poema, y en este sentido el poeta tuvo que limar las aristas agudas de la estricta verdad histórica, en cuanto que Rodrigo fue hombre de trato difícil: «Si sentía vedado el camino del comedimiento, echaba por el atajo de la violencia», nos dice Menéndez Pidal; «era hombre de reacciones extremosas», añade en *La España del Cid* (1969, 597). Los historiadores que han realzado esta evidente condición díscola de don Rodrigo han insistido en que Alfonso VI no fue un monarca que menospreciase y llegase a odiar al Cid, pues lo casó con doña Jimena y le dio patentes demostraciones de favor. La correría por el reino de Toledo fue causa bastante para que el monarca lo apartase de sí un cierto tiempo, como señala J. Horrent (1973c, 19-21). La condición poética de la obra lima las asperezas de los roces violentos entre ambos, Rey y vasallo, en favor de una presentación heroica en los rangos respectivos: buen rey y buen vasallo, según examinamos en páginas precedentes.

Hay en el Poema unos versos discutidos que pudieran enturbiar la imagen del Cid como vasallo perfecto, aun en la desgracia: dicen así en la edición paleográfica:

> Comidios myo Çid,   el q*ue* en bue*n* ora fue nado,
> Al Rey Alfonsso   q*ue* legarien sus compañas,
> Q*ue*l buscarie mal   co*n* todas sus mesnadas.

(vv. 507-9)

En una interpretación muy al pie de la letra puede leerse: «Diose cuenta el Cid de que sus compañías [las del Cid] llegarían al Rey y que [el Cid] le buscaría mal [al Rey], con todas sus mesnadas [las del Cid]». Si esto fuese así, el Cid aparecería como un vasallo rebelde, dispuesto a enfrentarse con su señor (véanse I. G. Burshatin y B. B. Thompson, 1977). Algunos editores del Poema prefieren rectificar en el verso 508: «[e]l rey Alfonsso», y entonces, contando con el anacoluto, común en el Poema, el sentido puede ser: «Diose cuenta el Cid que llegarían el Rey Alfonso [y] sus compañas, y que [el Rey] le buscaría mal [al Cid], con todas sus mesnadas». La primera versión implicaría un propósito que mueve al Cid, victorioso después del primer combate con los moros, pero que luego no cumple, pues en él se impone el sentido del buen vasallo. La segunda versión se limita a expresar el temor de que lleguen hasta él las fuerzas de Alfonso, pues aún está cerca del Reino y, sobre todo, porque atacó Castejón, un lugar tributario del Rey. Además, poco después, el verso 528 dice claramente: «buscar nos ie el rrey Alfonso con toda su mesnada», reiteración retórica, con parecidos términos, y que favorece la segunda interpretación.

De todas maneras, I. Michael (1981, 46) indica que en el Poema parece que apuntan hechos que responden a este carácter real de Rodrigo: así cuando se refiere en las Cortes de Toledo a la violencia con que mesó las barbas a García Ordóñez (v. 3287-3290); y en la acusación del conde de Barcelona, que dice que en su propia corte hirió a un sobrino suyo (v. 963). Pero estos son hechos de otros tiempos que no enturbian la imagen poética de un Cid ponderado y maduro.

La mesura es, pues, una cualidad patente en el héroe que no impide las otras manifestaciones de su personalidad que proceden de sus cualidades para la acción, incluso si ésta es violenta. Con esto el Cid reúne en sí las dos manifestaciones propias del héroe completo en la literatura europea: la *sapientia* y la *fortitudo*, como propone N. Schafler (1977). La *sapientia* aparece en relación con la mesura a la que acabo de referirme: así ocurre con el esfuerzo por vencerse a sí mismo en la mala situación del comienzo del Poema y escoger una conducta que después lo levantaría, gracias a su estrategia militar; y lo mismo cuando el poeta insiste, con un verbo que llama la atención de los oyentes, con ocasión de la toma de Alcocer: «Mio Çid gañó a Alcoçer, sabet, por esta *maña*» (v. 610). Su maña le sirve para conquistar a Valencia y ganar la guerra a los moros africanos. Y no sólo esto, sino que también la *sapientia* es la experiencia que procede de la vida y que le hace intuir que las bodas de sus hijas con los de Carrión no llegarán a buen fin; y lo mismo se manifiesta en otros casos. La *fortitudo* obtiene claras manifestaciones en su conducta propia de un esforzado guerrero y, como tal, se vale de la violencia en los combates; por eso resulta propio de su figura que, cuando corre durante la batalla por el campo con la espada en la mano, acometa sin piedad a los enemigos. El Poema lo indica así en versos vibrantes de combatividad:

> ¡Quál lidia bien   sobre exorado arzón
> mio Çid Ruy Díaz,   el buen lidiador!
>
> (vv. 733-34)

Esta violencia se desata también en el asalto a la pacífica villa de Castejón, poblada de laboriosos moros inermes que van a su trabajo al amanecer y sobre los que, en forma imprevista, cae el rayo de la guerra, don Rodrigo:

> en mano trae   desnuda el espada,
> quinze moros matava   de los que alcançava.
>
> (vv. 471-472)

En el combate no hay conmiseración. El Cid lucha junto con los suyos y sabe que sólo con la victoria sangrienta se sojuzga al enemigo. No obstante, en algunas ocasiones don Rodrigo manifiesta una cierta clemencia hacia los moros; entonces se pone de relieve que prefiere establecer un acuerdo con el vencido (parias, rescate, beneficios diversos) del que resulta un provecho para todos:

> los moros e las moras   vender non los podremos,
> que los descabeçemos   nada non ganaremos,
> cojámoslos de dentro,   ca el señorío tenemos;
> posaremos en sus casas   e dellos nos serviremos.
>
> (vv. 619-622)

El Cid se muestra ponderado en el trato con los amigos y, si bien se manifiesta violento y despiadado con los enemigos, no deja en algunos casos de aparecer esta moderación que sería un aspecto de la mesura considerada como virtud heroica, un aspecto más de la mencionada *sapientia*. Esto contrasta con los personajes de la épica francesa (de la *Chanson de Roland*, por ejemplo), que se muestran más crueles con el infiel, como indica E. von Richthofen (1978).

De esta manera el Cid vence tanto en sus conflictos interiores, como son los que se le plantean antes de cruzar la frontera o en el curso de las Cortes de Toledo, como en las batallas campales emprendidas más allá de la tierra cristiana, según refiere L. Beltrán (1978) estudiando ambos aspectos de su actividad.

3.3. CARACTERIZACIÓN POÉTICA DEL CID

Rodrigo posee en el Poema dos títulos caracterizadores: el de *Cid* (a veces con el especial indicativo de *mio Cid*), y el de *Campeador*. Muy conocido es que *Cid* es un título honorífico procedente del árabe; la mención compuesta *mio Cid* aparece en otras ocasiones en los documentos de la época aplicada a otros señores. Es probable que comenzaran dándoselo los árabes (Menéndez Pidal, 1956a, 575) y el Poema lo aseguró; no tiene valor estimativo ni como epíteto, pues lo aplican a Rodrigo tanto amigos como enemigos (idem, 329). De todas maneras su uso formulístico ha sido tan acertado que es el único caso en que permanece el uso del posesivo antiguo *mío* y da color arcaico a la obra en el mismo título en los que prefieren usar la denominación *Cantar* o *Poema de mio Cid*.

El título de *Campeador* se menciona en el *Carmen* así llamado *Campidoctoris*, en donde se dice que por boca de los principales lo llaman *Campidoctor*, que puede ser el origen de Campeador. Los árabes, como nota A. Galmés (1978, 53-7) lo llamaban *Galib*, 'el que prevalece, el vencedor de las batallas', que podría haber servido para traducir *Campeador*. La denominación de *mio Cid* resulta ser —según esta propuesta— una forma híbrida, derivada del árabe *sayyidi*, 'mi señor', usada en la sociedad nómada de las tribus para designar al jefe que en el consejo de la familia o tribu se elige para cumplir los acuerdos, conducir a los suyos a la guerra, concertar la paz y las alianzas, etc., o sea actos paralelos a los que lleva a cabo Rodrigo en el curso del Poema en relación con su mesnada.

En otras ocasiones se menciona a Rodrigo realzándolo mediante alguna aposición explicativa de índole retórica, que eleva su figura a la categoría heroica y la sitúa por encima de la de los restantes personajes. Esta aposición puede referirse: a su afortunado nacimiento; a la buena hora en que le ciñeron la espada con la que realiza tales hazañas; a que sea el conquistador de Valencia; a sus largas barbas. Ciertos adjetivos subrayan otros aspectos de su persona: lidiador, caboso (esto es, cabal, cumplido, que está en cabeza), leal, contado (esto es, famoso, ilustre, que de él se cuenta mucho), bueno. Este aparato de realce pertenece a la técnica poética de la presentación del héroe, y está cuidadosamente calculado para lograr el efecto propuesto; véanse los estudios de R. Hamilton (1962), R. H. Webber (1965), E. de Chasca (1972, 172-195) y R. L. Hattaway (1974). Los epítetos no son sólo un recurso estilístico para establecer fórmulas de denominación o recursos mnemotécnicos, sino elementos poéticos con un definido propósito artístico, como diré luego en la parte 4.

Un rasgo físico del Cid, sus barbas, se eleva al grado simbólico para significar el honor del caballero, como refiere J. R. Burt (1981): en esto se manifiestan dos aspectos del honor, el material y el espiritual. En la parte del *PC* en que trata de ganar el favor real, las barbas largas representan esta voluntad de servicio:

> Por amor del rey Alfonso que de tierra me a echado,
> nin entrarie en ella tigera ni un pelo non avrie tajado
>
> (vv. 1240-41)

Y en la parte de la ofensa de Corpes, le sirven para el anuncio de su venganza:

¡Par aquesta barba   que nadi non messó
Assí's irán vengando   don Elvira e doña Sol!

(vv. 3186-87)

De esta manera para Rodrigo las barbas largas y nunca mesadas sirven para constituir un signo del honor que fija la imagen del héroe en un hieratismo icónico del que se aprovecharán todos los que luego representen en el Arte su figura; la mención *barba bellida* pasa a ser, en un caso de metonimia épica, representación del Cid en los vv. 274 (rehecho), 930 y 2192.

Otro aspecto de la caracterización del Cid guerrero está constituido por su caballo Bavieca (o Babieca, como se ha difundido en la ortografía moderna); su presentación en el curso del Poema es espectacular. Se produce a partir del verso 1585, o sea ya mediado el Poema, con ocasión de la recepción cortesana que se organiza para festejar la llegada de la mujer y las hijas del Cid a Valencia. Después de la bienvenida que le da el Obispo y los religiosos, el poeta refiere la demostración de Rodrigo:

```
1585    ensiéllanle a Bavieca,    cuberturas le echavan;
1586    Mio Çid salió sobr'él,    e armas de fuste tomava.
1589    Por nombre el cavallo    Bavieca cabalga,
1588    fizo una corrida,    ¡esta fue tan estraña!
1590    Cuando ovo corrido,    todos se maravillavan:
1591    ¡D'es día se preçió Bavieca    en quant grant fue España!
```

(Admito el orden de versos propuesto por Menéndez Pidal, 1956, 1085.)

De este Bavieca, de fama en el conjunto de España, choca el que lleve un nombre que significa 'necio, persona boba', usado desde los primeros escritores castellanos. Si bien se ha propuesto que pudiera significar 'el babeador', lo más probable es que efectivamente tuviese la palabra el sentido indicado y fuese una designación humorística. M. de Riquer (1968) propone una relación con *Bauçan*, el caballo de Guillaume d'Orange, célebre en la épica francesa, pues esta palabra viene a significar en esa lengua lo mismo, y entonces se habría establecido un paralelismo semántico. Por lo que parece, el nombre del caballo y su mención en el Poema serían invención del poeta. El caballo también merece recibir epítetos: *el corredor* (v. 3513), *el cavallo que bien anda* (v. 2394). Su intervención más destacada se encuentra en la persecución que establece corriendo detrás del caballo del rey Búcar (v. 2408-26), que pasó al Romancero español y portugués y en donde alcanzó incluso ser un caballo parlanchín, como han estudiado G. Di Stefano y M. Morreale. La identificación entre la montura y el jinete llegó a ser tan completa que Alfonso VI no quiso aceptarlo cuando el Cid se lo ofreció como regalo, y dice:

> Essora dixo el rey: «Desto non he sabor;
> si a vos le tolliés',   el cavallo no havrie tan buen señor.
> Mas a tal cavallo cum est,   pora tal commo vos,
> pora arrancar moros del campo   e ser segudador.
> ¡Quién vos lo toller quisiere   no'l vala el Criador!
> Ca por vos e por el cavallo   ondrados somo[s] nos.

> (vv. 3516-21)

Observemos que en el trozo aparece otra vez la relación entre *el buen señor* y, en este caso, el caballo; y esto hay que referirlo a la expresión establecida *aver buen señor*, la misma que aparece en el discutido verso 20: tal vasallo allí, caballo aquí, requieren el señor que sepa gobernar a uno y a otro en el sentido de alcanzar su plenitud. Y esto es lo que recoge la apoteosis del verso 3521, en el que el Rey se declara honrado por esta unidad que se establece entre el héroe y su caballo (recordemos aquí que la interpretación escultórica del Cid ha reunido a ambos en su mejor presentación artística).

Volvamos al asunto de la honra, de la que participó Bavieca. El Cid, desde el principio hasta el fin del Poema, tal como dije varias veces, cuida de acrecentar su honra; esto significa al mismo tiempo aumentar su caudal económico con las conquistas y crecer en prestigio personal hasta llegar a emparentar con reyes, como estudia M. R. Lida (1952, 126-131). Por asegurar la honra, se arriesga en medio del campo de batalla proclamando a gritos su nombre para dar ánimo a los suyos y desconcertar a los contrarios:

¡Yo so Ruy Díaz, el Çid   Campeador, de Bivar!

(v. 721)

¡...ca yo so Ruy Díaz,   Mio Çid el de Bivar!

(v. 1140)

Esta exclamación («verdadera personificación casi mágica», como escribe M. Muñoz Cortés, 1974, 385), que hoy nos suena como la más alta voz combatiente que se levanta en el Poema, era una fórmula común y tópica en la descripción de las luchas medievales, según testimonian otros textos. Situado el grito identificador en el lugar conveniente del Poema, cumple su función poética, y queda el nombre en alto, como bandera que guía a la victoria. F. Marcos (1971, 208-13) y A. Galmés (1978, 89-94) señalan que este grito identificador es propio también de. la épica árabe y aljamiada respectivamente, cuyo peculiar carácter puede pertenecer a una forma islámica de la experiencia íntima. Así el Cid grita su nombre como insignia verbal frente a los contrarios árabes y, al menos en el Poema, el procedimiento es de una gran eficacia poética.

La característica decisiva en los comienzos de la obra es la condición de desterrado propia del Cid. Las relaciones entre Alfonso VI y Rodrigo fueron muy complejas y difíciles de establecer, tal como han estudiado los historiadores; en su conversión en materia literaria el poeta las redujo a un solo destierro continuo, y después simplificó el progresivo volver a la gracia del señor en un solo proceso, en el que la sucesión de los regalos del súbdito lo rehabilitan ante el Rey y la Corte, y de esta manera el caballero va ganando favor en la consideración social del Reino.

Nuestro gran poema épico comienza así bajo el tremendo signo de la soledad. Esto enlaza el *PC* con otra gran obra épica de la Antigüedad: la *Odisea*. El Cid también se fue de la patria como Ulises y se esfuerza por retornar a ella. Al comienzo del Poema el Cid deja de convivir con los de su casa (salvo la compañía de los fieles que lo siguen al destierro), y la tierra, que a la salida de Vivar le hizo saltar las lágrimas, ha de venir más adelante evocada por aquella denominación cabal, que supone una enorme concentración de emociones, recuerdos y experiencias:

> De Castiella la gentil   exidos somos acá.
>
> (v. 672)
>
> ¿Hides vos, Minaya,   a Castiella la gentil?
>
> (v. 829)

El epíteto ritual aparece realzado por un *la* que contiene la categoría de la entidad (tierra, patria, nación) y da relieve a la aplicación de un adjetivo determinado *(la gentil)* según es común en el lenguaje épico con un sentido ponderativo, de condición afectiva, como estudia R. Lapesa (1961). Todo cuanto es la patria (o sea el lugar en donde se radica el arraigo del linaje y se constituye el centro de la convivencia familiar y social) queda prendido en la mención de «Castilla la gentil», representación de la tierra propia, evocada así desde lejos de ella. Es cierto que esta mención de la gentileza, aplicada a lugares geográficos, no es única, pues se encuentra en el poema clerical de Fernán González (España la gentil, v. 89a) y en romances, pero esto no le quita la gracia del acierto, sobre todo cuando está usada en el Poema las dos veces citadas y en partes en las que el Cid siente vivamente la nostalgia de la patria. Pues Castilla es la tierra y cuanto sostiene encima: las casas y los castillos; y también comprende en unidad cordial a las gentes que el Cid ama.

La familia, como ámbito de vida, aparece entonces con su amor ceremonioso (pero no por eso menos vibrante); así ocurre cuando Rodrigo se despide de los suyos, camino del destierro, en el Monasterio de Cardeña. El dolor que siente al abandonar la tierra se apura cuando el Cid, fuerte y poderoso, toma en sus brazos a sus dos hijas, niñas frágiles y delicadas:

> Enclinó las manos   la barba vellida,
> a las sus fijas   en braço'las prendía;
> llególas al coraçon,   ca mucho las quería.

> (vv. 274-76)

Y adquiere asombrosa ternura cuando se expresa de este modo la intensidad de esta forzada separación en una imagen comparativa:

> asís's parten unos d'otros   commo la uña de la carne.

> (v. 375)

El que Rodrigo se separe de los suyos en tan difícil ocasión se compara con soberano acierto al cruel dolor de apartar la uña de la carne en una brutal desgarradura física, que sirve en la escala del poeta para la expresión de la pena espiritual. Y cuando todo está tenso, a punto de saltar, el buen Alvar Fáñez, el Minaya (o sea, 'mi hermano'), que tan cerca está del Cid, confiado en la buena estrella de su señor, predice un venturoso porvenir:

> Aun todos estos duelos   en gozo se tornarán;

> (v. 381)

En efecto, el poeta (en el propósito que lo guía en la composición de la obra) y los juglares (en su función profesional de intérpretes que se ganan la soldada con ello) saben que han de complacer las exigencias de los diferentes oyentes, bien sean gente del pueblo común o sean nobles. Todo el público, cualquiera que sea su posición social, con tal de que se sientan gente cristiana y partícipes en la vida política del Reino, reciben contento al oír cómo se les cuenta el sucesivo cumplimiento de esta predicción de los gozos que en esta difícil situación del héroe anuncia el buen Minaya.

El estudio estructural del *PC*, verificado por L. H. Allen (1959), puso de relieve una característica del héroe que se transmitía a sus gentes, y fue la alegría con que se manifestaba a lo largo del Poema: el taxema básico *Cid alegr-* se repetía insistentemente en muy diversas formas y encontramos así estos versos que reiteran esta unanimidad en la alegría del Cid y los suyos:

> Alegre era el Çid   e todas sus compañas
>
> (v. 1157)
>
> Alegre era el Campeador   con todos los que ha
>
> (v. 1219)
>
> Alegre era mio Çid   e todos sos vassallos
>
> (v. 1739)
>
> Alegravas'el Çid   e todos sus varones
>
> (v .2315)
>
> Alegre es mio Çid   con todas sus conpañas
>
> (v. 2466)
>
> Mucho son alegres   mio Çid e sus vassallos
>
> (v. 2473)
>
> Alegre va mio Çid   con todas sus conpañas
>
> (v. 2614)

A estos versos podríamos añadir otros usos en que interviene la alegría (accesibles por F. M. Waltman, 1973, 25). L. H. Allen establece los patrones de uso en un sentido positivo en relación con el Cid y los suyos y las neutralizaciones correspondientes, y del conjunto se desprende que esta alegría es una de las claves de la obra; establecida dentro del Poema como signo lingüístico determinante, el juglar se encargaría de que transcendiese en la interpretación y contagiase al público. El poema es así un espectáculo alegre, de una alegría que emana sobre todo del héroe y de los suyos, y que les acompaña en sus acciones.

El entretenimiento implícito en la recitación del verso y su realización artística resultan, al mismo tiempo, lección de ejemplaridad al mostrar esta parte de la vida del Cid. Su esforzada voluntad, con la ayuda de Dios, le basta para llegar desde desterrado hasta la más alta consideración de su honra. Pues el Cid es, en el comienzo del Poema, precisamente eso: un «ganapán», término de una hondura tremenda («el pan nuestro de cada día dánosle hoy», que tantas veces repetían el Cid y sus gentes). Encontramos resonando esta mención del pan en el mismo Poema cuando don Rodrigo marcha al combate que van a presenciar en Valencia su mujer y sus hijas desde la altura de una torre:

> En estas tierras agenas   verán las moradas cómmo se fazen,
> ¡afarto verán por los ojos   cómmo se gana el pan!
>
> (vv. 1642-3)

¡Y que no falte el pan!, como les ocurre a los moros sitiados en Valencia. ¡Dios mío! —pensaría el poeta—. ¡Y cómo se les olvida a los hombres que la hartura acaba con una guerra, la maldición de una peste o con un mal año de cosechas! Por eso hay que recordarlo siempre a todos. Llama su atención con un vocativo: *¡señores!*, porque la miseria voltea, como pájaro de mal agüero, por sobre la cabeza de los hombres, y el peor orgullo es no recordarla, como una mala vecina, como a la sombra de la muerte:

> Mala cueta es, señores,   aver mingua de pan,
> fijos e mugieres   verlo[s] murir de fanbre.
>
> (vv. 1178-9)

Rodrigo, al comienzo del Poema, aparece ante los oyentes como la imagen ejemplar del caballero que llega a encontrarse solo y sin ayuda y que se esfuerza por lograr un amparo que lo proteja hasta que en Valencia lo alcanza; P. E. Grieve (1979) considera que esta situación progresiva es un patrón argumental de la obra, de evidente eficacia.

No hay que sentirse confuso, pues, si el Cid junta riquezas, ni tampoco si sus mesnadas buscan el botín después de
la batalla. Obedece esto a una situación social que el Poema
recoge sin que se le ocurra pensar en que los oyentes vayan
a tachar de codiciosos a los vasallos de tan buen señor. ¿De
qué, si no, iban a vivir las gentes? ¿Cómo, si no, iban a sentirse protegidos? De una exploración de los campos semánticos de las «ganancias» y del «honor-honra», realizada por
L. Rubio (1972, 59-78) se deduce una interdependencia entre
ellos, cruzándose y condicionándose entre sí: es honrado el
que tiene algo, y cuanto más mejor. Y, al mismo tiempo, la
honra es la consideración social de los demás hacia el héroe,
que crece con las hazañas y la nombradía que éstas dan,
como estudian G. Correa (1952) y P. Salinas (1958a).

El heroísmo del Cid y de sus gentes se establece en el
plano de la vida cotidiana, y ocurre dentro de un profundo
sentido de la realidad económica, que no se estima como
incompatible con él. Así, aun los objetos más elevados dentro
de la concepción caballeresca, son valiosos en los dos sentidos: por lo que representan en razón del esfuerzo que costó
ganarlos, y por su valor material, especificado en una cifra de
moneda. Esto ocurre, por ejemplo, con las espadas del Cid
(véase Menéndez Pidal, 1956a, 658-668) que, además, igual que
ocurría con las de los otros héroes de la épica, tenían su
nombre: *Colada* (nombre que acaso deriva del finísimo acero
colado con que se forjó, según Covarrubias) y *Tizón* (que el
mismo Covarrubias interpreta como 'ardiente espada'). Así
Colada vale más de mil marcos de plata (v. 1010); sobre el
valor de la moneda, véase F. Mateu (1947). Nadie más que
el Cid posee en el Poema espadas nombradas y esto, así como
tener un caballo con nombre, sólo es atributo del protagonista primero del Poema.

Cuestiones que no parecen propias de la dignidad del gran
poema épico, como es la menudencia de que Abengalbón
mande herrar los caballos de los viajeros que van hacia el
Cid (v. 1553), tienen su mención en el Poema, lo mismo que
en la previsora legislación de los Fueros medievales; y a
esto añadiré en la Parte 4 las referencias a la función de los

números que posee un sentido poético en la constitución de la obra.

Añadamos que el Cid se nos ofrece en el Poema como un héroe cumplidamente cristiano. La cosmovisión a la que antes me referí se concentra en Rodrigo cuando actúa en este sentido como personaje literario. L. Spitzer, que poseía una larga experiencia en el conocimiento de las literaturas europeas, encontró en Rodrigo una peculiaridad que se refiere a la condición religiosa que emana de la biografía (según él, epopeyizada, como indiqué en la Parte 2) expuesta en la obra:

> El carácter del Cid —nada dramático en el sentido moderno de que no hay en su alma conflictos— es el de un santo laico, que por su sola existencia, por la irradiación milagrosa de su personalidad, logra cambiar la vida exterior alrededor de sí, gracias a una Providencia cuyas intervenciones, si no frecuentes, son decisivas en el Poema (1962, 15-16).

Esta condición de «santo laico» que le otorga L. Spitzer hay que acomodarla a la circunstancia española. J. Horrent (1976) pone de relieve que hay un contraste entre el Cid de la realidad histórica, que llega a combatir junto a los moros contra el rey de Aragón y el conde de Barcelona, y el que nos muestra el Poema, invocando siempre al Señor, alabándolo y mostrándose fiel cumplidor con la Iglesia; no obstante, de acuerdo con la conducta real que mantuvo en su vida, el Cid en el Poema no fuerza a la conversión a los moros de Castejón, Alcocer y Valencia, sino que entra en tratos para aprovecharse de ellos en la nueva situación política que ha creado en sus correrías; esto es indicio de que el poeta no entiende que los contrarios del héroe en el campo de la religión sean unos enemigos concebidos en bloque, sin matices, sino que, lo mismo que era la experiencia de las gentes de España, había que establecer tratos que fuesen beneficiosos para todos.

Así, resumiendo las características mencionadas, podemos afirmar que el Cid resulta en el Poema un ejemplario de virtudes, valeroso caballero, esposo bien queriente, padre amoroso, señor cuidadoso de la mesnada, súbdito ejemplar de su rey, fervoroso cristiano. En torno del héroe, como divisoria de un eminente monte, se parten los campos en dos grupos: el de los amigos y el de los enemigos; y en esta organización dual y enfrentada, pero con acusados matices, se reúnen los personajes de la obra. Con la moderación como virtud propia del hombre maduro, su esfuerzo en la lucha, la conciencia de la honra, el amor familiar y social a los suyos, y el que siente por la tierra que es raíz de su linaje, Rodrigo resulta un personaje literario de medida caballeresca, propio de una épica que sobrepasa la rigidez heroica de la poesía primitiva y abre caminos hacia narraciones más complejas y matizadas.

Pero el *PC* no fue, durante la Edad Media, el término de esta elevada consideración del Cid; aún le esperaba otra que iba a consistir en la fama que obtendría después de muerto con ocasión de su entierro en el Monasterio de Cardeña. Rodrigo había sido inhumado primero en 1099, en Valencia; cuando Alfonso VI abandonó la ciudad en 1102, los despojos mortales del Cid fueron llevados a Castilla y se les dio nueva sepultura en el Monasterio de Cardeña, cerca de Burgos. Para que diera lustre heroico al lugar, los monjes del mismo comenzaron una reverenciada admiración sobre su figura, de la que formaron parte las leyendas. L. Spitzer se refirió —como he indicado hace poco— a un santo laico; los monjes favorecieron la conversión del Cid en una figura hagiográfica, alejándose para ello de la personalidad histórica y poética del héroe.

Recogiendo la corriente de Bédier, que enlaza la creación de los Poemas con determinados Monasterios que tienen alguna relación con los héroes, Camillo Guerrieri (1944, 336; 1957, LIII) ha realzado (recogiendo teorías apuntadas por R. Beer, A. Coester, G. Bertoni, D. Hergueta, etc.) la función del Monasterio de Cardeña en la génesis del Poema. Sin embargo, el planteamiento de este asunto es complejo. R. E. Russell (1978c) ha llevado a cabo un cuidadoso examen de las referencias que existen en el Poema a este Monasterio de Cardeña. Si bien este autor no ha llegado a ninguna conclusión sobre un origen clerical del Poema, probó con todo que, en torno de la tumba del Cid, apareció un ciclo de leyendas heroicas cuyos reflejos hay que buscar en Crónicas y documentos. En los años que pasaron desde que el Cid se convierte en personaje literario hasta el texto de Per Abat, este cultivo del recuerdo del caballero casi santo, de cuerpo incorruptible, hubo de favorecer la memoria literaria del héroe, y enriquecerla enlazándola con la fama del Monasterio, al menos en el ámbito local y en su irradiación sobre Burgos. A este estudio hay que añadir el de M. E. Lacarra (1977), que abunda en precisiones históricas y suscita la duda de si el Monasterio de Cardeña haya acogido a la familia del Cid. L. Chalon (1980) ha añadido a estos datos otra noticia referente a una leyenda que aparece en un capítulo suplementario que la *Crónica de Castilla* introduce entre los capítulos 963 y 964 de la *Primera Crónica General;* por su contenido muestra ser originaria de Cardeña, pues en ella se cuenta que un abad de este Monasterio, gracias a la enseña del Cid, conservada en el mismo, convence a Sancho IV de Navarra para que abandone unas presas castellanas.

3.4. LA FAMILIA DEL HÉROE: DOÑA JIMENA

Hay que destacar, de forma muy especial, la función de las mujeres en el *PC*: por de pronto, las que aparecen con un nombre específico son las que pertenecen a la familia inmediata del Cid: su mujer y sus hijas; las demás sólo se muestran en grupo formando un coro:

> Alegre es doña Ximena   e sus fijas amas,
> a todas la[s] otras dueñas...
>
> (vv. 1801-02)

En torno del Cid, estas mujeres de la familia y del servicio de la Corte representarán una función en cierto modo secundaria: sirven para el realce de la personalidad del héroe desde este ángulo femenino. Ellas son diferentes, por ejemplo, de la doña Lambra del *Cantar de los Infantes de Lara*, vengativa e inexorable en su furia, como indica J. J. Deveny (1977). C. E. Buschi (1972) en una breve descripción las considera sometidas a un proceso de idealización para así enaltecer al Cid y por esto faltan en ellas rasgos caracterizadores. En el curso del *PC*, desde el comienzo al fin, las tres mujeres evidenciarán la delicadeza femenina, el amor al esposo, la obediencia filial y la dignidad en los trances difíciles. L. A. Sponsler (1973) establece algunas observaciones sobre la función de las mujeres del *PC* y la ilustra con referencias legales; trata también de doña Lambra y de la condesa traidora para concluir que las mujeres del Poema son más refinadas y hogareñas.

La primera de ellas es doña Jimena, la mujer del Cid, que aparece unida a él primero en la desventura y después participando de su gloria guerrera en Valencia e imponiendo una nota de cortesía en el curso del poema épico (véase el estudio de P. Benichou sobre su personalidad, 1953).

Don Rodrigo casó en el año de 1074 con doña Jimena Díaz, de regio linaje; era sobrina segunda del propio Alfonso VI y bisnieta del rey Alfonso V de León. Con estas bodas quiso el Rey amistar a los castellanos representados por Rodrigo, con los leoneses, que lo estaban por Jimena (Menéndez Pidal, 1969, 211 y 721-726). Resulta, sin embargo, difícil de explicar cómo en el Poema no se trata del alto linaje de Jimena, del que Rodrigo resultaba partícipe por ser su marido. En el escalonamiento poético de los personajes en torno al Cid-héroe, a Jimena le toca representar la función de esposa y madre y, por tanto, aparece sólo en los casos en que conviene perfilar la personalidad de don Rodrigo sobre el fondo de su amor familiar. De esta manera lo que fuesen las relaciones vividas por el matrimonio se transmutan en un orden poético, en el que cuenta primordialmente la ley constitucional de la obra; por esto, la ejemplaridad de la mujer fuerte será distinta de la del varón, y concordará con ella según corresponde en el orden literario prescrito en el género.

Así, acogida Jimena en el Monasterio de Cardeña cuando todo va mal para don Rodrigo, se despide de él en un episodio de un patetismo hondamente familiar, y reza la oración en que pide, al menos, volverlo a ver otra vez en vida (v. 365). ¿Acaso no es este, allá en la intimidad del dolor familiar, el mismo ruego de las madres y esposas de todos los tiempos cuando los suyos van a las lejanías del combate? Después, Jimena, por merced del Rey, marcha a Valencia para reunirse con el Cid triunfante de los moros. En contraste con las voces clamantes de la despedida, en esta otra ocasión Jimena recibe a Alvar Fáñez, que le da la buena nueva de que puede ir a reunirse con el esposo que aguarda. Su respuesta denota un gesto recogido y afable (a la manera del que los artistas pintarían en la figura de María ante el Angel); dominando su alegría sólo dice unas palabras de aquiescencia a la voluntad de Dios:

> Dixo doña Ximena: «¡El Criador lo mande!»
>
> (v. 1404)

P. Salinas, en unas páginas de delicada intuición poética, examina la maestría del poeta al trazar la figura de la mujer del Cid (1958b, 45-47).

Rodrigo nos dice en una ocasión que se siente crecido en el esfuerzo del combate porque allí delante se encuentra su mujer contemplando la hazaña. Cuando acontece la batalla contra el rey de Marruecos, sube con doña Jimena a una de las salas del alcázar, y Rodrigo habla con ella diciendo estos versos fundamentales para entender de qué manera, en la sicología poética de la clase caballeresca, la dama (que en este caso es la esposa) puede inspirar y dar alientos para emprender la acción heroica y difícil:

> créçem'el coraçon   por que estades delant:
> ¡Con Dios aquesta lid   yo la he de arrancar!
>
> (vv. 1655-6)

Y a la vuelta de la batalla ofrece la victoria a todas las damas que lo esperan:

A vos me omillo, dueñas,   grant prez vos he gañado:
vos teniendo Valencia,   e yo vençí el campo;

(vv. 1748-9)

El ofrecimiento de la batalla a doña Jimena demuestra que
el Cid conoce las virtudes de la cortesía, y si bien no las
manifiesta en expresiones líricas, quedan discretamente apuntadas en el curso de la acción heroica, como estudian E. Kullmann (1931) y E. Li Gotti (1951).

El caballero entero y cabal no sólo sabe manejar dies-
tramente la espada, vencer moros y aumentar hacienda y honra, sino que también reconoce que el amor de la mujer le
esfuerza el ánimo. Si ella contempla los combates, ayuda con
esto sólo para el logro de la victoria, y así después las armas
victoriosas se humillan a la gracia femenina. De esta manera
Rodrigo y Jimena aparecen en la obra poética unidos no sólo
por el vínculo del matrimonio, al que el poeta sabe dar los
convenientes toques de contenida ternura, sino también por
este poder activo de la cortesía, que se muestra en el Poema
como una fuerza efectiva de carácter social, proclamada ante
los que forman la nueva y reducida corte que el Cid ha constituido en Valencia.

3.5. Las hijas del Cid

Con la mujer del Cid se hallan sus hijas, que en el Poema
se llaman doña Elvira y doña Sol (Menéndez Pidal, 1969, 555-
564). Las hijas de Rodrigo y Jimena fueron, según los documentos, una, Cristina, que casó hacia 1097 con el infante de
Navarra Ramiro Sánchez, también señor de Monzón en tierra aragonesa, emparentado con reyes. La otra, María, parece (según A. Ubieto, 1972, 116-118) que se desposó hacia
1098 con un adolescente, Pedro Pérez, hijo de Pedro I de
Aragón, sin que se consumase el casamiento por la muerte
prematura de éste en 1104; si esto hubiese sido así, antes se
habrían anulado los desposorios, pues ya en 1103 aparece
casada con Ramón Berenguer III. Cristina es la Elvira del

Poema y María es la Sol; Menéndez Pidal interpreta que éstos serían cognombres de las dos, pues entonces era frecuente usar sobrenombres familiares, sobre todo para las mujeres; o bien, más sencillamente admitiendo los nombres dobles Cristina-Elvira y María-Sol para las dos, C. Smith (1976, 340) ofrece además otra explicación: que estos nombres hayan sido «el resultado de una necesidad poética».

Un motivo muy importante en el Poema y que requiere una interpretación adecuada es el matrimonio de las hijas del Cid con los Infantes, y lo que acontece después, sobre todo en el viaje que emprenden las dos parejas desde Valencia hacia Carrión. En el curso de este regreso se relatan las hipócritas muestras de amor matrimonial que ellos manifiestan ante el séquito (v. 2702-4) y, poco después, el furor vengativo con que maltratan a las hijas del Cid, como si ellos fuesen fieras de la agreste montaña en donde ocurre el hecho. Cualquier oyente del Poema puede entender que lo que se contó desde el comienzo de los tratos entre los Infantes de Carrión y don Rodrigo fue unas bodas completas, con ceremonias religiosas y contratos civiles, celebradas ante el concurso que se reúne en Valencia; y, por tanto, que la venganza de los de Carrión se lleva a cabo sobre sus propias esposas por ser ellas las hijas del Cid. El tinte «novelesco» del asunto es así subido, y los oyentes quedaban prendidos por la fuerza emocional de esta traición. Pero ¿cómo entender luego el divorcio eclesiástico que se requeriría para deshacer estas bodas y poder celebrar las otras con los Infantes de Navarra y Aragón, como dice el Poema? Si bien el hecho no sería inverosímil (1969, 818-19), Menéndez Pidal propone que «seguramente» el primer poeta no contaba un *matrimonio* de las hijas del Cid con los Infantes de Carrión; eso habría sido invención del refundidor de Medinaceli. El poeta de San Esteban de Gormaz contaría sólo unos *esponsales*, porque las hijas del Cid «eran todavía niñas...» (idem, 562-63). El poeta primitivo pudo haberse referido al hablar de las *bendictiones* (vv. 2226 y 2240) y de la *missa* (v. 2240) a la bendición de las arras en la liturgia mozárabe (o sea visigoda) (1970a, 138-40);

por otra parte, Menéndez Pidal indica que don Jerónimo aún no estaba en Valencia.

No habría habido, según Menéndez Pidal, en realidad tratos matrimoniales ni consumación de las bodas, sino desposorios entre las hijas del Cid, niñas (no eran «fijas de casar... —ca non han gran hedad   e de días pequeñas son») v. 2082-2083), y los Infantes de Carrión; calcula Menéndez Pidal que Cristina (o Elvira) tendría 11 ó 12 años y María (o Sol), 9 ó 10. El abandono de los tratos comenzados con las hijas del Cid se haría en alguno de los vaivenes entre el rey Alfonso y el Cid, y el caso puede que fuera la ruptura de los esponsales, sin que hubiera, al menos cuando el Cid estaba alejado por la ira del Rey, enjuiciamiento civil de los Infantes, y mucho menos las consecuencias que se cuentan en el Poema. La interpretación novelesca del Poema, según Menéndez Pidal (1970a, 128-9 y 138-146), habría sido resultado de una reforma del que llama poeta de Medinaceli, que, más alejado de los mismos hechos, cambiaría la ruptura de los esponsales (un hecho de menor cuantía, que acaso mencionase alguna versión anterior del Poema), por la afrenta en el robledal de Corpes, después del relato de unas bodas, contadas con aparato poético, de mucha mayor eficacia para la constitución literaria del relato, aunque esto fuese contrario a la verdad de lo ocurrido. La justificación de Menéndez Pidal obedece a que no quiere dejar ningún cabo sin atar a la Historia; cuando trate de los Infantes, indicaré la explicación que dan de este inexplicable hecho otros historiadores que lo estiman reflejo de vicisitudes posteriores de la familia del héroe.

Otra cuestión aparece oscura en lo que toca a un grado mínimo de verosimilitud: con ocasión de las Cortes de Toledo, el conde don García dice que los Infantes no deberían haber querido a las hijas del Cid ni por *barraganas* (v. 3276), y Ferrán González dice que no les pertenecían *las hijas de infanzones* (v. 3298). ¿Cómo no recuerda el poeta que doña Jimena era de estirpe real y que las hijas participaban del linaje? Nada se dice de la alta progenie de la dama, y si el poeta la conoce, la calla probablemente para aumentar con ello los efectos novelísticos del relato.

No parece, sin embargo, que sea necesario justificar históricamente de una manera plausible las dobles bodas. El poeta, si inventa a los novios, los Infantes de Carrión (no en cuanto a que no hayan existido, sino en lo que se refiere a su función en el Poema), también pudo hacerlo con el episodio entero del casamiento. Se trata de una parte de la trama que une los dos núcleos argumentales de la obra, y resulta ser así el motivo que luego le permite desarrollar la parte segunda. Es una invención necesaria en el plan, sin la cual no podría existir el Poema tal como nos ha llegado estructurado en el códice de Madrid. I. Michael (1981, 40-41) aventura que la oscura noticia de los primeros desposorios de María pudo haber servido para urdir estas bodas del Poema, extendiendo a Elvira la ceremonia por cuanto ambas actúan, con los Infantes, como un personaje dúplice. No creo que los oyentes del Poema precisaran que se les justificase canónicamente la cuestión de las dobles bodas. Lo importante es que el argumento fluya hacia el propósito que guía al poeta, que es la mayor honra del Cid, lograda por la vía del derecho.

Las hijas del Cid aparecen, en cuanto a su condición poética, como un doble personaje: se mencionan siempre juntas y pasan por las mismas situaciones. Si habla una, como en la solicitud del martirio (2725-2733), a la que antes me referí (J. K. Walsh, 1970-71), lo hace por las dos y lo que se dice se aplica a ambas. No llegan a desdoblarse en caracteres diferenciados, y esta es una caracterización de la técnica primitiva, aplicada sin embargo con un gran acierto poético.

Elvira y Sol, de acuerdo con el paradigma social de la familia noble, aparecen en el Poema como hijas obedientes a los padres, que hablan poco y asintiendo a lo que éstos les ofrecen, y que se casan con quien les propone Alvar Fáñez y su padre en nombre del Rey (v. 2195). Al ser vilipendiadas tienen el valor de pedir el martirio por obra de las espadas Colada y Tizón (v. 2727), pero los Infantes de Carrión no aceptan la propuesta. ¿Quisieron ellos matar a las hijas del Cid al cometer su reprobable acción en el robledal de Corpes? C. Smith y R. M. Walker han respondido de manera

contraria: el primero, que no, y el segundo, que sí (1979b).
Ellos declaran que querían *escarnirlas* (v. 2555) y para esto
las maltratan con las espuelas y las cinchas hasta que «por
muertas las dexaron en el robredo de Corpes» (v. 2748), indicando que les pareció que lo estaban por los efectos de su
brutalidad. Por otra parte, la solicitud de morir por las heridas de las espadas pudo deberse a que no querían que esto
les ocurriese de mala manera por obra de las alimañas; este
peligro está declarado por Félez Muñoz: «si Dios non nos vale
aquí   morremos nos» (v. 2795). De todas maneras, el poeta
sabría que, cualquiera que fuese la secreta intención de los
Infantes, el proceso de su «novelización» tiene unos límites,
y la nota trágica no puede inventarse alejándose de una relativa verosimilitud que haga posible que luego se mencionen
las otras bodas, que sí son, en el conjunto del Poema, motivo
para levantar aún más la honra de Rodrigo.

Desde el comienzo del Poema (v. 255) hasta el fin (v. 3723),
las hijas del Cid mantienen en el relato una nota de amor,
filial primero y matrimonial después, de carácter familiar,
introvertido, lírico, que se integra con las otras notas muy
extrovertidas, épicas, sobre todo con la bélica contra los moros, y la jurídica contra los Infantes. Así se crea una armonía de actitudes humanas que hacen de esta obra un Poema
completo, en el que cuenta tanto el esfuerzo de los hombres
para ganarse el pan y defender su dignidad, como la acción
amorosa de las mujeres. Niñas eran, adolescentes apenas, y
también fueron zarandeadas por el viento de pasión que en
los versos del Poema azota y pone a prueba la heroicidad del
Cid. Puede que nos parezca que don Rodrigo reacciona ante
la afrenta de Corpes de una manera en exceso legalista, pero
así conviene a su figura de varón maduro. La venganza corre
por los cauces legales, pero, por entremedio de las razones
expuestas en un alegato jurídico, cabe esta honda exclamación de dolor:

>   ¿A qué'm descubriestes   las telas del coraçón?
>
>   (v. 3260)

3.6. LOS VASALLOS DEL CID

Acompañaron al Cid en su destierro y después en la conquista de Valencia sus vasallos y otros caballeros que a él se unieron libremente, aun con el riesgo de enemistarse con el Rey, y que en conjunto constituían su *mesnada:*

> Quien quiere perder cueta   e venir a rritad,
> viniesse a mio Çid   que a sabor de cavalgar.

(vv. 1189-90)

decían los pregoneros de don Rodrigo por la España cristiana invitando a unirse a la aventura que emprendía su señor por tierra de moros.

Esta mesnada se componía de hombres esforzados, valientes y dignos, dotados de diferente carácter. Los hay que son de *criazón* (v. 2514), o sea que pertenecen a su casa, y otros, los más, son de soldada. En conjunto la corte valenciana del Cid, héroe modelo, presenta, según M. E. Lacarra, la imagen de una «sociedad también *modelo*» (1980a, 160), en correspondencia con el señor que los gobierna. En torno a don Rodrigo se reconocen, según esta historiadora, tres grupos sociales: los peones, soldados libres que van a pie y que pueden llegar a caballeros villanos (v. 1213); los caballeros villanos, que luchan a caballo y con espada, y son de condición social villana sin que hayan sido armados caballeros y sin que tengan escuderos; y los caballeros vasallos del Cid que participan en algún grado de la nobleza por ser sus parientes o por poseer bienes o cargos políticos propios de su condición y haber acudido a su corte.

El poeta no hubo de esforzarse en inventarlos, pues pudo saber cuáles fueron los amigos del Cid, y de entre ellos eligió a los que formarían esta compañía, y quiso que sus nombres figuraran como personajes del Poema heroico. Para probar una vez más el grado de verosimilitud de la obra, Menéndez Pidal, en una genial pesquisa histórica, ha perseguido documentalmente la existencia de los personajes del

Poema. En las primeras ediciones de la obra era optimista
en sus propósitos: «... no sólo el héroe, sino casi todos los
personajes nombrados en el Cantar son rigurosamente históricos y fueron coetáneos del Cid» (1913, 19). El historiador
A. Ubieto (1972, 134-138) verificó, por su parte, un recuento
de los personajes y, dejando a un lado al Cid y su familia
inmediata y Alfonso VI, encuentra este resultado:

			%
A)	Personajes históricos y documentados que pudieron estar en relación con el Cid	15	43
B)	Personajes históricos y documentados que no pudieron estar en relación con el Cid ...	1	3
C)	Personajes anacrónicos	8	22
D)	Personajes fabulosos	4	11
E)	Personajes no documentados en época del Cid	7	21
		35	100

Los tantos por ciento están redondeados (1972, 136).
Y resume así su opinión:

... en el *CMC* aparecen casi un cincuenta por ciento de personajes que pudieron intervenir en la acción juntamente con
otros tantos que nunca tuvieron que ver nada con lo allí na-
rrado (ídem, 138).

Esta opinión (radicalmente objetiva si se considera desde el
punto de vista histórico) tiene que matizarse cuando se haya
de aplicar al dominio literario. Los personajes que se encuentran encajados en el curso del *PC* cronológicamente y son
poseedores de documentación histórica adecuada son los más
importantes y fundamentales; y los que se sabe que no pudieron actuar como indica el Poema poseen, en bastantes casos, una justificación convincente en relación con la constitución poética de la obra, como pasa con Minaya Alvar Fáñez,

que se muestra poéticamente emparejado con el Cid en muchos aspectos, según diré dentro de poco.

Por tanto, en la constitución del Poema se verificaron cambios o se usaron con parcialidad noticias, que unas veces son reducciones de sucesos extensos, demasiado amplios para entrar completos en la obra, y otras son selección de lo que pueda resultar más adecuado a la poesía y sus exigencias genéricas, como estamos notando al establecer esta correspondencia entre el *PC* y la realidad histórica documentable.

a) A l v a r F á ñ e z

Alvar Fáñez, estudiado por A. Várvaro (1971), está tratado en el Poema ejerciendo la función de deuteragonista o segundo héroe de la obra, fiel vasallo y primer colaborador de la acción del Cid. Esta función representa una invención poética, pues no concuerda con las noticias históricas; por ellas sabemos que sólo pudo estar con Rodrigo al comienzo de su destierro. Cree Menéndez Pidal (1970a, 122) que esta invención es obra del poeta que él llama de Medinaceli, un aspecto más de la «novelización» de la obra. Los que estiman que el influjo francés de la *Chanson de Roland* (asunto tratado en la Parte 4) fue efectivo en el *PC* opinan que pudo haber relación en un emparejamiento Roldán-Oliveros y Cid-Alvar Fáñez; la cuestión aparece muy compleja y se plantea en relación con el *Poema de Almería* según H. Salvador (1975, 380-95), en el que se lee:

Meo Cidi primus fuit, Alvarus atque secundus
(*Poema de Almería*, v. 225)

El asunto resulta aún más difícil, pues E. von Richthofen llega a preguntarse si la leyenda de Roldán y Oliveros se formaría en España en la época del arzobispo Bernardo, a partir de 1080 (1970c, 135).

Es además caracterizador de este grado del personaje el hecho de que tenga una denominación peculiar: *Minaya,* que Menéndez Pidal cree que procede del ibero-vasco *anai*, 'hermano'; en una formación paralela a Mio-Cid, *mi-anai* sería la base de Minaya. Por otra parte, los cómputos de L. H. Allen (1959, 360) sitúan a Alvar Fáñez en el tercer lugar de la lista de referencias en el *PC*, después del Cid y de Alfonso, y por delante de los demás personajes de la obra. Fáñez fue, en efecto, sobrino del Cid y, según C. Smith (1976, 342), «en la Historia fue un guerrero casi tan grande como el mismo Campeador y, en algún sentido, un ciudadano más respetable que éste». Pero esto no hizo que los posibles relatos de sus hazañas y virtudes que presupone H. Salvador (1975, 384) llegasen a promover un gran poema como el del Cid.

Dentro del *PC* Alvar Fáñez se caracteriza por su condición de *apuesto* (v. 1317), por su hablar *tan apuesto* (v. 1320). En esto resulta un caso paralelo al hablar *mesurado* que comenté para el Cid. Aquí también (como señaló E. Caldera, 1965) existe una disposición artística; en el *Setenario* la Retórica «enseña a ffablar ffermoso e apuesto» (ed. citada, 30). Y, al mismo tiempo, Minaya es apuesto en su aspecto, gentil. Lo mismo que el Cid, hay un arte que conforma la palabra y que en este caso se corresponde con la apostura o gentileza del aspecto.

Así presentado, Alvar Fáñez procede como un vasallo valeroso y prudente: aconseja al Cid con preferencia a otros, y es el capitán que dispone el plan de las batallas (v. 438, 1127, 1693); sirve de mediador con el Rey (vv. 813, 1270, 1804); conduce hasta Valencia a doña Jimena y sus hijas (v. 1391), y es el padrino en las bodas del Rey (v. 2135); no se aparta del Cid, que lo llama su diestro brazo (v. 810) del mismo modo que Roldán es para Carlomagno el «destre braz del cors» (*Chanson de Roland*, ms. Oxford, 1195).

Ch. V. Aubrun (1972, 15), examinando las diferentes personas citadas en el Poema, cree que el patrón que pudiera haber «encargado» la obra, cabe que fuera un Fáñez que quiso que su antepasado Alvar Fáñez realizase un papel destacado en el argumento, aun sin motivos históricos; según este crítico sería así el personaje más manipulado con destino a una propaganda política de la familia.

b) El trío P. Bermúdez, M. Gustioz y M. Antolínez

En la organización del *PC* hay tres personajes de este grupo que aparecen de una manera paralela en las tres partes del *Poema*: son Pedro Bermúdez, Muño Gustioz y Martín Antolínez. Se encuentran entre los primeros combatientes del Cid, sirven luego para urdir la trama del Poema en la reconciliación con el Rey, intervienen en el suceso de Corpes y son los representantes del Cid en los duelos de Carrión.

Pedro Bermúdez (o Pero Vermúez o Vermudoz) era, según el Poema, un sobrino del Cid (v. 2351) y su intervención es muy activa a lo largo del Poema. Forma pareja a veces con Alvar Fáñez y aparece también como un fiel servidor del Cid, al que éste confía su enseña. Su conducta resulta a veces anómala: indisciplinado y atrevido en el combate de Alcocer (v. 704-714), sin embargo aparece en las Cortes como un orador torpón de palabra, hasta el punto de que reconoce que el Cid lo llamaba «Pero Mudo» (vv. 3302 y 3310). En Carrión vence a Ferrán González (vv. 3623-3645) con la espada Tizón. Hay documentos en que aparece su nombre, pero resulta difícil precisar si se trata de sinónimos. Arraigó en la poesía épica, pues aparece en el Poema de las *Mocedades de Rodrigo* (vv. 881-890). J. Casalduero lo ha caracterizado adecuadamente en un estudio (1973).

Muño Gustioz actúa en bastantes ocasiones en el *PC*; aparece entre los que luchan con el Cid en la batalla de Alcocer y se dice de él que «su criado fue» (v. 737) o sea que creció en su casa; por eso se halla en relación inmediata con el Cid y doña Jimena; es el que acompaña a los Infantes en la buena época en que van a Valencia; es el mensajero que hace saber al Rey la afrenta de Corpes y uno de los representantes del Cid en los duelos de Carrión, en donde vence a Asur González. Hay de él documentación de que estuvo después de la muerte del Cid con doña Jimena, lo que corrobora esta cercanía con la familia que muestra el Poema.

Martín Antolínez parece invención del poeta (¿o fue menos afortunado en este baile del azar documental y de la confusión con los sinónimos?). En el Poema se le menciona como *burgalés* con otros adjetivos que perfilan su personalidad poética; así se le llama con las menciones *de pro, cumplido, contado, leal* y *natural* en nueve ocasiones a lo largo del Poema, tres en cada Cantar, lo que señala una intención determinada que podría ser la de mantener la referencia de Burgos en toda la extensión de la obra; la adjetivación *natural* indica que Martín Antolínez procede de Burgos, naturaleza que en estos casos se equipara a la nobleza o *natura* de los condes de Carrión (v. 2549) o de los Vanigómez (o Benigómez, v. 3443) y a la que procedía de la naturaleza social, como la del Rey, que es señor natural del Cid (v. 895, 1272, etc.), o la del Cid con respecto a Abengalbón (v. 1479). Es la única vez que en el *PC* la pertenencia a una ciudad se muestra de esta manera, por lo que la mención establece un grado destacado de aprecio por un lugar muy determinado. Que Martín Antolínez sea de Burgos se deduce porque se le menciona en el Poema por vez primera precisamente con ocasión de que el Cid no puede comprar allí lo que necesita para salir hacia el destierro; el personaje aparece entonces como el que desafía la orden real y, por tanto, se une al Cid como «fiel vasallo» (v. 204); es una «ardida lanza» (v. 79), y tanto confía en él, que es uno de los que lo representan, valiéndose de la espada Colada (v. 3192), en el duelo de Carrión (v. 3524), venciendo a Diego González (vv. 3646-3670). Se trata, pues, de un personaje de cuerpo entero, al menos poéticamente, que sabe tratar a todos de manera adecuada combinando cortesía e ingenio: él es el actor del episodio, de condición humorística, de las arcas de arena (vv. 78-200) y después se acuerda de ir a despedirse de su mujer en la cercana Burgos:

> ... veré a la mugier   a todo mio solaz
> castigar-los-he   cómmo abrán a far
>
> (vv. 228b-229)

O sea para estar con ella a su gusto y para prevenirla de los efectos de su acción al unirse a las mesnadas del Cid. Una lectura del Poema, realizada sin prejuicios, no permite considerar a este personaje como «un campesino adinerado» según hace A. Ubieto (1972, 11). En todo caso la anomalía que hemos notado es la alta consideración de Burgos a que hicimos referencia, y más bien la sitúo en el prestigio del solar del Cid, que vive tan inmediato a la ciudad, y en el orgullo de la tierra en la que nacen tales hombres.

c) El preferido de los poetas

Otro personaje muy bien perfilado es Félix Muñoz (en el ms. Félez), al que se considera en el *PC* como sobrino del Cid, pero que no ha podido comprobarse que haya existido o no ha dejado huella documental. Es un joven, casi un adolescente, que presiente en el corazón la tragedia del robledal de Corpes (v. 2767), y del que el poeta, con un sentido delicado, nos cuenta la angustia que siente al recoger a sus desvanecidas primas en la oscura frondosidad del bosque, y cómo usa un sombrero nuevo para que pudiesen beber el agua de un arroyo cercano:

> nuevo era e fresco, que de Valencia l' sacó
> (v. 2800)

Ha sido probablemente el personaje mejor tratado por los críticos que han querido valorar los rasgos poéticos de la obra y que han puesto especial énfasis en señalar su significación en el *PC*. D. Alonso (1972a, 136-138) lo califica como «ser lleno de delicadezas, sensibilísimo» (idem, 137); E. De Chasca (1972, 112-118) lo estudia con delectación: «El sombrero, nuevo y limpio, corresponde al alma cándida del rescatador.» (Idem, 113.) Su objeto simbólico no es una espada, «sino el sombrero que da agua, correspondiente al carácter compasivo, a la fina sensibilidad del muchacho» (idem, 113).

d) Otros personajes afectos al Cid

En el Poema el autor necesita nombres para rellenar los combates o las comitivas; los que nos ofrece para este friso de figuras no se requiere que posean esta personalidad poética que aparece en los anteriores, pero sí que no desmerezcan de ellos. El poeta se vale en la parte cristiana de nombres «creíbles», en cierto modo comunes, y que contribuyen así al aire general de credibilidad al que me vengo refiriendo dentro del sentido verista en que se halla compuesto el Poema.

En un primer término, hemos de considerar aquí a los caballeros que acuden al llamamiento del Cid desde los otros reinos hispánicos. Así aparece un Galín García, al que se llama «el bueno de Aragón» (vv. 740 y 3071), «el que fue de Aragón» (v. 1996), «el de Aragón» (v. 1999), una «fardida lanza» (v. 444) que desde primera hora está con el Cid; se trata de un señor de Estada y de Ligüerra, en el occidente de Aragón (Menéndez Pidal, 1969, 413-14).

Otro caballero es Martín Muñoz «el que mandó Montemayor» (v. 738), «que en buen punto nació» (v. 3068) o sin más que el nombre (v. 1992); un Martín Muñoz aparece, en efecto, en relación con Portugal (idem, 553-554 y 846). Algunos otros destacan con menos vigor poético que estos mencionados. Así Alvar Alvarez aparece en el *PC* siempre en batallas y comitivas junto con Alvar Salvadórez (vv. 443, 739, 1719 sólo Alvarez, 1994, 3067) formando otra pareja que actúa como las que hemos citado de las hijas del Cid, los Infantes de Carrión, los judíos de Burgos; el último, sin embargo, aparece también independiente en dos ocasiones (vv. 1681 y 1999): en la primera, como prisionero en la batalla contra Yúcef y después como guardián de Valencia. Los dos se encuentran documentados en la historia.

En este apartado situamos a otro personaje que sólo tiene una relación indirecta con el Cid pero que hay que entender que estaría a su lado. Se trata de Diego Téllez (v. 2814), al que se cita como señor de San Esteban y del que sólo se dice que fue (entendamos vasallo) de Alvar Fáñez, con ocasión de que acoge a las hijas del Cid después de la afrenta de Corpes. Menéndez Pidal (1969, 559) insiste en lo que significa este hecho de que un personaje marginal en un episodio ficticio aparezca encomendado a un caballero del que hay testimonios históricos que estuvo efectivamente en alguna relación con Alvar Fáñez.

3.7. LA NOBLEZA FAVORABLE A RODRIGO

En el Poema, además de la familia y de los vasallos del Cid, están también a su favor nobles de todas clases. Sobre todo, en el punto en que la ira del Rey mengua y manifiesta el perdón público a Rodrigo, los caballeros corren a su lado para acompañarlo con ocasión de las bodas de sus hijas con los Infantes:

> veriedes caballeros, ¡qué bien andantes son!,
> besar las manos, espedirse del Rey Alfons
>
> (vv. 2158-59)

Tantos son los *caballeros bien andantes* que lo acompañan, que si el Rey no fuese el *buen señor* en el que confiaba el Cid, pudiera sentir recelo o envidia por la crecida suma de los que se van:

> la conpaña del Çid creçe, e la del rey mengó,
> grandes son las yentes que van con el Canpeador.
>
> (vv. 2165-66)

Todos lo pasan muy bien en las bodas: «ya çerca de los quinze días ya's van los fijos dalgo» (v. 2252). Estos *hijosdalgo* vuelven con abundantes riquezas, y es de suponer que ampliaron el bando de los partidarios del Cid, si es que ya no eran de él.

Con esto han coincidido en los versos del Poema dos denominaciones, *caballeros andantes* e *hijosdalgo*, que habrían de tomar vías distintas en cuanto a su uso literario: la primera fue derivando hacia el dominio de la ficción, propio de los libros de caballerías; y la segunda quedó como propia de la clase social sobre la que se asentaría la monarquía. Su coincidencia se repite en el *Quijote*, en cuyo primer capítulo se reconoce que era un «hidalgo» y al que dio por «hacerse caballero andante». De esta manera el *PC* y el *Quijote* pueden conectarse a través de esta coincidencia léxica cuyo comentario semántico nos conduciría a una de las raíces más importantes de la obra moderna.

Después, cuando ocurren las Cortes convocadas por el Rey, son numerosos los que están de su parte y los jueces acceden a las demandas del Cid. Este beneplácito de la alta nobleza hacia el infanzón de Vivar culmina aparatosamente cuando ocurre la llegada de un Ojarra (nombre común entre los vasco-navarros) y un Iñigo Simenón (o Yénego Siménez o Ximénez, vv. 3394-3428), que acaso fuese recuerdo de un Enneco Semenones, ligeramente posterior al Cid y que fue favorecido por el rey de Aragón, Alfonso el Batallador. Ambos, bien caracterizados en cuanto a la procedencia y actuando como mensajeros en función, una vez más, de personaje dúplice, en un intermedio del juicio, piden a las hijas del Cid «por seer reínas   de Navarra e de Aragón» (v. 3399). Esta solicitud:

> A muchos plaze   de tod' esta cort,
> mas non plaze   a los ifantes de Carrión
>
> (vv. 3427-28)

Es decir, la indicación de los *muchos* se opone a la de los Infantes y a los pocos que les siguieran. Por tanto, si nos atenemos a una lectura espontánea del Poema, que no ponga en juego segundas intenciones, no aparece en este juego de los personajes una clara manifestación de la pugna medieval nobleza-burguesía, tal como pretende A. Ubieto (1972, 11-16) en una consideración radical del asunto; así ocurre, por citar un ejemplo, en la frase:

> El sentido anti-nobiliario aparece más clara y continuadamente a lo largo del *Cantar* contraponiendo siempre un gesto innoble de un noble a un gesto digno de un burgués, un judío o un labrador (ídem, 11).

Hacer de Martín Antolínez un *burgués* en vez de un *burgalés*, creer que los judíos querían ayudar al Cid en su empresa o cualquier otra interpretación de esta especie, entiendo que es forzar el sentido de una manera que va más allá de los límites que cualquier lectura permite por la razón del sentido ambiguo y enriquecedor propio de la expresión poética.

En la parte 2 hemos considerado la absoluta eficiencia poética de la relación *vasallo-señor*, aun contando con que el *PC* representa precisamente la exposición de una situación crítica en la misma. En vez de una pugna nobleza-burguesía habría que referirse a la aceptación en la Literatura épica de un asunto que trata de un «deslizamiento» en las relaciones de las clases sociales: el enfrentamiento virtud-nobleza es un tópico básico de la Literatura europea y, en este caso del *PC*, ocurre dentro de un determinismo formulístico que no se rompe, sino que se prepara para doblegarse en el sentido político en el que corre la Historia. Los nobles «buenos», los que admiten que la virtud (en sentido político y humano) del Cid es un factor encomiable, están a su lado en el orbe poético creado por la Literatura.

Por tanto, el Poema no representa ni esconde una manifestación que ponga en duda los fundamentos de la concepción poética de la nobleza (o si se quiere de sólo una parte de ella, la más elevada) que en la obra se tendría *en menos*, frente a la menos alta que representaría el Cid y que se tendría *en más*. El poeta se inclina por una más libre comunicación entre estos grupos sociales que aceptan el denominador común del linaje, cuando éste viene corroborado por la virtud, porque eso favorece el engrandecimiento (en número y efectos) de la misma nobleza por razón de la actividad heroica del Cid.

3.8. LOS PERSONAJES RELIGIOSOS

El obispo don Jerónimo fue un clérigo francés que, nombrado por el Cid, organizó la Iglesia y realzó el culto católico en la conquistada Valencia (véase C. J. Socarrás, 1971). Había venido de Perigord, y era un cluniacense, de ánimo guerrero, que entendía (según se dice en el Poema) que una manera de honrar a su Orden y a sus manos era matar moros en el campo de batalla (vv. 1293 y 2373); se complace, pues, en la lucha, y aun quiere, como especial gracia, que se le concedan los primeros golpes que servirán para comenzar el combate (v. 1709); su función literaria ocurre sobre todo en el Cantar II (de 17 veces en que se le cita, 13 son del II y 4 del III) donde pone en la toma de Valencia la nota de cristiandad que requería el Poema. Don Jerónimo encontró en la ciudad mora el culto que habían mantenido los obispos mozárabes (se sabe de uno en el año 1087), de los que el Poema no recoge ninguna noticia. Don Jerónimo, como nos cuenta con júbilo el poeta, fue proclamado obispo en el año 1098 por el Cid como señor de Valencia en la mezquita mayor de la ciudad, que había sido cristianizada dos años antes.

El poeta, que caracterizó al obispo en los siguientes versos, conocía el tópico del acuerdo entre las letras y las armas, común en los escritores cultos de Europa como ideal del hombre completo:

> bien entendido es de letras   e mucho acordado,
> de pie e de cavallo   mucho era ar[r]eziado.
>
> (vv. 1290-91)

De esta manera don Jerónimo también participa, como el Cid según indiqué antes, de este ideal heroico, sólo que en este caso la *sapientia* se refiere de una manera concreta a las *letras* (única ocasión en que se utiliza la palabra en el *PC*) y a la condición de *acordar* 'poner de acuerdo, concertar voluntades', propia de su carácter eclesiástico; y la *fortitudo* es la reciedumbre con que sabe pelear tanto a pie como a caballo. En el Poema su figura aparece, pues, establecida desde una concepción fuertemente literaria; su comisión dentro del argumento es paralela con la de Turpín en el caso de la *Chanson de Roland*: al lado de la acción bélica, propia del Poema épico, existe la presencia de la Iglesia expuesta en un grado suficiente, independientemente de lo que Turpín o don Jerónimo realicen como personajes de la obra. En el caso del *PC* don Jerónimo (Menéndez Pidal, 1969, 547-552, 586, 868-871) actúa ejerciendo de una manera activa la misión propia del tópico de las letras (o cultivo clerical) y las armas, establecido en su personalidad literaria en una posición combativa frente al enemigo de la religión cristiana, que aquí es el moro.

El abad don Sancho, que acogió en el Monasterio de Cardeña a la mujer y a las hijas del Cid (v. 243), parece un personaje imaginado por el poeta, pues quien estaba en el monasterio era un abad Sisebuto que se cita como santo en el siglo XIII; difícil parece también que el abad de un monasterio tan importante ignorase la *ira regia* que había recaído en el Cid y las órdenes de que no lo acogiesen ni aprovisionasen. Si bien no parece que el *PC* del códice de Madrid se originase en el monasterio (P. E. Russell, 1978c, 108), cabe emitir la hipótesis de que el texto del Poema recibiese algunos elementos temáticos procedentes de las leyendas cidianas allí originadas y más si se piensa que la obra fuese destinada en su primera difusión a un público burgalés. El supuesto don Sancho que acoge así a don Rodrigo y a su familia sería como un premonitor de los otros abades que exaltarían la relación del monasterio con el héroe cuya fama rondaría cerca de la santidad, como indiqué antes.

3.9. LAS POBLACIONES AMIGAS

En el curso de sus itinerarios Rodrigo y sus mesnadas pasan por diversas poblaciones de todas clases. El autor del Poema pone de relieve, sobre todo, la acogida que el Cid o los suyos tuvieron en Burgos y en San Esteban de Gormaz.

El caso de Burgos no plantea problema alguno; ya traté de esto al referirme a Martín Antolínez, el burgalés de pro; ciudad inmediata a Vivar, los burgaleses tenían motivo para conocer al señor vecino y dolerse de la inhibición a que les obligaba la *ira regia* declarada por Alfonso. Un acierto portentoso del poeta es la invención de la niña que es como la voz de la ciudad (vv. 40-49) y que, con razonable candidez, convence al héroe para que abandone la ciudad; en este caso no hay motivo para divagar sobre la posible realidad del suceso. Nos encontramos dentro de un proceso de creación poética indiscutible, de tal manera que sobre esta parte del Poema otro poeta de nuestro siglo, Manuel Machado, ha compuesto la poesía «Castilla», a la que me refiero en la Parte 5 cuando planteo los ecos del Poema entre los escritores del siglo xx.

Más polémico resulta el caso de la mención de la población de San Esteban de Gormaz; sus vecinos comparten con el Cid, como indiqué antes, la condición de *mesurados* (v. 2820) que les da el poeta; ellos acogen a las hijas del Cid, a las que cuidan y protegen hasta que sanan de las heridas que recibieron de los Infantes. El episodio tiene que ser ficticio porque lo es el motivo poético que conduce a las hijas del Cid hasta el lugar. La cuestión de la toponimia de esta villa, que resulta básica para la hipótesis de Menéndez Pidal sobre los dos poetas del *PC*, ha sido discutida. Para Menéndez Pidal (1970a, 118-121) existió un «poeta de San Esteban de Gormaz» que «enumera, con más detalle y más amor, las cercanías de su villa» (idem, 119). A. Ubieto (1972, 74-79) precisa que si bien se dan pormenores de alrededores de San Esteban, de los 16 topónimos de la región, 7 están sin localizar o desplazados. Sobre la función de este pueblo en el *PC* M. E. Lacarra (1980, 182-86) cree que su cita en el Poema ocurre porque esta población se había mostrado fiel a la causa castellana y a la familia de los Lara y que, por este motivo, el poeta, posterior a los hechos del Cid, elogió el lugar por la fama de hospitalario que tenía por haber acogido en 1163 al que sería Alfonso VIII cuando niño, escondido en la villa por los Lara. O sea que el motivo resulta extraño al sentido político que pudiera tener una mención del pueblo de San Esteban de Gormaz en tiempos del Cid, además de que se encuentra en una parte de acusada ficción en la composición del Poema.

Un caso especial ocurre con Medina, nombre abreviado de Medinaceli. Se trata de uno de los lugares por el que más

pasan los personajes del Poema en sus correrías; se cita once
veces y se deduce que el poeta consideraba la ciudad como
hospitalaria. El Rey la menciona como el punto extremo de
sus dominios, límite de frontera, refiriéndose a la mujer e
hijas del Cid:

> Fata dentro en Medina   denles quanto huebos les fuer;
> desí adelant   piensse dellas el Campeador.

(vv. 1382-83)

Pero esto no podía ser cierto porque la ciudad no fue de
Alfonso VI más que de 1104 a 1108, después de la muerte de
Rodrigo, y los sucesos que cuenta el Poema se refieren a
una fecha inmediata a la toma de Valencia (1094); la ciudad
fue perdida y sólo recobrada luego por Alfonso I el Batallador.

En el Poema, entrando y saliendo de ella, Medina es lugar
de paso en el borde de la frontera: provee de lo que necesitan a los viajeros, y aun en abundancia (v. 1538).

A estos lugares que se dicen de cristianos hay que añadir
las poblaciones moras que, tomadas por la violencia, sin
embargo conservan un buen recuerdo del Cid. Este es el caso
de Castejón y de Alcocer; en ellos la población mora había
sufrido la violencia de la guerra. Castejón cayó en manos
del Cid como consecuencia de un hábil combate (vv. 456-475)
pero cuando sale el héroe de allí:

> los moros e las moras   bendiziéndol' están

(v. 541)

Y los de Alcocer, a los que me referiré más adelante, que
han tenido que comprar su propio pueblo, se despiden de
él llorando (vv. 855-856). El Poema subraya, pues, las dotes
políticas de este caudillo que sabe vivir de la guerra y, además, recibe el homenaje de las poblaciones que ha sojuz-
gado; en estos casos el Cid hace esto con los moros asentados
en población, o sea, con moros españoles.

A un lado y a otro de la frontera el Cid en el Poema aparece como una figura «popular», entendiendo con ello que dentro de la obra las poblaciones con las que tiene alguna relación o por las que pasa su gente lo reciben o despiden de buena manera, a él y a los suyos. En este caso ya no se trata de otros personajes, sino de colectividades que así manifiestan su simpatía por las dotes políticas de Rodrigo.

3.10. El bando de los enemigos cristianos

En otro lado de la obra, en esta organización bipartita de los personajes del Poema que resulta constitucional del mismo, están los enemigos que el Cid tenía en la Corte; ellos fueron los que lo indispusieron con su Rey y crearon la situación inicial del *PC*, en la que aparece don Rodrigo condenado a un inmerecido destierro.

En el comienzo perdido del Poema (por lo menos, en lo que trae la *Crónica de Veinte Reyes;* véase mi ed. 1981b, 4) se citaría a García Ordóñez, que después en el conjunto de la obra fue el enemigo de Rodrigo más destacado (como propone M. P. Stanley, 1975) y que, por lo tanto, merece ser considerado como el antagonista del héroe. Se trata de un conde castellano que había merecido la confianza del Rey, y que murió amparando la persona de don Sancho, hijo de don Alfonso, en la derrota de Uclés (año de 1108). El poeta aquí se excedió en su favor por el Cid, pues no parece verosímil que el Rey tomase tan abierto partido por Rodrigo para favorecerlo del modo que aparece en el *PC*, pero acierta en situarlo en el bando de los enemigos del Cid; de él queda una abundante documentación que recoge Menéndez Pidal (1969, índices, 996), y su enfrentamiento con el Cid pudiera explicarse por concurrir ambos en la solicitud de los favores reales. Su misión poética en el *PC* es, sobre todo, la del encizañador y (dejando a un lado lo que pudiera representar su aparición en el perdido comienzo del Poema) aparece en el *PC* con ocasión de que Alvar Fáñez cuenta la buena ventura de don Rodrigo al Rey; entre los oyentes está

García Ordóñez, al que duelen los éxitos del Cid que el buen Minaya está relatando, y comenta con ironía:

> ¡Semeja que en tierra de moros   non a bivo omne,
> quando assí faze a su guisa   el Çid Campeador!
>
> (vv. 1346-47)

Y el Rey entonces comienza a dejar de lado el grupo de los enemigos del Cid, cuando oye el insidioso comentario y le replica:

> ...dexad essa razón,
> que en todas guisas   mijor me sirve que vos.
>
> (vv. 1348-49)

Se le conoce también por el Crespo de Grañón (v. 3112).

Esta toma de posición del Rey delimita, en la mitad del Poema, los campos, y junto a García Ordóñez se alinea su cuñado Alvar Díaz, mero confirmador de lo que dice aquel (v. 2042 y acaso lo mismo en 3007, según Menéndez Pidal); y Gómez Peláyez (v. 3457), que dice algunas palabras.

Asur González, el hermano mayor de los Infantes de Carrión, es el mejor definido de este bando. Cuando aparece en el Poema, acompaña a sus hermanos camino de Valencia y el poeta lo enfrenta con los mejores del Cid en el regocijo de las cercanas bodas:

> E va ý Asur González   que era bullidor,
> que es largo de lengua,   mas de lo ál non es tan pro.
>
> (vv. 2172-73)

Un excelente efecto poético ocurre cuando el autor describe su llegada a la sala de las Cortes de Toledo:

> Asur Gonçález   entrava por el palaçio,
> manto armiño   e un brial rastrando,
> vermejo viene,   ca era almorzado;
> en lo que fabló   avie poco recabdo:
>
> (vv. 3373-76)

Y entonces —recordemos que es *bullidor* y que, largo de lengua, habla con poco recaudo— echa en cara al Cid de una manera violenta que no merecía haber emparentado con los suyos:

> ¡Ya, varones!   ¿quién vio nunca tal mal?
> ¿Quién nos darie nuevas   de Mio Çid el de Bivar?
> ¡Fuesse a río d'Ovi[e]rna   los molinos picar,
> e prender maquilas   commo lo suele far!
> ¿Quí'l darie   con los de Carrión a casar?
>
> (vv. 3377-81)

Se trata, por tanto, de una desmesura propia de un personaje preparado para ofrecer este contrapunto ya desde mucho antes; los asistentes tomarían estas palabras como procedía de acuerdo con el que las decía; y con la misma violencia verbal le replica con un soberano acierto literario Muño Gustioz:

> ¡Calla, alevoso,   malo e traidor!
> ¡Antes almuerzas   que vayas a oraçión!
> ¡A los que das paz [esto es, besas]   fártaslos aderredor!
>
> (vv. 3382-85)

Su trayectoria estaba decidida: Asur González caería frente a Muño Gustioz (vv. 3671-92) en los duelos de Carrión.

El conde don Gonzalo Ansúrez es el padre de los Infantes (vv. 2268, 2441) y no actúa en un primer plano hasta la tensa situación en que, con sus gritos angustiosos de padre, evita que hieran o maten a su hijo Asur González:

>   ¡No'l firgades, por Dios!
> ¡Vençudo es el campo   quando esto se acabó!
>
> (vv. 3690-91)

Las voces suplicantes del padre terminan así el episodio con el reconocimiento de la derrota de la familia; por eso él es el más autorizado para proclamarlo. La historia documenta suficientemente a estos contrarios de don Rodrigo.

El grupo de personajes reunido aquí representa el bando de los enemigos del Cid; en sus razones jurídicas, ya mencionadas en la Parte 2, han querido hacer valer la defensa de los privilegios de la condición de los ricos hombres frente a los infanzones; todos ellos son grados de la nobleza, y la discusión ocurre en relación con el uso de determinadas prácticas legales que pueden favorecer a unos o a otros. La igualdad que el Rey establece entre todos queda implícitamente patente cuando autoriza los duelos de Carrión en los que las armas dirán la última solución del caso expuesto. Desde el punto de vista del planteamiento literario, ocurre que el Poema intensifica poéticamente la lección del caso, pues en Rodrigo coinciden los méritos de linaje con los de la acción benéfica para los demás y para sí mismo, de la que puede resultar un mayor prestigio social que pretenden negarle estos nobles de primera clase. Sin embargo, no todos los ricos hombres son de la opinión de los enemigos del Cid, como ya indiqué antes, y a su lado estuvieron también otros del mayor linaje.

3.11. LOS INFANTES DE CARRIÓN

Los Infantes de Carrión ocupan un lugar importante en la organización de la obra; en orden a su intervención aparecen 121 veces, solo detrás del Cid, el Rey y Alvar Fáñez, cerca de las hijas de Rodrigo, que lo hacen en 104 ocasiones (L. A. Allen, 1959, 360). Su función es la más difícil, pues el poeta los ha de mostrar como personajes oscilantes: primero se sitúan en el lado de los que testimonian las buenas noticias que llegan del Cid (vv. 1372-1377), si bien esto ocurre por motivos de interés personal pensando en participar de algún modo en las sonadas riquezas del héroe. No es de extrañar que desde bien pronto los historiadores sospechasen de que ellos eran personajes de invención o «falsos» desde un criterio radical de la verdad histórica. Uno de los historiadores de los que sabemos que en los Siglos de Oro leyó el códice de Madrid, fray Prudencio de Sandoval, escribió en 1601: «... Sin hazer memoria de los cuentos de los Condes de Carrión, que los tengo por falsos: y si huvo algo de ellos fue muy diferente de lo que agora se dize» (1601, fol. 42 vº). No merecían los Infantes tan mala fama.

Dentro del *PC*, toca a los Infantes el peor papel de la obra, pues aparecen como codiciosos, calculadores, cobardes y traidores, y acaban quedando por vencidos en su misma tierra ante el Rey y proclamado su menos valer en relación con el Cid. En el argumento del Poema representan un fallido intento de acuerdo entre el Cid y sus enemigos de la Corte (al cabo, todos cristianos y súbditos de un mismo Rey). Otro tanto había ocurrido antes, sólo que con resultado favorable, en el matrimonio de Rodrigo con Jimena. Pero en el caso del *PC* esto no fue posible, pues la secuencia literaria había de insistir en la configuración negativa de estos contrarios del héroe. El poeta tenía que partir el desarrollo del argumento entre los amigos del Cid y sus enemigos, y el Rey está en medio como juez de la contienda jurídica; ésta, al cabo, la resuelve Dios favoreciendo a los del Cid en los duelos que quedan concertados en las Cortes. Los de Carrión agrupan, pues, las fuerzas antagónicas del Cid, y por esto desempeñaron en el Poema la mala parte, como señala T. R. Hart (1956). Su función en el *PC* viene dada por la condición que muestran de jóvenes cortesanos y pendientes sólo de su provecho personal, y con esto el poeta ha querido caracterizar con rasgos negativos a una nobleza depravada en contraste con la hombría de bien del Cid y de los suyos.

Los Infantes pasan paulatinamente de la codicia, en cierto modo acorde con la condición social de la clase que representan, pues ellos señalan que las bodas las hacen en su pro y por honra del Cid (v. 1888), a través de los episodios de la cobardía (v. 2286, 2320, 2527), hasta la venganza de la que se vanaglorian (v. 2754), para dar luego en el arrepentimiento cuando se dan cuenta del resultado de sus actos (v. 3568). De esta manera, la parte de las bodas primeras, tan importante para la tensión poética de la obra, es ocasión de que los Infantes muestren su maldad a través de un proceso sicológico muy acusado ante los oyentes del Poema: a estos

no les importaría si cuanto se dice en los versos está lejos
de la verdad histórica, sino su acabada condición de malva-
dos, traidores y cobardes que los convierte en personajes de
primera fila, sólo que de signo negativo; fuesen o no asesinos
en la intención que los movió en el Robledo de Corpes
(C. Smith y R. M. Walker, 1979b), el hecho del vilipendio no
era menos grave aunque las hijas del Cid no hubiesen muerto.
El acierto en la concepción de estos personajes en esta parte
de la obra es tal que U. Leo (1959), estableciendo un diag-
nóstico freudiano, encuentra en la «retorcida mentalidad»
de los Infantes el caso de un complejo de inferioridad que
pretenden purgar en la fragilidad de las hijas del Cid. Si la
moderna sicología ha sido utilizada para explicar su comportamiento, su conducta también se ha estudiado en relación
con los ritos seculares del subconsciente colectivo: el episodio de la cruel afrenta se ha interpretado como una invención inspirada en los ritos folklóricos de las Lupercalia o
fiestas rituales que se celebraban en los bosques, según lo
hace D. Gifford (1977). El lugar del episodio en medio del
espeso robledal, con cuevas cerca, y los jóvenes que golpean
a las mujeres con las que tienen tratos amorosos representan un curioso paralelo con estas fiestas que aún se conservaban en la Edad Media.

Sin tanta precisión en las interpretaciones, ya señalé que
desde pronto se echó de ver que los sucesos de los Infantes,
tal como aparecen en la obra, fueron creación imaginada. Su
misma concepción poética como personajes dúplices lo pone
de manifiesto: son dos porque dos son las hijas del Cid (y
Raquel y Vidas, etc.), dentro de la mecánica del argumento,
si bien en algún caso se insinúa alguna leve diferencia, pues
en los acontecimientos del duelo final de Carrión Fernando
se manifiesta más valiente que Diego, que abandona en seguida el campo sin intentar la lucha siquiera. El título de
infante servía para designar al joven noble que también
podía haberse casado, como aquí ocurre, en tanto que no
heredaba el título del padre; en este caso eran los hijos del
conde don Gonzalo Ansúrez, como indiqué que se declara
en el *PC*. Si bien el título en tiempos del Cid pertenecía a

Pedro Ansúrez, podían vanagloriarse de ser «de natura de los de Carrión» (vv. 3275, 3354). Todos ellos pertenecieron a la familia de los Beni-Gómez, noble casa de la que el poeta hace que Alvar Fáñez diga:

> De natura sodes   de los de Vanigómez
> onde salien condes   de prez e de valor;
> mas bien sabemos   las mañas que ellos han [oy].

(vv. 3443-45)

Los Infantes eran sobrinos de este Pedro. La progenie de esta familia se ha tenido como leonesa, y de ahí partió la opinión de que estos jóvenes representasen a la nobleza de este reino de León en lo que pudiera tener de altanera y codiciosa, confiada más en los títulos del pasado que en la acción heroica del presente que llevaba a cabo el Cid, castellano. No se ha encontrado motivo documentado para justificar el odio entre los Beni-Gómez y Rodrigo, al menos en lo que ofrece la historia contemporánea de los hechos a que se refiere el *Poema*. M. E. Lacarra (1980, 131-159) propone interpretar este enfrentamiento no como el reflejo de acontecimientos propios de la historia contemporánea de los hechos narrados, sino en relación con la invención de un poeta que recoge una situación histórica posterior y la traslada a los tiempos del Cid, por su conveniencia poética en servicio de unos intereses políticos. En primer lugar puntualiza que los Beni-Gómez fueron gente de origen castellano y que sólo de manera ocasional, por razones de conveniencia política, se relacionaron con León; de los Beni-Gómez descendió la familia de los Castro, enfrentada con tanta violencia con la familia de los Lara durante el siglo XII. Los de Castro, por su relación con León y también con los almohades en la batalla de Alarcos, fueron considerados enemigos de los intereses políticos de Castilla, representados por los de Lara. Las figuras poéticas de los Infantes serían así un trasunto de los hechos del siglo XII y comienzos del XIII, situados en el contexto del *PC* de la época de Alfonso VI. Por eso dice esta autora: «La aparente fanfarronería [de los Infantes] contiene una verdad histórica,

si no del siglo XI, sí de la actualidad del autor» (1980, 156).
La familia del Cid representaba así a los Lara, los cuales «a
partir de García Pérez, eran descendientes por línea directa
de Cristina Rodríguez, hija del Cid» (1980, 159). De esta manera, por la vía del traslado de los acontecimientos y de su
consecuente interpretación poético-política, M. E. Lacarra
ofrece una explicación a este problema. Lo que sí es manifiesto es que ellos «an part en la cort» (v. 1938) de Alfonso VI.

El proceso de la conducta de los Infantes culmina en el
episodio de los duelos de Carrión, que menciono detenidamente en la Parte 4, por cuanto realiza la función de cierre
de los acontecimientos que provocan las desdichadas bodas
de las hijas del Cid. Allí, ante la presencia del padre de los
Infantes a la que hace poco me referí, culmina su actuación
en el Poema en un episodio que resulta equívoco según algunos críticos.

3.12. LOS PERSONAJES MOROS

Ya hemos indicado que el *PC* se escribe contando con los
moros como parte integrante de la circunstancia hispánica
de la época. No son enemigos ocasionales y lejanos como en
la *Chanson de Roland*, sino gente que queda cerca, asomán-
dose por la frontera desde sus dominios sobre el suelo de
España, en donde se hallan viviendo desde hace siglos. Y en
el Poema esta decisiva realidad cala hasta lo más hondo de
la lengua del poeta. Así ocurre que la significación intensiva
de «todo», «nadie», «jamás», se forma con la mención conjunta de los «moros y cristianos». Si el poeta quiere decir que
el Poyo del Cid se llamará así «siempre», escribe:

mientra que sea el pueblo de moros   e de la yente cristiana,
el Poyo de mio Cid   asi'l dirán por carta.

(v. 901-02)

Y al decir Rodrigo ante la Corte que su barba no la mesó
«nadie», se expresa así, mostrando con ello el límite de la
población que cuenta para él y para los oyentes del Poema:

>   nimbla messó   fijo de moro nin de cristiano
>   (v. 3286)

El Cid está, pues, en el centro de este mundo poético, y sus enemigos lo temen por igual «todos»:

>   moros e christianos   de mí han grant pavor.
>   (v. 2498)

Todos temen al Cid, los malos cristianos que lo odian y los moros que son enemigos de la Cristiandad.

La mención de *moros y cristianos* es una pareja más de las muchas que ocupan el espacio poético de un hemistiquio; se considera como una fórmula (K. H. Bender, 1980, 3-5) que procede del lenguaje legal (D. Hook, 1976, 43), incorporada a la expresión del Poema con la eficacia poética de nombrar este ámbito sobre el que se ejerce la acción de Rodrigo.

Con los moros el Cid tiene que luchar por el imperativo político de su condición social y por las peculiares condiciones en que se encuentra cuando sale de Castilla por haber perdido el favor de su Rey. Estos encuentros son de dos clases: primero, algaras, correrías y escaramuzas en su progresión hasta Valencia, y segundo, la toma y defensa de la misma, creciendo siempre la grandeza de los combates.

A la primera parte pertenecen Fáriz y Galve, «reyes» o caudillos que aparecen emparejados o en el mismo verso (vv. 654 y 769) o en acciones inmediatas y paralelas (vv. 761-764, el Cid contra Fáriz y vv. 765-768, Martín Antolínez contra Galve; v. 773, Fáriz huye a Terrer y vv. 774-75, Galve lo hace a Calatayud); únicamente al fin el Cid hace el trato sólo con Fáriz (v. 841). Dado el juego poético que verifica esta pareja, Fáriz y Galve resultan ser un caso más del formulismo de la duplicidad que venimos encontrando en la obra, y de ahí que resulte acorde que no se hayan encontrado testimonios de su existencia, al menos plausibles. A. Ubieto (1972, 133-34) ha propuesto los topónimos Galve (villa de Teruel y otra de Guadalajara) y Fariz(a) = Ariza en Zaragoza, como origen de estos nombres.

En relación inmediata con estos dos se halla Tamín, que fue el que dispuso la ayuda que recibieron los moros para oponerse a los primeros avances del Cid en Alcocer: el «rey de Valencia» (v. 627), llamado poco después Tamín (v. 636), envía a «tres reyes de moros» (v. 627). De los tres sólo se identifican los dos anteriores; es posible que el prestigio poético del número 3, seguido de las menciones 3.000 moros (vv. 639 y 643), haya motivado las cifras primeras, y luego han quedado sólo dos actuantes para establecer el curso dúplice al que me referí. No había en Valencia un Tamín, señor de la ciudad; L. Chalon (1976, 73-74) propone identificarlo con Motamid de Zaragoza y el poeta lo habría situado en Valencia. No se olvide que la aparatosidad bélica en torno de Alcocer ha levantado las más diferentes interpretaciones, pues, como indicaré en su lugar, el episodio se ha considerado en relación con los *Strategemata* de Frontino (III, X, 2).

Al cabo de cierto tiempo el Cid no es ya el infanzón desterrado que gana azarosamente el pan de cada día, sino el conquistador que se adentra en la tierra mora y organiza una situación bélica, cuyo fruto es la conquista de Valencia (v. 1210). La Parte I y la II (hasta el verso 1210) cuentan esta progresiva expansión del poder del Cid, y recogen, de acuerdo con los límites de organización argumental que impone la obra poética, los diversos hechos que terminaron con la caída de Valencia (año 1094). Para mantener el dominio de la ciudad conquistada, Rodrigo lucha con un «Rey de Sevilla» (v. 1222, acaso, según L. Chalon, el mismo Búcar al que me referiré, 1976, 70-71; *rey* en el sentido de caudillo o capitán de tropas); con Yúçef o Yuçuf, rey de Marruecos (desde v. 1621; Yúçuf ben Texufín, fundador de la dinastía de los almorávides, reinó de 1059 a 1106; véanse las interpretaciones de su actuación en el *PC* en L. Chalon, 1976, 73-74); y con Búcar (desde v. 2314, estudiado por L. Chalon, 1969, un general almorávide, de fama, Sir ben Abú-Béker el Latmuní, yerno de Yúçef). El Cid los derrota a todos y se afirma así en el señorío de Valencia.

El Cid, por tanto, cuando le conviene para su táctica, tiene que luchar con los moros, sean españoles o africanos. Desnuda la espada y comenzado el combate, corre la sangre cruelmente para todos, y sufren el daño los guerreros y la población civil que se encuentra en los lugares de la guerra. Sólo peleando sabe el Cid que se puede vivir más allá de las fronteras de Castilla, por tierra de moros, y sabe que va a encontrarse frente a ellos (v. 566) y que, al mismo tiempo, ha de convivir con ellos. Unos son los moros de España, con los cuales sigue una política alternativa de paz y de guerra. Por eso los combate y, a la vez, quiere aprovecharse de las victorias con unos tratos benévolos en la medida que lo permita su apurada situación en los primeros tiempos del destierro.

El caso de Alcocer es ilustrativo; el lugar (¿Peñalcázar, Castejón de las Armas?, ¿lugar ficticio, como propone P. E. Russell, 1978d?) tiene que abandonarse por motivos de estrategia, y los moros rezan y lloran por el Cid, de tal manera que antes pude citar este lugar entre las poblaciones que acabaron por respetar al desterrado:

> Quando mio Çid   el castiello quiso quitar,
> moros e moras   tomáronse a quexar:
> «¿Vaste, mio Çid?   ¡Nuestras oraçiones váyante delante!
> Nós pagados fincamos,   señor, de la tu part.»
> Quando quitó a Alcoçer   mio Çid el de Bivar,
> moros e moras   compeçaron de llorar.
>
> (vv. 851-56)

Cuando el moro ha sido vencido como enemigo combatiente, el Cid procura establecer un régimen de convivencia que le resulte beneficioso. Y esto lo realiza con el moro asentado desde tiempo en España, que vuelve al lugar de su vida y de su trabajo cuando la batalla termina. La frontera común dentro del mismo suelo peninsular obliga a este otro grado de relaciones que proceden de una larga experiencia histórica. Y así los resultados de la política de treguas pueden convertir a un moro en *amigo de paz* del Cid; esto quiere decir de una paz pactada por el vasallaje. Así ocurre con Abengalbón (Ben Galbón, v. 1464) que sólo aparece en el II y III

Cantar; este moro vive en Molina, villa que está en el camino entre Castilla y Valencia, donde descansan los andariegos personajes del Poema, que parece que tienen siempre «sabor de cabalgar». Así se acogen a su hospitalidad: Muño Gustioz, Pedro Bermúdez, Martín Antolínez y don Jerónimo (vv. 1458-1460) que van en busca de doña Jimena; los Infantes de Carrión, que pretenden jugarle una mala pasada (v. 2647) y, al regreso de Corpes, las desventuradas hijas del Cid (v. 2881). El moro conoce la fortuna del Cid, y sabe que hay que contar con él de todas suertes:

> en paz o en guerra   de lo nuestro abrá;
> mucho'l tengo por torpe   qui non conosçe la verdad.
>
> (vv. 1525-26)

Abengalbón, «amigo de paz» del Cid, no interviene con las armas al lado de Rodrigo; es sólo un fiel huésped del que se alaban sus buenas cualidades. Menéndez Pidal encontró noticias de este curioso personaje que amplía por el campo moro el número de los amigos del Cid; M. E. Lacarra (1980, 195-201), en su esfuerzo por acomodar hechos históricos posteriores con la invención poemática del PC, estima que el autor quiso implicar con su cita al señorío de Molina que fue a parar, ya cristiano, en manos de Pedro Manrique de Lara, casado con la infanta doña Sancha en 1173; si se tiene en cuenta que la mayor parte de las citas de Abengalbón se relacionan con el episodio ficticio de Corpes, cabría pensar —según propone esta historiadora— que este moro pudiera ser una contrafigura de los Infantes, con los que se enfrenta constantemente, establecida sobre el recuerdo del último señor moro de Molina.

Sabemos que el Cid entendía el árabe y conocía muy bien las condiciones de la vida musulmana en lo que tocaba a política y costumbres. Episodios semejantes a este que cuenta el Poema, en el que las circunstancias de la vida de la frontera enlazan con la amistad a los cristianos y los moros, fueron conocidos y pasaron a la Literatura con el Romancero y en relatos legendarios; así ocurre, por citar uno de los ejemplos, con el *Abencerraje*, la primera novela española, en que el abencerraje Abindarráez se convierte en la frontera de Antequera también en amigo de paz de Rodrigo de Narváez (véase mi edición *El Abencerraje. Novela y Romancero*, Madrid, Cátedra, 1980). Insistiendo en el punto de la posible arabización de Rodrigo, E. García Gómez señaló que en el episodio de las arcas de arena don Rodrigo se comporta de manera semejante a como pudiera hacerlo un beduino en sus tratos con el mercader de una ciudad (1951).

En el *PC* encontramos una gran variedad de relaciones entre el Cid y los moros; estos no se limitan a ser los contrarios, considerados de una manera uniforme. Sus denominaciones no resultan tan precisas como en el caso de los nombres cristianos, pero esto coincide también con la degradación de las cifras que encontramos en la mención del bando moro. Su función poética es más de fondo que de primer plano y esto explicaría su imprecisión.

Como era de esperar, salvo las palabras de Abengalbón sobre Rodrigo, los moros no nos expresan su juicio sobre el Cid. Es muy sintomático que el primer mensaje que llega a Tamín sobre el Cid se refiera a «uno que dizien   mio Çid Ruy Díaz de Bivar» (v. 628). Es un calculado efecto dentro del *PC*, pues bien que sabía quién era Rodrigo. Ben Bassam, historiador árabe, recoge así en un frase lo que puede ser el resumen de las guerras del Cid en el Levante árabe: «Rodrigo —maldígalo Dios— vio sus banderas favorecidas por la victoria [...] y con un escaso número de guerreros aniquiló ejércitos numerosos» (Menéndez Pidal, 1969, 602). Y caracterizó de esta manera el efecto de su personalidad entre los árabes, estableciendo su contrafigura entre los enemigos:

> el poderío de este tirano fue haciéndose cada vez más pesado; como grave carga se dejó sentir sobre las regiones costeras y sobre las mesetas altas, y llenó de pavor así a los de cerca como a los de lejos... Pero este hombre, azote de su época, fue por la habitual y clarividente energía, por la viril firmeza de su carácter y por su heroica bravura, un milagro de los milagros del Señor... (ídem, 605).

En cuanto a la conquista de Valencia, hecho central del Poema, considerada desde el lado árabe, véase el estudio de E. Lévi-Provençal (1948).

De lo que pudo pasar de este aspecto del *PC* al Romancero sólo nos queda el episodio de la carrera del Cid tras de Búcar, y el diálogo que mantienen (v. 2408), que inspiró de lejos la interpretación novelística de uno de los romances más populares: «Helo, helo por do viene...» (Recogí las noticias del caso en un artículo mío, 1978).

3.13. LOS PERSONAJES JUDÍOS

Queda ahora la mención de dos personajes controvertidos, llamados Raquel y Vidas, que aparecen en dos ocasiones (vv. 78-200; 1431-1438). En una situación difícil para el Cid, cuando parte hacia el destierro con unos pocos de los suyos, necesita un apoyo económico para la aventura y, aconsejado por Martín Antolínez, toma un «empréstito de guerra» que su caballero negocia de una manera artera. Martín Antolínez sabe hábilmente incitar la codicia de Raquel y Vidas, reunidos ambos en sociedad comercial, siempre consultándose entre susurros los acuerdos para el mejor acrecentamiento de sus riquezas, como estudia N. Salvador (1977). Aunque no se diga en el *PC* que son judíos, los hechos que de ellos se cuentan permiten identificar su profesión de prestamistas. Los esfuerzos de M. Garci-Gómez por considerarlos verdaderos amigos del Cid no resultan convincentes (1975, 85-112). Ambos actúan siempre juntos, de manera que se comportan como otra pareja geminada de personajes para unir a las que hemos ya indicado; incluso el poeta concierta a veces el verbo en singular con ambos: «Dixo Rachel e Vidas» (vv. 136, 139, 146). Son personajes inventados y se ha pensado que pudiera ser un matrimonio judío (F. Cantera, 1958, y J. M. Sola Solé, 1976). E. Aizenberg (1980) insiste en que hay que considerarlos teniendo en cuenta el contexto literario medieval y, en este sentido, le parecen estereotipos acreditados del judío en versiones de esta especie y que producen un efecto de humor. De una manera indirecta cabe suponer que son judíos prestamistas los que realizan las funciones de banqueros en el apuro económico en que se encuentran los Infantes de Carrión para pagar las penas pecuniarias de su enjuiciamiento:

enpréstanles de lo ageno,   que non les cumple lo so
(v. 3248)

Considerando a Raquel y Vidas, como parece más acertado, judíos, su presencia en el *PC* testimonia que en la obra aparecen las tres leyes, cristiana, mora y judía, sobre las que estaba articulada la vida cultural de la España de la Edad Media. Entender que el episodio denota un antisemitismo decisivo no parece que sea justo. Los personajes establecen esta función precisa: ofrecer al Cid una primera base económica para sus campañas, y el engaño de Raquel y Vidas realiza al mismo tiempo las funciones cómicas que indicaré.

3.14. El rey Alfonso VI y su corte: Política y sociedad en el Poema

He dejado la mención de Alfonso VI para el fin de este repaso de los personajes de la obra porque su función argumental resulta clave y aparece en forma directa o indirecta, del comienzo al fin del *PC*. Si hemos agrupado el desfile precedente de los personajes en dos bandos en relación con el eje argumental que representa el Cid, Alfonso VI queda fuera de esta alineación, situado en un grado superior, de carácter privilegiado. Por encima de todos los personajes, como un centro en torno del cual en el Poema recorre su órbita el Cid, está el rey Alfonso. Existe en el poeta la intención de exaltar en el Rey no sólo al señor del buen vasallo que es el héroe del Poema, sino a un señor de mayor poder en cuya jurisdicción se reúne un gran espacio de España:

Rey es de Castiella   e rey es de León
e de las Asturias,   bien a San Çalvador,
fasta dentro en Santi Yaguo,   de todo es señor;
ellos comdes gallizanos   a él tienen por señor.

(vv. 2923-26)

Las fórmulas cancillerescas dieron a don Alfonso el título de «Imperator totius Hispaniae», como estudió Menéndez Pidal (1950, 100), y el poeta nos ofrece también su propia expresión de la grandeza del Rey, extendida por los lugares mencionados.

Esta grandeza no aparece desmentida a lo largo del Poema aunque adopte un sentido trágico. En efecto, el arranque de la obra ocurre, como sabemos, con motivo de la *ira regia* que rompe las relaciones entre señor y vasallo. No debieran haberse torcido, y así se hubiese mantenido el amor social en su justo grado; pero lo que ocurrió en el Poema entre Rodrigo y el Rey, su señor, resulta paralelo, en un grado diferente de relaciones, a lo que pasa entre el caballero y la dama en la lírica y en los libros de ficción. Es que no hay argumento literario si no se interrumpe de algún modo una relación humana establecida; se necesita la aparición de una pantalla que ponga sombras y oculte, siquiera por algún tiempo, la luz. Por eso el Poema necesita un *agón*, una lucha trágica del hombre consigo mismo para lograr volver a la situación de origen: el amor social entre el señor y el súbdito, que hemos considerado antes como uno de los resortes sustantivos en el desarrollo de la obra. La relación entre *señor* y *vasallo* constituye la base del sistema político del feudalismo; bajo este nombre se acogen un gran número de manifestaciones que se extienden por Europa y que hay que matizar en los distintos reinos. En esa vía se encuentran una serie de estudios que quieran denotar las peculiaridades del caso en relación con el *PC*.

Se ha querido notar, en este sentido, que el Poema es una obra que inicia un apartamiento de la ideología feudal que es propia del arte general de la épica: así J. Rodríguez-Puértolas (1977) establece, recogiendo una línea que parte de A. Ubieto y a la que me vengo refiriendo en páginas anteriores, el brote en el *PC* de una nueva clase, una incipiente burguesía, que apoya al infanzón frente a los nobles aristócratas, implicando con ello la defensa de una nueva política de los burgueses, representados por don Rodrigo, frente a la vieja política leonesa. Y en el mismo sentido arguye M. Molho (1977), para el cual «el *CMC* se separa precisamente del ideal épico nobiliario, llevando a escena a un héroe que no es el de los señores, sino el de los burgos» (idem, p. 160). La presencia de esta nueva burguesía en el Poema se ha querido encontrar en la mención de los «burgueses o burguesas» (v. 17) que están en las ventanas viendo pasar al Cid sin poder ayudarle; y también los de San Esteban de Gormaz (según M. Molho, 1977). Esto sería un primer uso de *burgués* en el sentido de una clase social determinada; Menéndez Pidal había definido la palabra como 'vecino de una ciudad o villa', de una manera directa y, después, «individuo de una clase social no perteneciente a la nobleza» (1956a, 517). El lugar donde se halla esta mención presenta el texto escrito de una manera confusa: hay dificultades con la rima y los versos están mal alineados. Menéndez Pidal ofrece la siguiente lectura paleográfica de esta serie 3 (vv. 15-20):

Myo Çid Ruy Diaz por Burgos en t*r*aua,
En su co*n*paña .Lx. pendones [1], exie*n* lo uer mugieres τ uarones,
Burgeses τ burgesas por las finiestras son [2],
Plora*n*do delos oios, ta*n*to auye*n* el dolor.
Delas sus bocas todos dizia*n* una ʀazon:
«Dios, q*ue* bue*n* vassalo, si ouiesse bue*n* Señor!»

Estos versos traen las siguientes notas aclaratorias:

[1] Sobre *pendones* se interlineó *leuaua* con la tinta anaranjada del primer corrector. Los editores acogen esta mala corrección.—[2] Después de *son* se añadió de letra posterior y más chica *puestas;* estaba casi ilegible, pero con reactivo leí clara la *a,* con tinta posterior, que borré previamente, se había repasado *puestos,* y así leyeron Ulibarri y los editores.

Los críticos han tenido que poner en orden estos versos.
He aquí tres soluciones:

1) Edición crítica de Menéndez Pidal (1956a, 1026)

> Mio Çid R*oy* Díaz   por Burgos entr*óve,*
> En su*e* conpaña   sessaenta pendones;
> exien lo ve*er*   mugieres e varones,
> burgeses e burgesas   por las finiestras son*e,*
> plorando de los ojos,   tanto avien el dolor*e.*
> De las sus bocas   todos dizían una razón*e:*
> «Dios, qué buen vasallo,   si oviesse buen señor*e!»*

2) Edición crítica de I. Michael (1981, 77-78)

> Mio Çid Ruy Díaz   por Burgos entrava,
> en su conpaña   *sessaenta* pendones.
> exiénlo ver   mugieres e varones,
> burgeses e burgesas   por las finiestras son,
> plorando de los oios,   tanto avién el dolor;
> de las sus bocas   todos dizían una rrazón:
> "¡Dios, qué buen vassallo,   si oviesse buen señor!"

3) Edición crítica de C. Smith (1972, 139)

> Mio Çid Ruy Diaz   por Burgos entrava,
> en su compaña   .lx. pendones levava.
>
> Exien lo ver   mugieres e varones,
> burgeses e burgesas   por las finiestras son,
> plorando de los ojos   tanto avien el dolor.
> De las sus bocas   todos dizian una razon:
> '¡Dios, que buen vassalo!   ¡Si oviesse buen señor!'

En estos versos se cuenta que el Cid entra en Burgos y
las gentes de la ciudad salen a verlo y desde lejos, para no
tener trato con él, proclaman el dolor que sienten por el
suceso que contemplan. Aquí el autor se vale del artificio poético de dotar de voz a un grupo o colectividad que de este
modo expresa un deseo común; W. Hempel (1981) considera

esto en relación con usos semejantes de la Biblia y de la literatura medieval relacionada con ella.

En cuanto al grupo, importa notar que en el verso 15 la mención a *Burgos* es clara; en el 17 la mención *burgeses e burgesas* ha levantado interpretaciones diferentes. La que parece en principio más cohesiva es que estos sean la gente de Burgos si pretendemos obtener una lectura concorde de los versos. En primer lugar, considerando el conjunto de la situación que el poeta evoca, parece extraño que los que estén en las ventanas sean sólo los *burgueses* y *burguesas* considerados como una clase social determinada, como si hubiese entre ellos y el Cid una relación específica que los hiciera asomarse: ¿por qué la aventura del Cid, establecida sobre una cuestión de la corte —la ira regia— iba a conmover *sólo* a ellos? ¿No cabe pensar que la desgracia que había caído sobre el Cid afectaba a toda la gente de Burgos, estando Burgos tan inmediato a Vivar, la patria del héroe? ¿Desde dónde lo veían las *mugieres e varones* (v. 16b), que no se indica en el Poema? ¿Unos desde las ventanas, como se declara, y otros desde las puertas? Las puertas —se indica poco después (v. 32)— se hallaban bien cerradas. ¿No cabe, pues, identificar el contenido de los dos hemistiquios 16 y 16b, situados juntos? El poeta no podía repetir las mismas palabras para designar a la totalidad de la población de Burgos que, en todo caso, se opone retóricamente a los pocos (*.lx.* [sesenta] *pendones*) que rodean al Cid.

Observamos, pues, que el binomio *burgeses e burgesas* está precedido inmediatamente en el verso anterior del hemistiquio paralelo por *mugieres e varones*, otro binomio del tipo que estudia C. Smith como pareja inclusiva por razón del sexo (1977g, 187-89). La situación de ambos binomios es

v. 16b   *hemistiquio* 1   ♀ ♂   2

v. 17   ♂ ♀   1   *hemistiquio* 2

Si bien C. Smith estima que esto es un «uso algo mecánico de parejas formulaicas que expresan sencillamente 'todos'» (id. 187-88), existe un evidente artificio literario para reforzar la designación de la comunidad burgalesa. Estimo que establece un mejor conjunto narrativo interpretar que ambos binomios poseen el mismo sentido, que pensar que el segundo hemistiquio supone una restricción del primero.

Como no hay otra expresión parecida en el *PC*, conviene acudir a otras obras que puedan acercarse a él de acuerdo con una concepción de base amplia en la épica vernácula (a la que me referiré más adelante); tal es el caso de los dos poemas de la épica marcadamente clerical como son el *Libro de Apolonio* y el *Libro de Alexandre*. Comenzando por el de *Apolonio*, encontramos también la descripción de la gente que constituye una referencia a los habitantes de una ciudad:

> vieron por la ribera   mucho buen menestral:
> burzeses e burzesas,   mucha buena señal;
> salieron al mercado,   fuera el arenal.

> (Ed. M. Alvar, est. 202, b-d)

Admitida la equivalencia *burgés-burzés* (Menéndez Pidal, 1956a, 517) estos *burgeses* del *Apolonio* pudieran ser los que vivían en el *burgo* (o barrio de las afueras) en este caso por lo que se dice. M. Alvar hace depender esta referencia de una forma directa de *menestral*, como una especificación de esta palabra (ed. citada II, 346). Por otra parte, en el *Apolonio* se usa *burgo* con la significación que se desprende de este verso: «nin en ciudat ni en burgo non serás albergado» (ed. citada, est. 71); opuesto a *ciudad*, 'población mayor', *burgo* parece significar 'población menor'. En Berceo *burgés* aparece (*Milagros*, est. 627) para traducir *civium quidam* (ed. B. Dutton, 198).

En el caso del *PC* la dificultad se halla en que *un* determinado habitante de Burgos, Martín Antolínez, recibe el adjetivo de *burgalés* en nueve ocasiones. Cabe ante esto pensar en una identidad o en una disparidad entre los términos *burgés* (y el consiguiente problema de la identificación *burzés, burgés* y *burgués*) y *burgalés*. Su equivalencia parece, con todo, posible a J. Corominas que admite una lección *burg[al]eses* para enmendar el verso 1725 f del *Libro de Buen Amor*. Nebrija no aclara demasiado el caso, pero en el estudio de los gentilicios escribe: «Salen esso mesmo los nombres gentiles muchas vezes en *es*, como de Francia *francés*, de Aragón *aragonés*, de Portogal *portogués* por portogalés [...] de Burgos, *burgalés* por burgués...» (*Gramática castellana*, ed. P. Galindo y L. Ortiz, III, 2, p. 64). Si bien Nebrija da *burgalés* como preferible, no parece que deseche *portugalés* y *burgués*, formas más directas en su formación y que probablemente habría oído. La coexistencia de formas *burgés*, *burgalés* con la misma significación puede proponerse, y el reparto de su uso puede deberse a motivos rítmicos (situación en el hemistiquio) y retóricos (el uso de los binomios); el referir ambos a Burgos resulta posible y plantea menos problemas que suponer que una de las dos palabras designa la naciente clase social y que esto puede tener implicaciones con las tensiones políticas que se manifiestan en el *PC*. Y aun entendiendo que *burgés* pueda derivar de *burgo* o barrio de las afueras, no me parece que haya motivo para que signifique otra cosa que 'habitante del burgo', al menos en este caso, ni que con esto se niegue que esta nueva clase social haya de aportar importantes innovaciones en los planteamientos literarios. Completaré mi interpretación indicando que la «novedad» puede hallarse, en todo caso, en que los habitantes de Burgos penetren en el Poema como un personaje colectivo con una función poética determinada, lo mismo que los guerreros (del Cid o moros) y la gente de la Corte. Pero, como en tantos casos, nos falta conocer otros Poemas de la misma clase.

Por el contrario, si se admite la disparidad entre *burgalés* y *burgés* obliga a precisar otro significado para este último; y en este punto aparece la propuesta para que signifique la nueva clase social de la burguesía, opuesta a la de la caballería o nobleza. En *Apolonio* se encuentra la mención de un «burzés rico e adobado» (idem, est. 80 b y c) cuya base latina es «alius homo», sin más. ¿Hasta qué punto cabe aplicar a los *burgeses* y *burgesas* del *PC* un sentido que los aparte del resto de los habitantes de Burgos: *a)* de los demás burgueses, si admitimos su equivalencia con burgaleses; *b)* de todos los demás burgueses, habitantes de la ciudad; *c)* del que vive en el burgo en el sentido de *barrio*? Mi propuesta es que el emparejamiento equivalente $\dfrac{\text{mugieres e varones}}{\text{burgeses e burgesas}}$ me parece de índole retórica, una variación que luego obtiene su unidad en el verso 19: «*todos* dizian una razón».

También conviene aquí recordar el otro poema de la épica clerical que ofrece un cierto paralelo con el episodio de Burgos que examinamos aquí ahora, sólo que planteado en el sentido inverso y de forma mucho más amplia: es la llegada de Alejandro a Babilonia en el *Libro de Alexandre*. Digo en sentido inverso porque Alejandro aparece acogido como un triunfador; entra con su ejército en disposición de combate previendo alguna enemistad, pero el «pueblo de la villa» (1536a) le ofrece su homenaje:

> Al entrar en la villa   mugieres e varones
> exi[e]ron recebirlo   con diversas canciones;
>
> (Cito por la edición de Dana A. Nelson, Madrid, Gredos, 1978, 1538 a y b)

Y también se asoman a las ventanas:

> Por amor de veer   al rey de grant ventura
> por muros e por techos   subién a grant pressura;
> sedién por las finiestras   gentes sin grant mesura
>
> (Idem, 1546 a, b y c)

En este caso no cabe establecer una repercusión social inmediata, pues en el *Libro de Alexandre* la recepción del héroe del Poema se establece por la vía del anacronismo, con procesiones de clérigos, senadores, cónsules y caballeros. Y después de referir la venturosa recepción, el poeta cuenta que Alejandro sale de la ciudad:

Quando fue a su guisa   el rey sojornado.
mandó mover las señas,   exir fuera al prado.

(Idem, 1548 c y d)

Hemos encontrado en ambos Poemas una disposición paralela, sólo que contraria, pues el caso trágico del Cid hace más punzante la descripción: lo que pudiera haber sido una recepción favorable se convierte en el tenso y forzado silencio y expectativa de los burgaleses; sin embargo, aun contando con estas diferencias, cabe indicar que en ambos casos existe en el fondo una pieza en cierto modo tópica que sería la entrada de un capitán en una ciudad, burgo o villa.

Por su parte, J. M. Caso González (1979) llama la atención sobre esta peculiaridad del Poema, en el sentido de que el Cid no representa la vieja nobleza sino una nueva clase de caballeros que asciende en poder económico y que quiere así asegurar su dignidad social; esto ocurre en la sociedad de los siglos XII y XIII, y el Cid habría sido en su época un adelantado de esta clase de la sociedad que acabó por imponerse. El Poema sería, de este modo, una memoria del cambio social, que no se verificó, no obstante, en el sistema de las relaciones sociales, sino en la condición de las familias que ascienden en la consideración cortesana; por tanto, estas relaciones entre personajes de la obra quedarían «adelantadas» en cuanto a su estricta cronología histórica, reflejando, sobre la base del caso del Cid y Alfonso VI, una situación que correspondería a los siglos XII y XIII. En tal sentido ha reunido las pruebas sobre este desplazamiento M. E. Lacarra (1980), con una cuidadosa comparación entre lo que se sabe del período de Alfonso VI y de los tiempos de fines del siglo XII y comienzos del XIII, época de Alfonso VIII. El resorte político y social del Poema resulta así desplazado hacia esta nueva época, y la obra, por tanto, sería representativa de las tensiones de la misma y no de las de Alfonso VI en la que transcurre el argumento. El Poema cifra en el Cid esta voluntad de enriquecimiento que, como novedad de vida, conmueve los lazos sociales; por eso conviene llamar la atención sobre el hecho de que no es sólo el Cid el que crece en riqueza

y honra, sino cuantos le acompañan en su mesnada. Después
de la toma de Valencia esta ascensión económica se hace
común entre sus gentes:

> Los que fueron de pie   cavalleros se fazen
>
> (v. 1213)
>
> Todos eran ricos   quantos allí ha
>
> (v. 1215)

Los que acompañan al Cid saben desde el principio del
destierro que mejorarán en hacienda como consecuencia de
las acciones guerreras que el héroe emprenderá. Sin embargo,
la riqueza no aporta un cambio patente de la condición
social; el caballero que era antes hombre de a pie no se
convierte en hidalgo, sino en un *caballero villano* según la
interpretación de M. E. Lacarra. La organización social que
establece Rodrigo en Valencia para los suyos es análoga a la
general del Reino, y las relaciones con sus gentes están en
paralelo con las que él sostiene con el rey Alfonso VI.

Esta interpretación ha de entenderse en el sentido de que
en el Poema no se inventan los sucesos básicos de la obra;
refiriendo el caso a uno de estos nuevos nobles, cuyo recuerdo
y ejemplo son recientes (como ocurría con el Cid), el autor
aumenta en eficacia el efecto político y social de la obra.
Por eso, sobre la base de reconocer las desavenencias entre
el Cid y Alfonso VI, resulta que Rodrigo fue, al mismo tiempo, un certero «adivinador» de las corrientes políticas que
acabarían por imponerse en los Reinos cristianos de España;
Alfonso VI, por su parte, las desarrollaba a su manera desde
el gobierno. Por una parte, el Rey lo fue primero de León
(año 1065) y después de Castilla (año 1072), y en su política
interior tuvo que conciliar a leoneses y castellanos. No sabemos con certeza si el episodio de Santa Gadea, en donde el
Cid tomó juramento a don Alfonso de no haber aconsejado
la muerte de su hermano don Sancho, se hallaría en las páginas que faltan del Poema, aunque fuese sólo una breve
mención; Menéndez Pidal lo recoge del compilador de la *Pri-*

mera Crónica (1956a, 1024, nota 2), y con este fundamento lo he incluido en la parte reconstruida de mi versión (1981, 8).

Como he indicado, las bodas de don Rodrigo y Jimena habían sido un episodio armonizador de estas disensiones civiles entre los dos reinos hispánicos; y en este caso el Rey, con su mejor voluntad, apoya y promueve en el *PC* un casamiento que pudiera valer para crecer la amistad entre sus súbditos; el Cid siente recelos de los Infantes:

> ellos son mucho urgullosos   e an part en la cort
>
> (v. 1938)

El orgullo y la cortesanía que los caracteriza se han interpretado como el recelo de los castellanos frente a los leoneses. Sin embargo, aun enfatizando este enfrentamiento (al que ya me referí al tratar de Rodrigo y Jimena) y considerándolo como un tópico literario, hay que tener en cuenta que el conde García Ordóñez, el más caracterizado de los enemigos del Cid, es un castellano. Por eso algunos críticos, como C. Smith, quieren rebajar el grado de la hostilidad que pudiera manifestarse entre castellanos y leoneses (1976, 76-7). Los Infantes resultan la representación de una juventud que se precia de sus títulos sin procurar que sus hechos correspondan con la nobleza de la sangre. Alfonso VI es el rey común de todos, como declara este verso, de perfecta construcción paralelística:

> Rey es de Castiella   e rey es de León
>
> (v. 2923)

Parece que habría de ser indicio para insistir en la castellanidad del Poema algunas indicaciones específicas que se hacen de esta condición en los personajes: así ocurre con esta mención, convertida en cierto modo en epíteto épico, precedido del artículo: «... mio Cid Ruy Díaz, el Castellano» (v. 748). En otra parte el poeta desprende los otros nombres del Cid y se le designa con la sola mención de «el Castellano» (v. 1067). En cuanto al Rey, Minaya lo llama «el Castellano» (v. 495), y el Cid hace lo mismo (v. 1790); el poeta lo denomina también así (v. 2976). Por otra parte, el mismo Alfonso es llamado por el poeta «el de León» (1927, 3536, 3543, 3718). Sin embargo, estas denominaciones pierden parte de su valor como testimonio electivo por ir situadas siempre en posición de rima, unas -á-o y otras -ó.

Contando, pues, con la común realeza que Alfonso VI ejerce en ambos Reinos, el Poema se halla más relacionado con Castilla por ser su héroe un castellano de Vivar, cerca de Burgos, y por atenerse los hechos que allí se cuentan más a la política del Reino y de las gentes de Castilla que a las de los otros Reinos hispánicos. De ahí procede la preferencia de los críticos por notar su castellanismo, como I. Michael, que indica que el Cid «representa e idealiza el inquieto y fuerte espíritu de Castilla en una época expansionista, en que había tierras que conquistar y fortunas que ganar» (1981, 45). Por esta vía de realzar la condición castellana del Poema, ya desde la historia medieval la obra y su héroe se mencionan como el anuncio de una España de los tiempos futuros que sería común a los reinos citados en el conjunto de la pieza épica. Volveré sobre este punto más adelante, al referirme a la interpretación del Poema en el siglo xx (Parte 5).

En general, la relación entre el rey y el Cid (presente, como he dicho, en forma clave en el verso 20) se intenta salvar de una manera que se corresponda con lo que ocurre en el curso de la obra y en relación con una consideración del rey congruente con la teoría política de la época. Sin embargo, M. Molho (1981), tomando el texto como un pretexto para una consideración de las «representaciones simbólicas profundas», opina que entre el rey y el héroe se establece un conflicto freudiano del tipo de Edipo: el rey (como Padre) y el Cid (como Hijo) se enfrentan y sólo a través de la «trayectoria de una estructura de inversión» se transfiere al Cid (Hijo-Padre) la condición de Buen Padre en relación con los sucesos de las hijas del Cid, desventuradas en su primer matrimonio, y dichosas en el segundo. El rey queda así como Mal padre, operante aún, aunque inhibido en el resto de la obra a través de los de Carrión.

Como he puesto de manifiesto, la cuestión de la diferencia de grado en los linajes de la Corte del Rey es el resorte que impulsa el desarrollo del argumento. La cuestión del repudio de las hijas del Cid está apuntada por los propios Infantes cuando cavilan por vez primera la conveniencia de las bodas, y no se deciden por la diferencia de linajes, pues estiman el suyo de rango más elevado, sin que en esto se refieran a que Vivar está en Castilla y Carrión, en León:

> non la osariemos   acometer nós esta razón,
> mio Çid es de Bivar   e nós de los condes de Carrión.

(vv. 1375-76)

El orgullo social de los Infantes sirve como motivo para la anécdota poética de la deshonra del Cid. Ya nos hemos referido a las indicaciones precisas que se nos dan en el *PC*: doña Elvira y doña Sol eran hijas de infanzón (v. 3298) y ellos, de natura de Condes de Carrión (vv. 3296, 3354), de los Vanigómez (v. 3443), o sea Benigómez, nombre de los señores de Carrión.

El poeta, pues, cuenta con estas diferencias sociales existentes en la Corte de Alfonso VI y que fueron un impedimento para la política de este Rey, y las aprovecha para su obra con un propósito definidamente literario y no histórico; las instituciones jurídicas implicadas en el argumento (la *ira regia* y la preferencia por la venganza según un derecho público frente a la venganza personal o familiar) le ofrecen, según he indicado, la base suficiente para que su obra posea un marco de credibilidad como para apoyar en ella las acciones de los personajes. El autor sabe que no es un narrador imparcial, pues toma partido abiertamente por el Cid, en tanto que sobre el héroe recaen las consecuencias de estos motivos: Rodrigo es un infanzón y el poeta insiste en mostrarlo a todos, sin que se le ocurra darle otros títulos dentro de la corte de Alfonso VI.

El Rey aparece, pues, en el centro del argumento y en torno suyo se desarrollan los diversos aspectos del conflicto épico. Impuesto en su función real, primero destierra al Cid y después se reconcilia con él y al fin preside con serena impasibilidad unas Cortes (invención del poeta) en las que administra justicia y se comporta como corresponde al Rey perfecto. Estas Cortes se cuentan en el Poema con gran aparato descriptivo y se refieren extensamente los discursos de los concurrentes en las partes del juicio que se celebró en ellas: los pregones anunciadores (v. 2962), las cartas (v. 2977), el plazo (v. 2981), y los concurrentes. El Rey falla el caso y repara la honra del Cid, ateniéndose al consejo de los jueces. Finalmente diremos que el Cid sirve el imperativo de la política de conquista al apoderarse de Valencia, y secunda, a su modo, el propósito del Rey mostrándose como un audaz y experimentado realizador de lo que sería un propósito común. Queda, sin embargo, la cuestión de que la toma de Valencia fue una aventura de Rodrigo y el aspecto jurídico que el caso plantea no aparece en el *PC*. El Poema fue posterior al abandono de Valencia y esto lo sabrían todos los oyentes: lo que quedaba claro era que el Cid había logrado vencer a los moros de Africa. Y esto es lo que los críticos han interpretado en el sentido de que el *PC* representa implícitamente una obra que vale para la propaganda, como indiqué de J. Fradejas (1962). Por su parte, I. Michael cree que no es atrevido pensar que el Poema pudiera haber servido para reclutar combatientes entre la derrota de la batalla de Alarcos en 1195 y la victoria de las Navas de Tolosa en 1212 (1981, 45).

En este sentido, Menéndez Pidal resume con estas palabras la decisiva función de don Rodrigo en relación con la política de su tiempo:

... la obra del Cid en Valencia salvó a España, acaso también al sur de Europa, de una crisis decisiva; dio lugar a que los cristianos se preparasen para resistir la nueva táctica militar creada por Yúçuf, y dejó venir el tiempo en que los nómadas del Sahara se envenenasen con la civilización sedentaria y perdiesen su fuerza nativa (1969, 611).

No importa que pronto Valencia cayese otra vez en manos de los moros en el año 1102, poco después de la muerte del

Cid. La ciudad volvería a manos de cristianos en 1238, después de una campaña de Jaime I el Conquistador, rey de Aragón y Cataluña. La conquista del Cid había sido, por tanto, sólo un episodio transitorio, resultado de una aventura personal que los poetas y juglares incorporaron a la épica vernácula y latina como un hecho decisivo. Si los castellanos, después de la muerte del Cid se habían retirado de Valencia en 1102, los aragoneses y catalanes de Jaime volverían en 1238 como sucesivas oleadas de una marea ascendente. La campaña de Jaime I, realizada con más gente y aparato, logró extender el poder político del Rey por estas tierras. Aragoneses y catalanes lograron lo que el castellano Rodrigo había querido realizar más de un siglo antes: el efecto final fue el mismo y de esta manera la España gótica se rehacía bajo un nuevo signo político común a los diversos reinos hispánicos.

Además, don Rodrigo había tenido combatiendo junto a sí a caballeros de diversas partes de España: el asturiano Muño Gustioz, Galindo García, de Aragón; Martín Muñoz, de la villa portuguesa de Montemayor. Cuando comenzó el asedio de Valencia, el Cid mandó echar pregones por Aragón y Navarra con el fin de que se le juntasen gentes para cercar la ciudad (v. 1187). Como notan los historiadores, en el *PC* no se señala el que los moros hubiesen ayudado al héroe en sus campañas mientras que las noticias históricas prueban lo contrario; en esta ocasión el poeta calla esta realidad porque no tiene la categoría de poética. Lo importante es que Rodrigo acaudilla un grupo de combatientes de muy diversas procedencias, sostenidos por un propósito común. Por sobre el Poema aparece una palabra que concentra la significación de un ámbito dentro del cual pueden reunirse todos ellos: es un espacio geográfico inteligible para todos, poeta y públicos, y para los personajes de dentro del *PC*. Se denomina *España* y aparece en las siguientes ocasiones: de un socorro del Cid pueden hablar en toda España (v. 453); el conde catalán no quiere comer un bocado ni por toda España (v. 1021); de Babieca se admira España (v. 1591) y Alfonso es el mejor de los reyes de España (v. 3271), uno de los de España, de entre los que empariénta el Cid (v. 3724). Todo esto son datos para el estudio del concepto de España en la Edad Media que realiza J. A. Maravall (1964). En el *PC* esta mención de España es un factor integrador que posee una tradición y, al mismo tiempo, un porvenir político en el curso de la historia de España.

3.15. LOS NOBLES Y SEÑORES DE LOS OTROS REINOS HISPÁNICOS Y ULTRAPIRENAICOS

Además del ámbito del gobierno de Alfonso VI, en la concepción política del *PC* también intervienen los otros Reinos cristianos de España. No existe en el Poema una distinción entre unos y otros porque la institución del señorío y las relaciones sociales se sobreponen a las estrictamente políticas. Ya he indicado que con el Cid van también caballeros de los otros Reinos con los mismos propósitos que los castellanos.

La localización de los caminos que recorre el Cid y sus mesnadas por la Extremadura castellana de Soria sitúa la acción del Poema en relación con Aragón y Cataluña. La posible intervención de factores que procedan de la parte oriental de la Península es la primera consecuencia. En la parte del estudio de la lengua del *PC* se trata de la cuestión del posible origen del Poema y la presunta relación con la lengua aragonesa. Desde el punto de vista institucional poco cabe indicar de una manera directa. El Cid entra en relación con el conde de Barcelona al fin del Cantar I (vv. 957-1086); inmediatamente antes el Cid ha sido llamado «el salido de Castilla» (v. 955) y el episodio ocupa 129 versos (3,82 por 100), al final del Cantar I y antes de la declaración del comienzo del II: «Aquí's compieça la gesta...» (v. 1085). Resulta, por tanto, el episodio más «desprendible» del conjunto en ambos sentidos: pensando en que pudiese haber sido agregado en la constitución del *PC* del que procede la versión del códice o que un juglar con prisas en la recitación podía saltárselo sin alterar gravemente el curso de la obra. Esto justifica su concepción como episodio «relativamente independiente». En él Rodrigo corre la tierra del Conde, y con razón esto le parece mal al de Barcelona; existen motivos históricos por los que este conde Berenguer Ramón II estaba enemistado y había combatido al Cid y, en este caso (lo mismo que en el del acercamiento del Rey y Rodrigo), el poeta reúne en una acción las dos derrotas que el Conde recibió del Cid.

Por este motivo estimo que este conde de Barcelona es un personaje tangencial al cuerpo del Poema, acaso el más lejano del asunto y que aparece de una manera lateral en el curso de la obra. Refuerza esta condición el que a este Ramón Berenguer (Remont Verengel) se le nombre equivocadamente, pues el que se enfrentó con el Cid fue Berenguer Ramón II; el encuentro en el pinar de Tébar es histórico (Menéndez Pidal, 1969, 378-391) pero el poeta lo transforma en un episodio en el que el Cid no sólo vence al Conde en el campo de batalla, sino en un combate de cortesía que llega a adquirir un sentido cómico en el conjunto de la obra y al que me referiré después en lo referente a su constitución poética (véase T. Montgomery, 1962).

En cuanto al Conde como personaje, aparece de una manera convencional según la representación que se tenía de los francos, tal como estudia G. West (1981). Bien vestido y montado como los otros caballeros que lo acompañan, queda vencido en la batalla y entonces comienza la huelga de hambre que en realidad es una batalla de voluntades en la que también sale, como decimos, ganador el Cid. Precisamente la forma como el poeta se vale de los rasgos que caracterizan a los francos da el tono cómico al episodio, como indico en la Parte 4 de este *Panorama*.

Menos precisa es la relación con los otros reinos orientales. La mención de Navarra y Aragón se nos ofrece en el *PC* como otra referencia dúplice; así aparece cuando envía sus pregones:

> Por Aragón e por Navarra   pregón mandó echar,
> a tierras de Castiella   enbió sus menssajes

(vv. 1187-88)

Y, en efecto, el resultado fue que de Aragón acudió Galín García, al que nos hemos referido. La dúplice referencia, sólo que vuelta en el orden Navarra y Aragón, ocurre en todas las ocasiones en que se mencionan las nuevas bodas de las hijas del Cid.

Fuera ya del ámbito peninsular por la parte de la Cristiandad se encuentra el conde don Enrique (Anrrich); es un personaje histórico de origen borgoñés al que en el *PC* se le otorga la función de alcalde o juez en las Cortes de Toledo (vv. 3002 y otros). Su presencia en el *PC* es anacrónica. Con él aparece siempre el conde don Remond, que lo era de Amous, otro borgoñés afincado en Castilla y que casó con una hija de Alfonso VI; actúa como el principal de los jueces en la Corte de Toledo; de él se dice: «aqueste fue padre del buen enperador» (v. 3003) refiriéndose a Alfonso VII que reinó de 1126 a 1157 y fue coronado emperador en León en 1135. Los dos borgoñeses, unidos en los versos, representan la más alta nobleza que constituye en este caso la Corte de Alfonso VI. Con estos borgoñeses figuran otros dos condes, también emparejados en un verso:

el conde don Fruella   e el conde don Beltrán

(v. 3004)

El primero ha sido identificado como Froila Díaz, que a Menéndez Pidal le parece que es hermanastro de Jimena (1969a, 725-26), conde de León, Astorga y Aguilar. Don Beltrán es personaje más controvertido: pertenece el verso en el que este nombre está en posición de rima a una serie en ó-[e]: cabe, pues, o entender que el verso fue interpolado; o que Beltrán es grafía erróneo por otro nombre. Menéndez Pidal propone un * Birbón que aparece en la *Crónica de Veinte Reyes* y otros manuscritos (1945, 503-5) o un * Bermón (J. Horrent, 1973f, 215-217) o si se admite la grafía puede referirse a un Bertrandus (L. Chalon, 1976, 54-55), pero en este caso existiría un anacronismo, pues este conde es de la época de Urraca y Alfonso VII.

3.16. La matizada sicología de los personajes

En los epígrafes anteriores he examinado los rasgos literarios de los personajes y su función poética en el *PC*, y los he puesto en contraste con la realidad histórica y social de las épocas que se asignan a su composición. Formando así el conjunto de la obra un poema épico, su constitución literaria se sitúa en las características generales de la epopeya, título en el que se recogen las diversas especies de obras de distintas épocas en que aparece la significación épica. Como uno de los rasgos decisivos de la epopeya señala G. Lukács lo siguiente, que le sirve para diferenciarla, como género literario, de la novela:

> En todos los tiempos, se ha considerado como una característica esencial de la epopeya el hecho de que su objeto no es un destino personal, sino el de una comunidad. Con razón, pues, el sistema de valores acabados y cerrado que define al universo épico crea un todo demasiado orgánico para que en él un solo elemento esté en condiciones de aislarse conservando su vigor, levantarse con demasiada altura para descubrirse como interioridad y hacerse personalidad (*Teoría de la novela*, Buenos Aires, ed. S. XX, 1966, 64).

Si referimos esta consideración general de la epopeya al caso del *PC*, encontramos que en la obra castellana aparecen, en efecto, rasgos que refieren los acontecimientos a un orden común y general: el buen héroe ayuda a los suyos y los dirige con acierto a la victoria y sobrepasa las pruebas que le salen al paso. En algunos casos la fórmula adecuada funciona en su plenitud y de manera común para todos; procedimientos como el de las parejas de personajes actúan en forma convincente para el efecto buscado. Pero, al mismo tiempo, el poeta tiene especial empeño en definir a un buen número de ellos de una manera matizada para distinguirlos entre sí; la forma en la que así va quedando cada uno definido llega más allá de lo que es una mera referencia nominal, sostenida por el hieratismo propio del caso. Se trata, como es natural, de

algo muy distinto de la introspección sicológica ya patente
en la lírica provenzal y sus derivaciones, y luego en Dante y
otros italianos. Si la novela es «algo que deviene, como un
proceso», según el mencionado Lukács (idem, 69), en el *PC*
se nos ofrece un desarrollo en el que los personajes encuentran ocasión de mostrarse en forma que no es única ni mo-
nocorde, sino diversa y matizada: el Cid es, en efecto, héroe
por su condición de guerrero triunfante, pero al mismo tiempo sabe ser padre de familia, buen justador y orador ejer-
citado en la defensa de su derecho en las Cortes. Hemos
visto lo que ocurría con los demás personajes, más accesibles a una diferenciación; aun siendo de condición épica,
pueden lograr que el oyente o lector se sorprenda de cómo
se manifiestan. Y así el poeta creador de la obra, reuniendo el
sentido heroico con el humano, y en ocasiones con el cómico,
matizando con rasgos personales las situaciones rituales, logra
una variedad de personajes que poseen en su naturaleza
poética una fina contextura sicológica. Dice D. Alonso en
un estudio más demorado de esta característica: «Están pin-
tados con tal propiedad, con tal mesura y lentitud, que el
lector entra de lleno en la situación, se embebe en ella como
en materia realísima, comprende todas las reacciones y mó-
viles internos de los personajes y puede gustar y justipreciar
todos los matices intencionales de las palabras de los caracteres» (1972a, 124).

Esta contextura referencial de los personajes se mantiene
sin dejar por eso de servir al fin épico de la obra, que los
oyentes perciben como algo que les afecta en su concepción
política y humana. El Poema vierte así su «dentro» (el contenido épico) sobre los oyentes, que se entristecen, alegran
o conmueven según el orden de los sucesos contados. De esta
manera se logra que estos oyentes participen de la suerte
del héroe hasta sentirla como propia, como expresión de los
anhelos de ejemplaridad que inspira una humanidad ennoblecida en un grado de heroísmo al que los oyentes pueden
también aspirar, al menos en los propósitos, porque perciben
que lo que allí se canta en el verso no es una ficción ajena
a la realidad sino que pudo ser vivido por los que realizan

las acciones. El Cid en cabeza, y con él los demás personajes del Poema, resultan protagonistas «cercanos» a los oyentes, son modelos accesibles, pues sus hechos son propios de la condición humana y otro tanto pudieran llevar a cabo ellos si se hubiesen encontrado en situaciones semejantes. Aun contando con el hieratismo formulístico que impone a Rodrigo su condición de héroe primero, se transparenta en él la función de una sicología de «situación» que individualiza la figura literaria; y lo mismo ocurre con un cierto número de personajes, cada uno de los cuales destaca en el curso de la audición de la obra con los rasgos de una sucesiva personalidad que se despliega ante el oyente sosteniendo el interés humano de la acción.

4

CONFIGURACIÓN LITERARIA
DEL *POEMA DEL CID*

Precedentes, influjos, lengua, poética y estilo

4.1. Causas de la peculiar configuración literaria del PC. Su contexto y precedentes

Ya conocido el «contenido de comunicación» inherente al *PC*, llega la ocasión de plantearse el estudio de su configuración poética: ¿Cómo está organizada la expresión de esta obra? ¿De dónde pudo proceder? ¿Qué se propone el poeta (en el amplio sentido en que hablamos, o sea: el autor y los posibles coautores sucesivos), y cuáles son sus logros? ¿Qué lugar ocupa el Poema en la familia de las obras épicas sobre el Cid y en el grupo de la épica vernácula española? ¿Qué relación tiene este Poema con otras manifestaciones de la literatura clerical sobre el Cid? ¿Cabe adscribir por medio de nuestro Poema una determinada peculiaridad a esta épica en el conjunto europeo medieval? Los interrogantes son muchos, y todos se cruzan entre sí, de manera que su entramado representa un esfuerzo por conocer, desde el punto de vista de la crítica literaria y de la historia de la poesía, lo que antes he descrito.

Por de pronto, si me he esforzado por mostrar la «originalidad» del *PC* (lo que la obra es como pieza única de poesía), ha sido contando con el hecho de que no es una obra aislada ni solitaria, sino que pertenece a una familia poética identificable, extendida por la literatura del occidente europeo: el grupo genérico de la épica medieval en lengua vernácula. Cuando esta familia poética aparece en Europa, la literatura latina se encuentra extendida por los mismos lugares y sus rasgos literarios poseen la unidad que le otorga ser la lengua culta común y una poética de raíces y enseñanza semejantes.

Dentro del criterio historicista, los críticos han planteado la cuestión de los orígenes de esta épica vernácula que, aplicado al caso del *PC*, confluye con la cuestión de los posibles influjos predominantes o decisivos que puedan apreciarse en la obra. En este sentido, M. Magnotta (1976, 90-117) ha resumido las tres fuentes de influencias de las que trataré en próximas páginas: *a)* la francesa; *b)* la germano-gótica, y *c)* la musulmana.

Esta exploración procuraré relacionarla con las condiciones literarias de la obra en sí, como unidad de contenido. Los influjos, paralelos, analogías y coincidencias son piezas instrumentales que deben situarse en una amplia concepción de la obra.

4.2. EL PC Y LA LITERATURA LATINA ANTIGUA Y MEDIEVAL

En primer lugar trataré de las relaciones que fueron posibles entre el *PC* y la literatura latina antigua y medieval. Esta clase de relaciones requiere que el que compusiera el *PC* haya podido conocer la lengua latina y la literatura propia de esta lengua y también, sobre todo, la Poética que sostenía la condición literaria de la misma. Un estudio de E. Caldera (1965) ha puesto de relieve la existencia en el *PC* de recursos que proceden de esta tradición; ya traté de esto al referirme a la *mesura* y *apostura* del Cid consideradas como virtudes en relación con la Poética del discurso medieval. Este estudio, referido al uso del discurso directo de tipo oratorio que aparece en el *PC*, demuestra que en el autor de la obra actuó una cultura retórica, destacable a través de varias manifestaciones. Esta relación pudo proceder de una tradición literaria que se imponía también a las formas del curso épico por causa de su prestigio: la *oratoria* penetraba en el *arte oral* de los intérpretes y resultaba así una poligénesis cuyo impulso dignificador se hallaba en la literatura latina. Ya nos hemos referido a esto en otros lugares y aquí es ocasión de asegurar que, aunque con cometidos diferentes, no están ambas literaturas (la latina y la vernácula) enfrentadas. La técnica de la expresión poética puede ser común a las dos en algunos aspectos a través de la Poética.

Y esto puede resultar incrementado si se trata de asuntos en cierto modo coincidentes, pues el caso de Rodrigo Díaz de Vivar, además de ser objeto de tratamiento en la épica vernácula, obtuvo también su expresión dentro de esta literatura latina, y esto hizo que sus hazañas se difundiesen en la lengua general de la Cristiandad. En los tiempos del Cid se cultivaba en latín un género de canciones épicas en las que la narración de las hazañas heroicas se articulaba de acuerdo con una retórica establecida para el caso, común para todos los que habían aprendido el latín y sus disciplinas expresivas; los lectores u oyentes de estas obras, así como sus autores, conocen el latín literario y, por tanto, están relacionados con la cultura clerical y su resonancia cortesana.

a) El «Carmen Campidoctoris»

En el ámbito de esta orientación literaria culta, probablemente en el monasterio de Ripoll, Rodrigo fue cantado en vida en un *Carmen Campidoctoris* (compuesto entre junio de 1093 y junio de 1094, según J. Horrent, 1973d, 120), del que sólo conservamos unos fragmentos. El autor de este *Carmen* se vale de la tradición retórica de la canción épica y usa, cuando es conveniente, los tópicos adecuados, como estudió J. Horrent. De este modo escribe un panegírico cuyo comienzo, libremente vertido al español moderno, es el siguiente:

> Narrar podríamos algunos hechos
> de los de Paris, de Pirro y de Eneas
> que muchos poetas con alabanzas
> nos han escrito.
> Mas ¿a quién recrean lances paganos
> si por tan antiguos ya no nos gustan?
> Cantemos, por esto, las nuevas guerras
> de don Rodrigo.

El autor de la canción recoge el tópico de la oposición entre «antiguos» y «modernos» en cuanto que don Rodrigo se enfrenta con Paris, Pirro y Eneas, pero esta declaración ocurre como una parte del ejercicio de la retórica, destinada a realzar la novedad de la obra, y también porque el héroe cantado vivía en los tiempos del poeta, y en sus hechos se observaba un aire de modernidad, distinto de los resabidos cuentos de los antiguos; ese mismo espíritu de modernidad, de pertenecer a una historia cercana, aún con resonancias próximas en los oyentes y lectores, sería motivo para que Rodrigo pasase a la consideración de héroe en un poema épico en la lengua vulgar castellana. De lo que no cabe aquí duda es que el autor de este *Carmen* fue un clérigo y que lo compondría (en lo que puede presumirse por lo que queda) de acuerdo con las normas de una tradición escolar.

b) La «Historia Roderici»

Considerando otra posible relación entre la literatura latina y el Cid, nos encontramos con las Crónicas medievales escritas en latín que pueden quedar cerca del propósito épico en tanto que éste se sitúa en el ámbito de la noticia histórica. En primer lugar existió una *Gesta* o *Historia Roderici* (de hacia 1110), escrita en un estilo sencillo probablemente en la parte oriental de España por un clérigo acaso catalán, aragonés o navarro. Menéndez Pidal ha recogido el texto de un manuscrito y las variantes de otro (1969, 906-971). El contenido de la obra está dedicado, algo infrecuente en relatos prosísticos semejantes, a relatar algunos de los hechos del héroe en forma que el autor manifiesta su entusiasmo por el Cid, muerto poco antes, tal como muestra J. Horrent (1973g) en el estudio de esta obra. Esta *Gesta* no resulta ser una obra estrictamente histórica y no se sabe si la conocería el autor del Poema, aunque conviene con ella en ciertos aspectos, como examina G. West (1977).

c) El Cid en las Crónicas

Menéndez Pidal cribó las noticias sobre el Cid en las Crónicas inmediatas o cercanas al héroe, tanto para su exposición de la *España del Cid* como para documentar el Poema; las recientes exploraciones de C. Smith (1977c) tratan de hallar las relaciones posibles entre estos dos géneros diferentes en su contextura literaria y su punto de vista favorece un enlace entre ambos para apoyar así la autoría culta del Poema. Salvando la diferencia lingüística y acercando los procedimientos expositivos de uno y otro, C. Smith cree que los datos que reúne en su propósito de encontrar un paralelismo entre el *PC* y algunas Crónicas «parecen indicar fuertes contactos entre las crónicas latinas y la épica vernácula» (idem, 105).

d) La literatura latina antigua y el *PC*

La mención de la Literatura medieval en relación con el Cid y con su Poema lleva implícita la de la Literatura antigua con la que aquella posee relación, bien a través de la ascendencia genérica y su correspondiente modelística, bien por medio de los procedimientos de una Poética que toma su base retórica en la Antigüedad. La cuestión se halla, insisto, en la concepción del autor del Poema y en la participación que la formación clerical pueda tener en la realización de una obra que posee una Poética asegurada. La identificación de estas relaciones se verifica a través de un paralelo entre textos que pueda resultar plausible. Así ocurre con la inquisición de C. Smith (1971d) que encuentra en el *PC* posibles ecos de Salustio y de Frontino en los episodios de Castejón y Alcocer. W. Hempel (1981) propone enlazar el artificio de la «voz colectiva», además de con las referencias antiguas posibles, con otras de procedencia bíblica o influidas por ella. La Antigüedad gentil (en la medida de su posible conocimiento) y la cristiana, sobre todo bíblica (tan común en la clerecía) pueden ofrecer resonancias en el *PC*, más o menos lejanas.

Algunos de los conceptos del *PC* parecen coincidir con otros semejantes que se usan en los cantos latinos de la época y con sus precedentes antiguos. Así ocurre con la noción de «ventura» (vv. 223 y otros) y la *auze* (vv. 1523, 2366 y 2369) que plantean en el Poema la cuestión de los hados y su determinación en la vida humana. No cabe duda de que el Cid, como lo proclama tantas veces el Poema, nació, según corresponde a un héroe acreditado, en buena hora. No se expone, sin embargo, conflicto alguno entre esta creencia, propia de gentiles, y la libertad propia de la conducta cristiana, pues el poeta sabe ordenar gradualmente los motivos; así, después de pedir auxilio a la Virgen, el Cid dice: [*si*] *la ventura me fore cumplida* (v. 223). Algo parecido ocurre con los agüeros, creencia igualmente pagana que persiste en las supersticiones folklóricas de la Edad Media; se menciona a los pájaros (agoreros) cuando el Cid va camino de Burgos (v. 11), y se refiere a los agüeros cuando el poeta prepara, con sabia maestría, los efectos literarios de la afrenta de Corpes (v. 2615). Estos recursos aparecen como un adorno del Poema y ni se repiten en forma significativa ni modifican la constitución básica.

Ya indiqué en otra parte cuántas son las manifestaciones de religiosidad que existen en el *PC*, relacionables de alguna manera con los textos básicos del Cristianismo; algunas interpretaciones, como la de J. R. Burt (1980) buscan paralelos entre el *PC* y la Biblia.

Es posible, pues, que el poeta castellano del *PC* haya conocido la literatura de los antiguos (al menos parte de ella) en la medida en que ésta había llegado a la Edad Media, pero ni la obra se escribía en latín ni había madurez en la lengua romance para intentar una imitación cerrada de los modelos de las escuelas.

4.3.   LA APORTACIÓN FOLKLÓRICA

Precisamente en contraste con este fondo de la cultura clerical, señalo que en el *PC* se ha percibido también la presencia de algunos motivos de índole folklórica; esto indica que su autor se valió también de este filón narrativo, acomodado, claro es, a las formas que convenían al poema épico. El asunto, desde un punto de vista general de la épica española, ha sido tratado por A. Deyermond y M. Chaplin (1972); en relación con el *PC* pueden considerarse de este orden el engaño del Cid a Raquel y Vidas (vv. 85-207); la manera como Asur González intenta rebajar la condición social del Cid refiriéndose a sus molinos (vv. 3377-3381); y la posible relación del episodio de Corpes con las fiestas Lupercalia y su resonancia medieval, que fue indicada por D. Gifford (1977), como ya se señaló.

Una lectura difícil del *PC* referente a una *Elpha* (v. 2695) de compleja interpretación, ha hecho que Menéndez Pidal quisiera relacionar este nombre con una Elfa o criatura de los bosques que existe en la mitología germánica (1970d); la relación, en este caso, podría haberse establecido por la vía folklórica.

El uso de materiales folklóricos fue también propio de la literatura clerical en ejemplos y hagiografías; este material carece de una significación temporal determinada y puede aparecer también en poemas épicos de otros lugares sin que haya existido una relación literaria con los españoles que lo ponen de manifiesto. Se trata del material de más difícil fijación en su origen y en su cronología.

4.4. La influencia germánica

El planteamiento de esta influencia se verifica siempre en un segundo término: no hay una relación directa entre el mundo de la poesía germánica y el *PC*. La exposición de esta teoría partió de A. Bello y de una lectura romántica del Poema, sobre todo por parte de los franceses que así establecían el influjo desde la poesía de los francos en Francia y desde la de los visigodos en España. Los estudiosos del Derecho pretenden relacionar los datos que se desprenden de la afición por las cuestiones jurídicas presente en el *PC* con las antiguas instituciones germánicas, pero esto es atribuible también al proceso cultural de Castilla, y, por otra parte, la legislación medieval de la época es muy compleja para poder encontrar vías directas. Menéndez Pidal quiso establecer una continuidad entre la imagen social que se desprendía de los relatos de Tácito referentes a los germanos, con la que aparece en la épica castellana (1956b y 1945a, 20-21). En el párrafo anterior me referí al reflejo de una posible leyenda folklórica germánica en el *PC*.

Las referencias a este influjo obedecen a la presencia de rasgos que resultan imprecisos por hallarse extendidos en otros muchos aspectos de la época que no son exclusivamente literarios y, a lo más, se señalan o paralelos poco concretos o pormenores que no afectan a la constitución del *PC*, una obra que pertenece a un período maduro de la épica castellana.

4.5. Los poemas épicos franceses y el PC

Como muestra M. de Riquer (1952), la Literatura francesa posee una brillante y nutrida representación de este género de obras de la épica vernácula; y poemas fundamentales como la *Chanson de Roland*, la *Chanson de Guillaume* y el *Voyage de Charlemagne* se sitúan poco antes o en los comienzos del siglo XII. Los franceses poseen como un centenar de estos poemas épicos; el género decae hacia 1250, después de haber agrupado tan amplia producción hacia tres ciclos fundamentales: el de Guillermo, el de Carlomagno y el de Doon de Mayence o de los «barons revoltés».

Ante esta riqueza poética, la literatura española conserva, como antes dijimos, un inventario muy pobre; tanto, que sólo el *PC* sirve para representar el período de madura creación del género. La literatura española no resultó, pues, afortunada en cuanto a la perduración de su legado épico medieval en lengua romance; no hubo una situación favorable para que se copiasen los Poemas en número suficiente como para conservar gran parte de la obra, y los manuscritos semejantes al de Per Abat se perdieron, y de su testimonio indirecto ya tratamos antes y volveremos a él.

Hay que separar el planteamiento general de la relaciones entre las épicas francesa y española del caso concreto del *PC*; así ocurre que ha habido críticos que han propuesto que en la época de orígenes la española habría precedido a la francesa, como A. Hämel (1928).

En el caso del *PC* la mayor parte de los críticos concuerdan en que su autor pudo conocer un cierto número de obras de estos ciclos franceses. Menéndez Pidal dedicó a este asunto varios estudios. Así en uno de ellos (1970c), aparte de los problemas de la versificación, reconoció los casos en que la obra española parece imitación concreta de la francesa: 1) enumeraciones descriptivas encabezadas por *veriedes;* 2) la plegaria narrativa, y 3) la expresión *llorar de los ojos,* discutida por algunos críticos, como J. Horrent (1973e, 360-61) que no estima que haya relación directa y C. Smith (1977h, 247-49) que sí la acepta. La expresión, como nota G. Chiarini (1970, 10-11), se encuentra por vez primera en *La vie de Saint Alexis*, poema francés del siglo XI, y de esta manera la fórmula fue aplicada tanto en las obras hagiográficas primitivas de orden clerical, como en las épicas de Francia y de España.

El influjo de la literatura épica francesa y los resultados de la comparación entre las épicas francesa y española han dado motivo a un gran número de estudios, unos de carácter general y otros que tocan aspectos concretos de su comentario; así ocurre, por ejemplo, con el caso de la explicación de la presencia de Alvar Fáñez en el curso del *PC* como consecuencia del paralelo con parejas de la épica francesa en las que el héroe va en compañía de un amigo que le ayuda de una manera intensa (véase en la Parte 3 el párrafo correspondiente). En un sentido paralelo se ha referido la presencia de don Jerónimo en el *PC* a la de Turpín en la *Chanson de Roland*. Otro caso es el de la relación de Bavieca con el caballo Bauçan de Guillaume d'Orange (véase en la Parte 3 lo que allí se dice en relación con la caracterización del Cid). Por la parte de los tópicos E. R. Curtius propuso algunos contactos entre las dos épicas, como se indica en la bibliografía del estudio de Menéndez Pidal (1970c). Este mismo asunto se trata de forma general en los trabajos de E. von Richthofen, en los que las relaciones entre ambas épicas y con la germánica confluyen en el caso del *PC* (1970b). Concretamente referido al caso de la *Chanson de Roland*, hay varias referencias de estudios que relacionan las dos obras en la bibliografía del poema francés, reunida por J. J. Duggan (1976). Por una parte, T. S. Thomov (1965) ofrece un cuadro comparativo entre ambas obras, de estructuras, temas, descripciones de batallas y procedimientos jurídicos, etc.; por otra, hay otro estudio de J. Horrent (1973e) en el que expone que, aun reconociendo que el poeta del *PC* escribe en el estilo de una épica muy afrancesada, no le parece que resulte importante la fuente rolandiana. J. J. Duggan (1974) busca analogías en el campo de la expresión formulística de la épica francesa. Por su parte, R. M. Walker (1977) sostiene la tesis de que el episodio de la afrenta de Corpes tiene relación con la *Chanson de Florence* en la parte en que Milon pretende ultrajar a Florence.

U. Schweizer (1974) ha verificado una comparación entre los sistemas verbales de la *Chanson de Roland* y el *PC*; sus conclusiones fueron que el juego narrativo sobre el pasado existente en los dos poemas ha de entenderse no sólo desde el punto de vista lingüístico, sino también teniendo en cuenta las exigencias de los recursos artísticos propios del arte literario de la épica medieval europea. Las dos obras tienen mucho en común, y diferencias que obedecen a técnicas diferentes de la narración.

Desde el punto de vista oralista, M. Herslund (1974) ha ensanchado el dominio de estas analogías sueltas con un amplio arco de poemas franceses (*Berte aus grans piés*, *Girart de Roussillon*, *Ami et Amile*, *La prise de Cordres et de Sebile*, *La Chevalerie Ogier de Danemarche* y *Fouques de Caudie*). Esta clase de investigaciones plantea siempre un grave problema de literatura comparada: el investigador puede encontrar casos en que existe una evidente analogía, pero esto no significa ciertamente un influjo directo probado.

En la poesía épica la fechación casi siempre es problemática en las dos partes análogas y, por otra parte, el formulismo forma parte del principio del arte poética de estas obras. Sin embargo, en los últimos estudios aumenta el número de analogías, como ocurre en el caso de C. Smith (1977e y 1977f) que valora de manera decisiva la presencia de la literatura épica francesa; este crítico, situando la composición del *PC* en Burgos alrededor de 1200, estima que la aportación de la influencia proveniente de Francia resulta sustancial: «Creo que el *PC* de 1207 apenas se hubiera concebido y, seguramente no fuera lo que es, sin la presencia de lo francés en cuanto a modelos, temas, retórica y recursos de toda clase» (1977e, 158).

C. Smith (1977f) sigue desarrollando su tesis de que el Per Abat del explicit es el autor de la obra y que para la constitución de su arte poética pudo haber dispuesto, en la composición del *PC*, de un gran número de obras épicas francesas que acaso ya conociese de la posible época de sus estudios en Francia o de sus trabajos notariales o eclesiásticos. Estableciendo paralelos entre versos de gestas francesas y otros del *PC*, quiere probar esta dependencia en relación con *Parise la duchesse*, con *Raoul de Cambrai* y otras más. Estos paralelos son claros en determinadas fórmulas, como en el caso siguiente:

> Li dust fist faire letres et moult bien saeller
>
> (*Parise*, 2056)
>
> Escrivien cartas, bien las selló
>
> (v. 1956)

Son analogías sueltas que se hallan en versos formulísticos pero que no resultan, como acabo de decir, probatorios del influjo directo, pues pudiera ser que se encontrasen en otros Poemas franceses. Aun con tales prevenciones, esta vía de la investigación comparativa tiene que proseguirse para situar el conjunto de estas relaciones en el contexto general conveniente; sólo su número e intensidad pueden aportar un factor decisivo.

C. Smith amplía esta concepción del influjo francés hasta una posición radical y pretende incluso que en la métrica del Poema pudo haber habido en determinados casos una «dependencia textual» de sus versos con los de poemas franceses, como trataremos más adelante, al ocuparnos de la métrica, salvando siempre la condición, en cierto modo genial, de Per Abat: «Al componer, Per Abat combina, modifica, rehace estas fuentes con el más auténtico espíritu creador...» (1979, 54).

Aun en estos casos el reconocimiento del influjo francés no supone que la épica española, en este período y en críticos de posición radical como C. Smith, no posea sus características peculiares en el conjunto europeo. En particular, con respecto al *PC*, A. Deyermond señala que es «la más importante muestra de la épica española, y, sin duda, una de las más importantes de toda la épica europea» (1980, 83). De ahí que abunden los estudios en este sentido comparativo, en el que resulta fácil establecer las coincidencias y las diferencias en el conjunto de ambas obras. Una aguda comparación entre la *Chanson* y el *PC* figura en la obra de A. Castro, *La realidad histórica de España* (1954, 263-68) y ha sido una cuestión muy tratada en libros y artículos: D. Fernández Flórez, H. Petriconi, J. Horrent, etc. Y por su parte L. Cortés y Vázquez (1954) opina, mediante un análisis estilístico, que ambos poemas ponen de manifiesto «dos modos de concebir y crear el arte diferentes» dentro de su condición análoga de poemas épicos. L. Pollmann (1973, 78-90) compara, por su parte, el *PC* con la *Chanson de Roland* y con la *Coronación de Luis*, destacando las diferencias de la concepción poética que halla en las tres obras. M. Molho (1981, 193-196) estima que el *PC* muestra un modelo estructural de fondo en el que se desarrolla un proceso de inversión desde una situación desfavorable del héroe hasta su legítima reparación; un modelo semejante se encuentra en la *Chanson de Roland* y el *PC* se corresponde «exactamente» con él.

El caso de la aportación de la literatura latina, medieval y antigua francesa debe situarse en el bagaje cultural del autor del *PC*; la división que la crítica moderna realiza en la cuestión de las fuentes de la obra obedece a una técnica de estudio que no tiene que ver con el proceso de creación de la obra. El autor, que en este caso se manifiesta gran poeta, pudo tenerlo todo presente en este proceso: la épica indígena de raíces folklóricas, tan poco conocida, y la tradición culta, proviniente de su procedencia clerical (que no estaba limitada al ámbito eclesiástico) en su proyección vernácula, que ya poseía su propia poética. El uso de este material tan variado no sería para él de orden excluyente entre sí; el logro poético del Poema es muy subido, y no sabemos (por falta de contraste) si, como parece, consiguió una obra renovadora, por encima de las otras que la rodeaban en una perspectiva que nos es desconocida. La hipótesis de establecer este grado superior de la épica podría reunir así este haz de influjos y resonancias.

4.6. LA ÉPICA ÁRABE Y LA ESPAÑOLA

Junto al gran número de estudios que buscan encontrar relaciones entre la épica vernácula española y la europea, vuelve otra vez a plantearse la cuestión del posible influjo árabe. Ya es conocida la función cultural que la geopolítica otorgó a España en los contactos entre el Islam y la Cristiandad; este caso sería uno más en un conjunto de ellos, muchos de los cuales son evidentes y han sido reconocidos, como en la lírica, el pensamiento religioso, científico, en los juegos, etcétera.

La cuestión comenzó por buscar en la Literatura árabe un tipo de narraciones que fuesen semejantes en cierto modo a los poemas épicos; estos cantos historiales árabes, en particular las *archuzas,* según los estudios de F. Marcos Marín (1971) podrían haberse hallado, junto con las influencias latina y germánica, en el arranque de la primitiva épica hispánica. De una forma más específicamente relacionada con el *PC,* A. Galmés estudia una serie de hechos, unos lingüísticos, como el título de Mio Cid que se da a Rodrigo, el uso de la interjección 'ya', la peculiar acepción de 'nuevas', otros refe-

rentes a situaciones en la trama, como la invocación del guerrero en el combate, la actitud para con los judíos, el reparto
del botín, etc., que le parecen de procedencia árabe. Compara
el «desconcertante realismo e historicidad» del *PC* con la
epopeya árabe y en particular con las narraciones caballe-
rescas aljamiado-moriscas; y el resultado es que reconoce en
el origen de la épica española «una fuerte y decisiva impronta
de la narrativa épico-caballeresca árabe» y el resultado es
«una épica mudejarizada», en que el sentido occidental está
entreverado —fina labor de ataujía juglaresca— de «reca-
mada taracea morisca» (1978, 167). No se le escapa, sin embargo, la dificultad de relacionar narraciones legendarias, con-
servadas en textos muy posteriores, con las obras de la épica
medieval. La idea de la poligénesis podría explicar algunas
de estas coincidencias; se trataría de una poligénesis en cierto
modo motivada por el hecho geopolítico que enmarca el *PC*:
es indudable que en el *PC* (y en la épica española, en general)
lo que tocase al caso de los árabes quedaba siempre más
cerca que en las otras literaturas europeas. Los motivos de
la épica son reducidos y pueden darse ciertas coincidencias,
reforzables además por un conocimiento más accesible de
los cantos épicos árabes y en especial de estas narraciones
aljamiado-moriscas que pudieron extenderse por un gran
espacio de la España medieval cristiana.

4.7. El *PC* en el conjunto de la épica medieval española:
      precedentes genéricos

El *PC* pertenece a la época de madurez de la épica española. Quedan, por tanto, lejos los problemas de los orígenes
de este grupo genérico. Menéndez Pidal defendió, como acabamos de indicar, la procedencia visigoda y, por tanto, un
último origen germánico en numerosos estudios (1956b);
yendo a orígenes aún más lejanos, A. G. Montoro (1974) asciende hasta los comienzos indoeuropeos.

Menéndez Pidal, prosiguiendo además las deducciones,
estableció los principios de su teoría tradicionalista, de largo

alcance, pues la aplicó con audacia a la literatura épica europea (1959). Revisando huellas y restos de la antigua poesía española, Menéndez Pidal se había esforzado en encontrar la noticia de diversos Poemas perdidos, a cuya reconstrucción dedicó un libro (1951). De estos Poemas, los de una primera época se hallarían dentro de las condiciones de lo que antes he llamado la épica indígena, de una elaboración artística primitiva, intensamente formularios dentro de un texto variable y de menor extensión.

Cabe pensar entonces en que estos Poemas de la primera época tuviesen alguna analogía, parecido o relación con un tipo de composiciones semejantes a unos «romances», muy anteriores al siglo XIV, tal como propugnaba la tesis romántica de F. Wolf, expuesta para el caso español por Agustín Durán (véase David T. Gies, *Agustín Durán. A Biography and Literary Appreciation*, Londres, Tamesis, 1975, 99-100). El problema es muy arduo, pues se carece de documentos poéticos y parece que la cuestión está más comprometida con el nombre que hubiese que dar a estas perdidas formulaciones literarias primitivas que con su contenido y situación en relación con la épica primitiva.

De una manera indirecta R. H. Webber (1951b) vuelve sobre esta cuestión a través de una exploración de las fórmulas existentes en el Romancero, que corresponden, en lo que nos es conocido, a épocas distintas de vigencia poética; estas fórmulas permiten suponer la existencia de una tradición común que pudiera haber sido preexistente a los poemas y romances según los conocemos hoy.

De cualquier manera que sea, Menéndez Pidal entiende que existió una época primitiva de la épica que, según él, se extendería hasta 1140; otros críticos se refieren a la existencia de cantos noticieros, posibles precedentes de la modelación, más dentro de la «composición» según unos, o de la «refundición» según otros, del *PC*.

Después de esta época primitiva, Menéndez Pidal sitúa la que él llama «Epoca de florecimiento de las gestas: 1140-1236» (1957, 258-263), dentro de la cual se encuentra la aparición del *Poema del Cid* como obra elaborada según la modalidad poética que testimonia el códice de Madrid, el único texto subsistente del conjunto.

Según la teoría de Menéndez Pidal, resultó propio de esta época que, en el desarrollo autóctono de la épica en España, quedase injertado un cierto influjo francés al que antes me referí, del que procede la aparición de unos poemas, entre los que se cuentan este del Cid y el de *Roncesvalles,* del que sólo queda un centenar de versos, estudiados y publicados por J. Horrent (1951). Las relaciones con los franceses se vieron favorecidas en el ámbito religioso, político y cultural, y en esto desempeñó una función importante el camino de Santiago. En estos siglos Santiago de Compostela orientó las grandes peregrinaciones hacia el Occidente, como Jerusalén, encaminó las que se dirigieron hacia el Oriente por vías mucho más difíciles y exóticas. Desde muchos lugares los creyentes de Europa que querían con esta peregrinación favorecer la salvación del alma afluían a Santiago a través de los itinerarios establecidos. El serpenteante recorrido desde las fronteras del Pirineo hasta la ciudad compostelana fue un medio abierto a la relación humana en toda su diversidad, y entre ella a la comunicación poética. Acompañando a sus señores, los juglares de Francia y de España pudieron encontrarse en los caminos de ida y vuelta de Compostela, y cambiar allí, en los descansos del viaje, noticias y usos poéticos, y competir en juegos, cantos y recitados. Aunque conservasen sus propios gustos, los juglares españoles renovarían en esta ocasión estilos y repertorios, adaptándolos para los respectivos públicos de los que dependía el éxito de la representación, en las plazas de los pueblos o en las salas de los castillos o en las inmediaciones de iglesias y monasterios.

Por tanto, las relaciones que antes se indicaron poseen una justificación suficiente desde el punto de vista de la historia de la cultura, dentro de la cual representan un aspecto más en el conjunto artístico de la época. Los poemas compuestos dentro de esta «época de florecimiento» fueron más extensos y poseen —según la tesis de Menéndez Pidal— una elaboración artística superior; sin embargo, nada impide proponer también que el desarrollo de la épica se hubiese llevado a cabo no de una manera sistemáticamente progresiva. O sea, que las características de la poesía épica pudieron no acusarse según un orden cronológico en las diferencias sucesivas, sino que también cabe imaginar que pudieran coexistir los poemas de constitución primitiva, más cortos y de una contextura artística más elemental, con los poemas más elaborados y que habían recibido de forma más intensa los influjos franceses y que ofrecían también una relación más acusada con los medios literarios clericales, propicios a ayudar en el proceso de una dignificación de esta poesía vernácula. No todos los autores clericales serían como el del *Poema de Alexandre*, que quiso marcar su arte oponiéndose a las formas épicas menos trabajadas artísticamente que las suyas de la cuaderna vía.

En este conjunto es posible que el *PC*, al menos el que nos es conocido, fuese una de estas manifestaciones elevadas de la épica, y que en la elaboración de la obra hubiese actuado una concepción artística de alta tensión poética; por eso cabe preguntarnos si el *PC* fuera la creación peculiar de un gran autor aprovechando los elementos de un fondo poético general, dentro del cual fuese una pieza excepcional, de primer orden. Este grado elevado pudo lograrse apoyándose en lo que propiamente había constituido la «tradición» de la épica, integrada por la suma de la variedad de la obra precedente y por su repetición a través de la difusión juglaresca. La literatura vernácula inicial se afirma en la eficacia comunicativa de las formas orales, adecuadas para un público iliterato en su mayor parte. El *PC* aprovecha esta experiencia como parte integradora de su poética en una época ya avanzada en la que el autor podía, al mismo tiempo, valerse de la poética latina y de la experiencia literaria que pudiera proceder de ella. Fascinado por esta perfección estética, C. Smith se sitúa en las avanzadas de los críticos individualistas y propone a Per Abat como inventor de la épica castellana, el poeta cabeza del grupo (1979). El peligro de esta consideración es que entonces el *PC* perdería su condición representativa de la épica que posee en la literatura castellana vernácula de los orígenes. De ahí que los oralistas se muestren precavidos en el juicio de la obra, como T. Montgomery (1977a).

4.8. LA LENGUA DEL PC

a) El problema textual

El *PC* tiene la consideración fundamental de ser un documento lingüístico de condición literaria. La cuestión básica está en que el texto que poseemos es una versión escrita en el siglo XIV, en relación con otros textos anteriores desconocidos y conservada en un códice único.

El problema principal que ofrece el texto del *PC* es la interpretación lingüística del códice de Madrid, que se bifurca en dos sentidos: uno, inmanente, en cuanto el texto contiene y asegura una expresión autosuficiente de la obra literaria única, tal como en los conocimientos actuales representa el códice; y otro, situacional, en el que este texto se pretende radicar en la historia de la lengua y emplazar en un lugar y tiempo determinados.

En cuanto al primer punto de vista, L. A. Allen (1959) ha verificado un análisis estructural del *PC* en tanto que éste muestra una obra propia del estilo épico; su propósito fue el de transferir al estudio de una obra literaria los métodos de la lingüística estructural de tipo rigurosamente descriptivo. Basado el estudio en la edición crítica de Menéndez Pidal, he aprovechado en este *Panorama* algunos de los resultados del examen del texto, hecho por L. A. Allen.

En cuanto al segundo punto de vista, los problemas metodológicos que plantea la exploración de la época y el lugar del texto son en extremo complejos. Para este fin hay que utilizar la comparación con otras modalidades de escritura de intención muy diferente: documentos jurídicos y de otra índole, o, en lo que toca más de cerca al asunto, fragmentos de Crónicas y de otros libros de historia que, como indicaré más adelante, son de muy distinta formulación literaria y de los que los lingüistas se valen más para contraste diferenciativo de los rasgos pertinentes a la épica, que para una confirmación de los mismos. Siendo el del *PC* un texto único, no hay posibilidad de establecer un *stemma* sobre bases lingüísticas. Para ilustrar sobre estas dificultades, expondré un resumen de la situación del problema.

Para los efectos del conocimiento lingüístico del *PC*, la obra fundamental es la gran edición que llevó a cabo Menéndez Pidal (1956a) y que desde 1908-11 reúne tanto la historia filológica del mismo durante el siglo XIX, como la lectura, descripción e investigaciones históricas que realizó el que fue el más calificado historiador de la lengua española en su tiempo. Junto a la cuidadosa edición paleográfica del códice de Madrid, Menéndez Pidal estableció otra crítica que sobrepasó todas las precedentes desde la de A. Bello (1956, 1017-1021) y cuyos criterios fueron: «En cuanto al lenguaje, aspiro a dar una idea de la pronunciación del autor, no de sus grafías, que serían muy otras...» (idem, 1019). «... emplearé la ortografía que se generalizó en el siglo XIII como más exacta» (idem). El proceso de reconstrucción lingüística que aplicó al texto paleográfico viene declarado en estos términos:

> Si el códice único del siglo XIV se deriva, no de la tradición oral, sino de una serie de copias del primitivo original del siglo XII, será posible en muchos casos llegar al conocimiento de éste, salvando los yerros de aquél, haciendo desaparecer la capa de modernismos con que el transcurso de siglo y medio de copias empañó la faz primitiva del original (ídem, 34).

Con estos presupuestos, apoyado en su estudio, adoptó la versión resultante de este criterio convencional para la edición crítica que, a partir de 1913 en la Colección «La Lectura» y después en la de «Clásicos Castellanos» (vol. 24), ha obtenido la mayor difusión, pues en 1975 había aparecido la 14.ª

El texto crítico de Menéndez Pidal se ha venido manteniendo con leves retoques hasta la aparición de otras dos ediciones, también de carácter crítico y con una orientación escolar. Una de ellas es la de C. Smith (1976, aparecida primero en Oxford, 1972); este editor ha seguido un criterio conservador en cuanto a la grafía del manuscrito (véanse las especificaciones en 1976, 109-119). Y la otra es la de I. Michael (1981 en 2.ª edición de una primera de 1973); este otro editor también se basa en lo que el copista o el primer corrector escribió y normaliza la «grafía caótica en ciertos aspectos» y que refleja más las costumbres del copista en el siglo XIV que las que hubiese en el tiempo de la composición de la obra (véanse las indicaciones pertinentes en 1981, 59-64). Esta otra corriente, pues, prefiere guiarse por un criterio más atenido a la situación textual del códice que el que sustentó Menéndez Pidal para lograr «una reconstrucción del texto primitivo del Cantar» (1956a, 1018-19).

En cualquiera de los casos con la edición de Menéndez Pidal, que recoge la erudición filológica del siglo XIX, y con estas dos citadas, que lo hacen con la del actual siglo, se puede reunir el acervo de datos lingüísticos suficientes para abordar el estudio de este aspecto de la obra, si bien en algunos pocos casos conviene acudir para una última confirmación textual a las ediciones facsímiles de la obra. Así, por citar un solo aspecto de los estudios sobre el códice, se ha tenido poco en cuenta la cuestión de los signos de puntuación que presenta el manuscrito; si bien es cierto que en el caso de este códice del *PC* son muy escasos, su misma casi ausencia y la disposición de las líneas pueden valer para señalar la diferencia entre un manuscrito destinado a la recitación y otro al testimonio escrito, cuestiones a las que hace referencia M. de Riquer (1980, 23).

b) El dialectalismo del *PC*

En su edición Menéndez Pidal parte del principio de que el códice de Madrid «se deriva, por una serie no interrumpida de copias, del original escrito hacia el año 1140» (1956, 32-33); la descripción gramatical del texto del Poema se verifica en esta edición de manera completa (idem, 139-420). Aplicando una serie de «recursos enmendatorios», y, sobre todo, estudiando la localización del Cantar, llega a la conclusión de que «se escribió en la actual provincia de Soria, en el extremo sureste de lo que hoy se llama Castilla la Vieja» (idem, 73). La situación de la obra en la Extremadura de Castilla ofrece la ocasión de acercarlo a otros dominios lingüísticos. Así R. Lapesa es de la opinión de que «la cantidad de rasgos viejos y dialectales es tan grande en el poema, que basta para situarlo en una época anterior al siglo XIII, y en una región no castellanizada por completo» (1967, 12). Una solución sería considerar estos rasgos como mozárabes, y Menéndez Pidal así lo indicó como posible en una ocasión (1957, 258), pero no se afirmó en esta idea (1970a, 120-21).

R. Lapesa sitúa, en su *Historia de la Lengua* (Madrid, Gredos, 1980, 8.ª ed., 189-91), el *PC* entre las variedades regionales del castellano; y del lenguaje de la Extremadura castellana, al sur y al este del río Duero, dice que «la influencia aragonesa fue intensa en tierras de Soria» (idem, 190). Esta cuestión, relacionada con la conquista y sucesiva población de los lugares por aragoneses y castellanos, fue planteada en otras ocasiones intentando reconocer y graduar el posible aragonesismo existente sobre el fondo castellano dialectal que ofrece la obra. Insistiendo en este aspecto se ha formulado la teoría de que el *PC* habría sido escrito por un autor (Per Abat, en este caso) turolense, cercano a Santa María de Albarracín, en un lenguaje aragonés del siglo XIII y luego vertido a un castellano que conservaría aragonesismos; esta es la tesis de A. Ubieto (1972, 147-160 y 185-192), que comenta R. Pellen (1976) en un sentido favorable. Esta proposición resulta desorbitada en cuanto a la interpretación de los datos concretos que ofrece el códice. R. Lapesa, en un examen minucioso de estos datos situándolos además en el contexto lingüístico peninsular, llega a las siguientes conclusiones sobre el aspecto lingüístico que pudiera tener la composición inicial del Poema:

Admito, sin embargo, que el texto conservado puede contener enmiendas y añadiduras posteriores a 1140, e incluso responder a una refundición. Creo que el texto primitivo sería más dialectal, con *ll* y no *g*, *i* en *mullier*, *fillos*, *ollos*, y con *pl-*, en *plano*, *clamar*, como los documentos sorianos, alcarreños y toledanos del siglo XII. En vez de *ué* ofrecería seguramente *o*, valedera como vocal o como diptongo *uó*, no sólo en las rimas estropeadas por el copista del siglo XIV, sino a veces también en interior de verso. Tendría arcaísmos como los de los textos castellanos contemporáneos o anteriores; mozarabismos de la Extremadura castellana comunes con rasgos dialectales del Bajo Aragón vecino; y hasta algún aragonesismo específico, aparte de los señalados por Menéndez Pidal en el texto que poseemos. Pero desde el punto de vista lingüístico nada aconseja pensar que el Cantar se escribiera en Aragón (1980b, 228).

Esta es, pues, la opinión más autorizada que se ha expuesto desde el punto de vista lingüístico en cuanto al *PC* partiendo de los datos que proceden del códice de Madrid.

El *PC* ofrece, pues, estas difíciles cuestiones desde el punto de vista de su emplazamiento cronológico y espacial en relación con la lengua. Y a esto hay que añadir su condición literaria que obliga a tener en cuenta otros muchos factores que no se encuentran en textos que poseen, por la naturaleza de su contenido, una clara determinación convencional (como archivos notariales, fueros, leyes, etc.). La exposición de una «gramática del *PC*» debe contar con el uso condicionado de los elementos oracionales, en relación con el formulismo inherente a la condición propia del poema épico. En este sentido la tendencia formulística que se advierte en ellos significa desde determinadas preferencias léxicas y sintácticas que se hallan en el curso del sintagma épico, y que por su reiteración dan *color* literario a la obra, hasta el uso de piezas acondicionadas en una fórmula designadora. Consideraremos ahora algunos de estos aspectos en su condición lingüística.

Un aspecto muy peculiar y repetidamente estudiado es el que se refiere al uso de los tiempos verbales y su significado en el curso de la acción narrada en el texto del *PC*. Los estudios que tratan sobre este uso en el *PC*, y también en relación con otros poemas europeos como la *Chanson de Roland*, ponen de relieve la riqueza del uso en la obra española (se encuentra una reseña de los juicios sobre este asunto en

A. Magnotta, 1976, 233-239). Las comparaciones, ya mencionadas, de U. Schweizer (1974) pusieron de relieve la relativa conformidad en los usos de los tiempos verbales en la *Chanson de Roland* y el *PC*, procedente en parte de las condiciones artísticas de la narración.

Basándose en el estudio de esta disposición de la obra, se puede afirmar que el *PC* posee un sistema verbal que no es el de la lengua común. El objeto de este uso es dar una viveza peculiar al curso de la narración; tratándose de un relato que cuenta unos hechos, el uso estricto del pasado establecería una excesiva monotonía en la narración, y con esto se enfrentan todas las épicas. R. Lapesa resume así esta variedad de usos verbales existente en el curso del *PC*:

> El uso de los tiempos verbales era particularmente anárquico. El narrador saltaba fácilmente de un punto de vista a otro; tan pronto enunciaba los hechos colocándolos en su lejana objetividad (pretérito perfecto simple), como los acompañaba en su realización, describiéndolos (imperfecto). Hasta el pretérito anterior o el pluscuamperfecto perdían su valor fundamental de prioridad relativa para tomar el de simples pasados. De pronto la acción se acercaba al plano de lo inmediatamente ocurrido (perfecto compuesto), o, disfrazada de actualidad presente, discurría más real —como si dijéramos, visible— ante la imaginación de los oyentes: ... (*Historia de la lengua española*, obra citada, 223).

Este empleo ocurre matizando con gran riqueza y fluidez el uso del eje verbal que enhebra la sucesión de los acontecimientos: por un lado sirve para subrayar la condición formulística del género épico que lo inclina hacia el hieratismo y, por otro, se ajusta al desarrollo flexible del sentido vivo del relato adaptándose a un delicado juego de matices dentro de un convenido conjunto, según estudia S. Gilman (1961).

Para justificar esta situación se ha indicado que la variedad de estos usos verbales, cuando se hallaban en situación de rima, podía deberse al imperativo mecánico de la misma, aprovechado formulísticamente por los juglares según la teoría oralista (J. M. Aguirre, 1979).

El sistema de los verbos en la poesía épica persiste después en el Romancero y es uno de los enlaces patentes entre ambas modalidades literarias, un grave problema que sigue en discusión.

Los estudios parciales o en correlación con los verbos abundan; así el de los usos de *ser* y *estar* de J. M. Saussol (1978) comparándolos con los modernos y en relación con las formas de *haber* como auxiliar. En dependencia con el significado, régimen y estructura del verbo transitivo y en relación con la entidad de su objeto, G. Vega (1980) ha estudiado el uso de *a* en relación con el mismo. M. Muñoz Cortés (1974) reunió en un artículo los usos del pronombre de primera persona llegando a la conclusión de que las formas del *yo* «no aparecen en lo narrativo, sino sólo en los momentos claves de la obra, en el enfrentamiento de los personajes» (idem, 397).

La cuestión del origen dialectal del *PC* adquiere vías de solución en el caso de los críticos que identifican el autor de la obra de una manera relativamente determinada. Tal es el caso de P. E. Russell que, en su examen de la relación entre el *PC* y el Monasterio de Cardeña, pone de relieve la importancia de Burgos en la composición de la obra (1978c) y el conocimiento que muestra de la ciudad y de su zona, así como le parece que el poeta compuso el poema pensando en los oyentes de Burgos, confirmándolo el que el códice de la obra se haya conservado en Vivar (idem, 92-94). En el caso de C. Smith, que precisa todavía más el posible autor de la obra, tal como se señaló, inclina aún más hacia Burgos el origen de la obra y, por consiguiente, su lengua inicial, al menos de un modo teórico. T. Montgomery (1977b) ha encontrado algunos rasgos que le parecen relacionables con el vasco (uso del pronombre ético o pleonástico, tendencia de situar el verbo al fin y construcción absoluta).

c) Elementos ajenos

Los aspectos lingüísticos del influjo francés en el *PC* no han sido tratados de manera sistemática y están en cierto modo dispersos en la apreciación de la influencia literaria, como ocurre en el estudio de M. Herslund (1974). Algunos de ellos tratan con los datos necesarios aspectos concretos: así K. Adams (1978) estima que la intención de inminencia de la acción que expresa la perífrasis verbal *pensar de* (con infinitivos del tipo de *andar, ir, cabalgar,* etc.) procede de la influencia de usos semejantes en la épica francesa; así construcciones del tipo de «pensemos de cavalgar» (v. 537) en relación con «dou chevauchier pansons» (*Orson de Beauvois,* v. 2235). Estos usos se extienden también a los poemas de clerecía que los adoptan, y, según K. Adams (1978, 11), cabe pensar en que se trata de testimonios de un anterior modelo formulístico.

Las influencias del árabe pueden proceder de la misma condición del argumento del *PC.* No obstante, los que han relacionado el *PC* con el mundo árabe han indicado que existen en la obra calcos de expresiones lingüísticas árabes, como indiqué con respecto a *mio Cid, nuevas, ya* (interjección), estudiadas por A. Galmés (1978, 55, 133, 143).

c)   El léxico del *PC*

Disponemos ya de útiles instrumentos de estudio desde el punto de vista léxico. Establecido con el criterio tradicional del diccionario, el tomo II de la edición de Menéndez Pidal (1956a, 423-904 y 1210-1221) recoge el vocabulario de la obra con amplios comentarios léxicos. F. M. Waltman (1973) y R. Pellen (1979) han reunido respectivamente el léxico de acuerdo con las nuevas técnicas de las concordancias y del diccionario lematizado. El material léxico del *PC* posee una acusada dignidad expresiva de índole literaria en relación con el lenguaje genérico correspondiente; en este sentido el juicio de R. Lapesa es que: «No será el lenguaje trivial, práctico, del coloquio diario, sino un tipo de expresión ennoblecida» (1967, 13-14). En el léxico del *PC* abundan las palabras del arte de la guerra en las fronteras con la correspondiente contribución de los arabismos (contenidos en Eero

K. Neuvonen, *Los arabismos del español en el siglo* XIII, Helsinki, Sociedad de Literatura Finesa, 1941). El lenguaje jurídico y de la administración aparece testimoniado por D. Hook (1980) en diferentes expresiones del Poema. Las distintas situaciones en que se encuentra implicado algún aspecto de la religiosidad del Poema es ocasión para el empleo de cultismos latinizantes, según ha podido notarse en los lugares convenientes. En el estudio precedente hemos procurado establecer el contorno significativo de este léxico como un medio para el conocimiento de la obra, siempre contando con que una palabra usada en el Poema posee su sentido dentro de la unidad literaria de la obra, cualquiera que sea su procedencia. Sin embargo, el conocimiento de las diversas áreas léxicas es un indicio para establecer alguna noticia del ámbito de la vida del poeta y de sus intenciones.

d) Unidad de la obra y fechación

Las nuevas técnicas de la investigación lingüística pueden aplicarse al caso del *PC* teniendo siempre en cuenta las peculiares condiciones que representa el códice de Madrid como banco de datos. Así ocurre con el debatido asunto de la «unidad» de la obra; con este fin se ha pretendido establecer un análisis del texto en el conjunto de las tres partes para observar si el resultado favorecería la tesis de la unidad constitucional o, por el contrario, presentaba aspectos divergentes en su redacción. Así F. M. Waltman (1975), después de un análisis tagmémico, se inclina por considerar que existe un solo autor, resultado al que llega examinando las series de oraciones empleadas y su constitución sintagmática. A la misma conclusión llega Oliver T. Myers (1977) en el sentido de que fuese un poeta el que escribió inicialmente la obra contando con que el códice de Madrid recoja los cambios que ocurren en cualquier transmisión manuscrita medieval.

La discutida fijación de cuál haya sido la fecha de la composición del *PC* del códice de Madrid posee una gran importancia cuando se ha de tratar de la condición lingüística de la obra. Ya se indicó en la Parte 1 de este *Panorama* cuál era la situación de la crítica en este sentido. Ha habido intentos de confirmar la composición tardía de la obra por medios lingüísticos; así, examinando el uso de ciertos sufijos de la obra, O. Pattison opina que la composición del *PC* pudiera ser de los primeros años del siglo XIII (1967). Sin embargo, los datos expuestos fueron refutados por R. Lapesa (1982, 213-14).

4.9. MÉTRICA Y DISPOSICIÓN ESTRÓFICA

El signo artístico de la configuración estética del *PC* es la métrica, manifestada por el verso y la estrofa; en efecto, todo cuanto se dice en él y el curso que se da a su expresión, han de establecerse en el cauce marcado e identificable de su métrica. El estudio de la versificación ha sido objeto de un gran número de trabajos (véase M. Magnotta, 1976, 150-176), comenzando por el problema del origen de las modalidades métricas que aparecen en el *PC*.

Cuál pudiera ser el origen de esta disposición métrica es un asunto que queda lejos del estudio del *PC*. La cuestión de si el origen godo de la épica española implicaría que la versificación de la misma fuese también de análoga procedencia, se ha discutido (véase el resumen del asunto en M. Magnotta, 1976, 107-110); las recientes proposiciones de R. Hall (1965-66) y M. J. Strausser (1969-70) insisten en esta relación. La falta de poemas visigodos y de los anteriores al *PC* dificultan la investigación del caso. Es evidente, sin embargo, que el sistema de versos que presenta el *PC* es diferente del latino, del árabe y del judío, y representa un procedimiento para intensificar los procedimientos rítmicos de la lengua, dentro de un sistema que perduró hasta el fin de la vigencia del género de la épica vernácula en España. Si examinamos las características del verso y su agrupación estrófica, encontramos lo siguiente:

a) *Verso*: El verso del Poema es, según la denominación de Menéndez Pidal, anisosilábico, y se compone siempre de dos hemistiquios. El anisosilabismo es la condición del verso que no posee una medida fija en sus dos hemistiquios, sin que ello suponga ni una falta de ritmo ni un deterioro en su transmisión. La unidad métrica para el conjunto de la línea del verso se sitúa en el hemistiquio; en cada línea de verso hay dos hemistiquios sucesivos con una cesura intensa entre ambos en el centro, y la cesura final que comporta la rima. Los recuentos de las sílabas de los hemistiquios, establecidos según el cómputo que acabó por ser el de la métrica española, ofrecen, según Menéndez Pidal, el resultado de que «de las diez clases de hemistiquios que ofrece el *CMC*, sólo tres aparecen con alguna frecuencia: los de 7 sílabas (39,4 por 100), los de 8 (24 por 100) y los de 6 (18 por 100); ya escasean bastante los de 5 (6,82 por 100) y los de 9 (6,28 por 100)» (1956a, 99).

T. Navarro Tomás llama «verso épico» a esta modalidad métrica, que es común a los otros poemas conocidos (*Métrica española*, Madrid, Guadarrama, 1978, 5.ª ed., 56-62).

Algunos críticos han buscado un principio de regularidad métrica que pudiese aplicarse al caso del *PC*, aun contando con este evidente testimonio que ofrece el cómputo de los versos en el códice de Madrid. La explicación de un primitivismo de la obra que implicase una torpeza sustancial en su redacción chocó con el evidente artificio literario que ofrece el texto del *PC*. El módulo de fondo se buscó en las 7 (5+7) y las 8 sílabas para el hemistiquio según se inclinara su origen hacia la poesía francesa o se prefiriese situar éste en la tradición española, como puede verse con pormenor en la reseña de M. Magnotta citada.

La relaciones del *PC* con la épica francesa ofrecen también su repercusión en este dominio de la versificación. Resulta, en efecto, que si se reconoce un influjo francés más o menos patente o intenso según los críticos sobre el *PC*, la métrica resulta que es lo que queda más apartado del mismo, pues la constitución del verso épico español es diferente de la del francés. Los esfuerzos para establecer una posible relación (A. Bello, y otros más, entre los que se encuentra, a fines de siglo, J. Cornu, en 1891) defendió la medida de 8+8

sílabas para el conjunto del *PC* y la oscilación del manuscrito
se debería a errores de copia. Menéndez Pidal apoyó en alguna
ocasión esta regularidad, pero en seguida pasó a ser el más
acérrimo defensor del anisosilabismo. Otra exposición de la
postura en favor de la regularidad se debe a Ch. V. Aubrun
(1947); para esto corrige la variedad de los versos del códice
añadiendo o suprimiendo lo necesario para alcanzar tres
tipos básicos fundamentales de base yámbica.

G. Chiarini (1978) ha replanteado el asunto señalando que
en la épica francesa no existe un isosilabismo en bloque sino
una concurrencia del decasílabo y del dodecasílabo; este crítico, considerando el verso del *PC* en su unidad lineal de los
dos hemistiquios, encuentra una serie de esquemas (5+7,
4+7, 7+5, 6+6 para el decasílabo y 7+7 para el dodecasílabo) que le conducen a proponer un anisosilabismo
consistente en una elasticidad en la medida de los esquemas
básicos, que puede relacionarse con los paralelos franceses en
un 77,26 por 100. En este sentido las cifras establecidas por
Menéndez Pidal (1956a, 95-100) en cuanto a las combinaciones
de medidas silábicas de los dos hemistiquios del verso siguen válidas; son estas, relacionadas de más a menos, y otras
combinaciones siguientes son ya raras:

> De las 52 clases de versos que se ofrecen en el Cantar, sólo
> aparecen 3 en una proporción mayor del 10 %, y con los de
> 7 + 7 sílabas (15,19 %), 6 + 7 (12,15 %) y 7 + 8 (11,34 %); en
> proporción mayor de 5 %, hay de 6 + 8 (9,32 %), 8 + 7 (8,20 %),
> 5 + 7 (6,07 %) y 8 +8 (5,68 %); como muy escasos, podemos
> señalar los de 5 + 8 (4,15 %), 7 + 9 (2,73 %), 6 + 6 (2,63 %),
> 7 + 6 (2,53 %), 9 + 7 (2,12 %); y todos los demás pueden mirar-
> se como rarezas a partir de los de 9 + 8 y 6 + 9 (1,42 %) en
> adelante (1956a, 99-100).

Dentro de una interpretación oralista, L. P. Harvey (1963)
propuso que esta irregularidad podría ser debida a las dificultades de escribir al dictado un texto que en su forma
propia se recitase con el acompañamiento de instrumentos
musicales. Dificultades semejantes ocurren hoy en la reco-
lección de los romances: los informantes que cantan los tex-

tos con su melodía apenas logran decir la «letra» sola; y cuando se les interrumpe en el canto, tienen que volver a tomar el hilo del texto desde el principio. Sin embargo, esta propuesta de Harvey no deja en claro la constitución misma del verso épico (y menos, el del Cid), aunque apunta a la posibilidad de esta injerencia de versiones dictadas que pudieran haber postulado no ya una regularidad previa, sino el curso de la comunicación oral.

Si nos desprendemos del propósito de «regularizar» el metro del *PC* mediante el cómputo de sílabas y una distribución rigurosa de los acentos, puede entonces pensarse en que el sentido de «medida» que comporta el verso, frente al curso libre de la prosa, pueda establecerse con un criterio diferente del que después llegó a ser el término medio de la versificación «regular» española. Los juglares hallaban en los versos del *PC* (y de los otros poemas épicos) condiciones suficientes para una interpretación de orden artístico; su naturaleza rítmica tenía la base en estos hemistiquios de aproximada extensión en cuanto a la serie de palabras de cada uno. Si las contamos por el número de sílabas es para establecer una medida de cómputo a nuestros efectos, pero sin que esto pudiera haber afectado a los intérpretes.

La consideración de las condiciones medievales de esta métrica tiene que establecerse sobre el testimonio textual del códice de Madrid. La «unidad» básica del sistema, según pudiera haber sido percibida por los intérpretes medievales y que aparece como válida en esta exploración, es el hemistiquio, fijado con este criterio flexible que hemos indicado. Si admitimos el hemistiquio como la unidad rítmica básica, ya no es necesario esforzarse por lograr una medida silábica determinada añadiendo o quitando sílabas en los enlaces entre las palabras o en los encuentros de vocales dentro de ellas. El hemistiquio realiza las funciones retóricas del isocolon en cuanto miembro de la secuencia del discurso poético.

Queda, no obstante, la cuestión de esta variedad de los hemistiquios, que no afecta a su constitución. Considerado como espacio establecido en el curso sucesivo del sintagma,

Q̃ vayades por ellas adugades gelas aca
Ẽfīna en valençia dellas non uos partades
Dyxo auẽgaluõ far lo he de boluntad
Ẽlla noch con ducho les dio grand
Alla mañana piensſan de caualgar.
Çiento le pidieron mas el cõ dozientos ba
Paſſan las montañas q̃ son fieras y grandes
Paſſaron mata de toriz de tal guiſa q̃ nīgū miedo nõ han
Por el bal de arbuxodo pienſſan a de prunar
E en medina todo el recabdo esta
En bio dos cauallos mynaya albarfanez q̃ ſopieſſe la verdad
Ẽſto non detardã ca de coraçon lo han
El vno finco cõ ellos, el otro torno a albarfanez
Virtos del campeador anos bienen buſcar
Afeuos aq̃ po bermuez y muño guſtioz q̃ uos q̃re ſin hart
E martin antolinez el burgales natural
E el obpo dõ jeronimo coranado leal
E el alcayaz auẽgaluõ cõ sus fuerças q̃ trahe
Por ſabor de myo çid de grand ondãl dar
Todos bienen en vno agora legaran
Aſſora dixo mynaya baymos caualgar
Eſſo ffue apella fecho q̃ nos q̃re de tardar
Bien ſilieron den çiento q̃ nõ pareçen mal
En buenos cauallos a perailes y a caltaueles
Ea cuberturas de çendales, escudos alos cuellos
E en las manos lanças q̃ pendones traen
Q̃ ſopienſſen los otros de q̃ ſeſo era albarfanez

cada hemistiquio posee una sucesión de sílabas átonas y tónicas. Dadas las dimensiones medias del sintagma contenido en el mismo, hay una sílaba tónica que lo cierra con un acento definido y otra (u otras) que perfilan su constitución acentual en la precedente sucesión de sílabas. Los esfuerzos por fijar dentro de este verso una sucesión de pies no resultan satisfactorios, pues no cabe una uniformidad reiterativa como en la versificación posterior. No se trata, sin embargo, de una situación diferente, pues para T. Navarro Tomás la base prosódica de las palabras «se ha mantenido firmemente desde el principio de la lengua» (*Métrica española*, obra citada, 59). Sobre la base de análisis de hemistiquios cuidadosamente medidos, encuentra los siguientes resultados:

> **De** los sos **o**jos   tan **fuer**temientre llo**ran**do
> tor**na**ba la cabeça   e esta**ba**los ca**tan**do...
>
> (vv. 1-2)

Puede observarse que la situación del relieve tónico no coincide forzosamente con sílabas de naturaleza tónica en cuanto a su constitución morfológica. Cabe experimentar una entonación rítmica, apoyada en estos realces adecuadamente distribuidos, y el curso rítmico de la recitación absorbe la relativamente variable extensión silábica de los hemistiquios; T. Navarro aboga por un esquema rítmico, establecido en una

> recitación [...] guiada sencillamente por el equilibrio de los acentos del verso. [...] La desigualdad de número de sílabas entre unos y otros versos no fue obstáculo para la acompasada marcha de la recitación. (*Métrica española*, obra citada, 59 y 61.)

Sobre esta progresión rítmica de los hemistiquios en el verso, el primero generalmente ascendente y el segundo descendente, hay que añadir los recursos musicales de la melodía del canto y de los instrumentos acompañantes, que darían mayor intensidad y eficacia al curso del Poema. Como señala Paul

Zumthor (del que traduzco), refiriéndose a las obras francesas
del género:

> La narración se canta y, a despecho o con motivo de la gran
> flexibilidad de la *laisse*, un valor musical, integrado en la reci-
> tación, engendra en ella transformaciones particulares (*Essai
> de Poétique Médiévale*, París, Seuil, 1972, 323).

Se cree que los intérpretes disponían de tres frases meló-
dicas para la salmodia de los versos, cuya combinación daba
carácter a las distintas series. Esta disposición se mantiene
en los otros restos de poemas épicos de los que nos queda
algún testimonio textual y fue, por tanto, característica de
la épica vernácula hispánica desde su principio hasta el fin.
No hay que entender por eso que los poemas de la épica
española fuesen más «primitivos» que los de otras partes
en las que se llegó a una medida fija del verso; si la fluctuación métrica se mantuvo en el sistema poético desde el
principio hasta el fin, esto no representó ningún inconvenien-
te para la diversidad de los contenidos ni para el desarrollo
de los procedimientos literarios usados en la composición
de los poemas, procediesen estos del formulismo oral o de
la retórica válida para los mismos.

b) *Estrofa*: Estos versos, a los que nos hemos referido
en el epígrafe precedente, constituidos por parejas de hemistiquios, se reúnen en estrofas abiertas, llamadas series o
laisses, de número variable de versos, desde tres versos,
como en las series 70 y 71, hasta 189 versos como en la 137,
en la edición crítica de Menéndez Pidal. Los versos se hallan
unidos entre sí por rima asonante, que tolera también la
rima plena o consonante, entremezclada en las series; además se dan con frecuencia rimas anómalas en la sucesión
de la rima de la tirada que algunos interpretan como una
tolerancia dentro de la uniformidad: son a veces parejas
de versos, encabalgamiento de rimas entre tiradas que las
enlazan o rimas aproximadas; otros la niegan (J. Horrent,
1982, X-XI).

Como ha observado E. V. De Chasca (1972, 219-236), también se usa en el Poema la rima interna, asonantada, entre

el primer y el segundo hemistiquio (de los 3730 versos de
la obra esto ocurre, según el recuento de De Chasca, en 517);
sin embargo, no todos reconocen en esta rima un sentido
artístico.

El uso de la rima asonante, que es común en los demás
poemas, otorga un carácter arcaizante al Poema; a esto se
une que el estado de las rimas que presenta el códice de
Madrid requiere la presunción de la llamada -e paragógica.
Esta -e, añadida en estos casos al fin de la palabra en posición de rima, para obtener la uniformidad en los sonidos
vocálicos, representa desde un punto de vista filológico la persistencia de la vocal final átona -e, que en la evolución común
de la lengua se había hallado en una situación crítica: su
persistencia o su pérdida estuvo sometida a diversas corrientes (como puede verse en la bibliografía de la *Historia de la
Lengua Española*, de R. Lapesa, antes citada, en los párrafos
41_2, 42_2, 51_4, 54_3 y, en especial, 60_3); y en el caso de la épica,
la rima pudo servir para atestiguar una posible conservación,
basada en la persistencia de los sonidos vocálicos propia de
esta situación rítmica. El residuo filológico incrustado en la
rima de la serie ha pasado a ser artístico y queda entonces
como una señal de lenguaje poético. Tanto el uso de la rima
asonante como el de la -e paragógica se califican de arcai-
zantes desde un punto de vista de la historia literaria; para
el público de la época se considerarían como una señal más
dentro del convencionalismo lingüístico que era propio de la
épica. En este sentido la -e paragógica actuó como un elemento de equivalencia acústica relacionado con la -e etimológica en el caso de su situación en posición de rima. El copista
del códice de Madrid escribe una vez *Trinidad* (v. 319) en
una serie en *a-e* (en la que figuran estas otras palabras en
rima: *madre* (v. 333), *cárcel* (v. 340), etc., y en rima especial,
el latinismo directo *laudare* (v. 335); y en otra ocasión escribe
Trinidade (v. 2370) en otra serie análoga. En una serie semejante (cito, por ejemplo, la 83) los versos 1391-3 acaban sucesivamente con las palabras *iffantes-están-assomar*: en el primero de estos casos la rima *á-e* pertenece a la constitución
morfológica de la palabra; en el segundo presupone una pa-

rágoge poética *están*[e]; y en el tercero, una parágoge etimológica *assomar*[e] *(as-summare)*.

Esta modalidad métrica, aparentemente sencilla, establece, sin embargo, un gran juego de posibilidades expresivas dentro del desarrollo sintagmático del Poema. C. Smith cree que el sistema fue invención de Per Abat (1979a, 30), basado en la experiencia europea que poseía este autor (hexámetros de la literatura antigua y medieval, conocidos y usados en tierras hispánicas, y el verso épico francés), y establecido sobre el modelo del latín religioso, aplicado al sistema acentual del castellano. Aun faltos de los testimonios de otros poemas anteriores, esta explicación plantea más problemas que admitir una tradición concurrente. La altura creadora de la obra hace muy difícil entender que el *PC* sea una obra «experimental».

Por el contrario la rima asonante del *PC* representa para J. M. Aguirre (1979) un argumento en favor de la oralidad y, en consecuencia, contraria a la posible autoría culta del mismo. En este aspecto la «pobreza» de rima del *PC* se interpreta considerando que este artificio métrico es un recurso de la oralidad, en el sentido de que favorece determinados aspectos del formulismo; así ocurre con las rimas verbales (34 por 100), y con el uso de los nombres propios en posición de rima de verso y en fin de hemistiquio. J. M. Aguirre (1981) dedica a esto un estudio con el propósito de reforzar la posible composición oral del *PC*; según este crítico, estos usos los evitan los autores cultos como Berceo.

Sin embargo, estas observaciones suelen establecerse contando con el uso de la rima en el conjunto de la poesía española, y este punto de vista no es conveniente para el caso, pues los oyentes del *PC* no contaban con esta experiencia, ni cabía en ellos otro tipo de contrastes. El elemento rítmico que produce la rima en el *PC* era elemental por su misma naturaleza, sin que se pensase en que se pudiese «enriquecer» por la naturaleza de sus componentes. La rima puede así ejercer una misión formulística, pero que no puede separarse del conjunto de la secuencia intencionadamente artística del Poema. Y este fin podría ser el que adoptase un «autor», aun

siendo de alta categoría intelectual, pues la obra se componía
para una comunicación pública (e incluso nada impide pensar
que el «autor» buscase intencionadamente este propósito de
acomodarse a lo que se esperaba en un Poema de esta clase).

J. M. Aguirre (1981, 117) insiste en separar una mecaniza-
ción del recurso, hecha por el juglar, y unas razones artísticas propias del autor culto, pero también puede pensarse
en un uso coincidente de ambos procedimientos: los recursos
están dentro de la posibilidad expresiva de un poema épico
y el uso adecuado para verificar el ajuste del elemento en
el sintagma corre a cargo del «autor».

Otro punto que creo de interés es que los poemas épicos
de métrica fluctuante asonantados no quedan tan lejos de
los de la cuaderna vía, aun desde el punto métrico en el que
parecen más dispares. La coincidencia más importante es
que la entidad del verso se parte en dos hemistiquios con
cesura intensa entre ambos; si la cuaderna vía establece la
medida en las siete sílabas, los poemas épicos tienen el centro de su fluctuación en el mismo número; la utilización
de la rima plena y el número de los cuatro versos representan una mayor disciplina versificatoria frente a la rima
sólo asonante y al número indefinido de versos de la serie
épica, pero esto no impediría que en los poemas épicos se
aplicasen recursos artísticos de orden muy diverso, a veces
semejantes a los de la clerecía, puesto que el módulo de
acomodación silábica (lo que cabe dentro de un hemistiquio)
es semejante y el relato se establece en una sucesión de
hemistiquios, dentro de los cuales se distribuye el curso de
la acción.

4.10. LA BASE BINARIA EN EL FUNDAMENTO
   DEL DESARROLLO ESTRUCTURAL DEL *PC*

El esquema básico que resulta de un examen del conjunto
europeo de esta especie poética puede aplicarse al *PC*. La
épica vernácula, en general, nos ofrece como base de las
obras el proceso de un enfrentamiento entre dos grupos de

personajes: unos, los «buenos», como protagonistas, y otros, los «malos», como antagonistas. En cada situación del *PC* pueden identificarse dos poderes o fuerzas que entran en colisión o que tratan de llegar a una concordia en torno del Cid como personaje central: rey-vasallo, Cristiandad-Islamismo, pobreza-riqueza, victoria-derrota, armas-letras, admiración-envidia, talante bélico-virtudes familiares, violencia personal-derecho establecido, etc.

Por esto el *PC* está de acuerdo con una composición básica de índole binaria que desde el esquema del argumento se transmite a los componentes del Poema a través de los recursos de la Poética hasta numerosos aspectos de su expresividad. Sin embargo, el *PC* ofrece en ocasiones modalidades peculiares; así vimos que los personajes del Poema aparecían divididos de manera definida en la oposición Cristiandad-Islamismo. Esta división se basa en motivos religiosos y es general en la épica en cuanto que la ley religiosa resulta dominante en la vida de las gentes: así ocurre en el caso de la numerosa épica francesa con los *chrétiens* y los *païens*, que aparecen también como *sarrasins*. En el *PC* también sucede así, aunque puede, como se dijo, aparecer una mayor complejidad con los cristianos, entre los cuales hay enemigos del Cid, y con los moros, que pueden ser también amigos suyos; es decir, que el rompimiento del esquema resulta más fácil y el Poema lo soporta. Indicamos el motivo clave de las relaciones entre señor y vasallo, y su peculiar desarrollo hasta alcanzar la concordia; aparece también el motivo del enfrentamiento entre padres y yernos traidores. Hay unas bodas deshonrosas y otras que dan honra, y así sucesivamente podríamos reconocer otros numerosos aspectos en los que el resorte del argumento es una oposición de esta clase.

La disposición de estas piezas sucesivas y encabalgadas crea una estructura dinámica dentro de la cual se organiza la unidad del Poema. E. Porras (1977) ha verificado un análisis de los elementos constituyentes de la obra en el que persigue en su extensión el proceso desde la armonía inicial entre el Cid y el Rey, al sucesivo desacuerdo y la final recuperación de la armonía; y para esto se apoya en conceptos de L. Hjelmslev y H. J. Uldall.

Según he mostrado, el Cid es el elemento continuo, del que todo fluye y al que todo vuelve, y actúa como eje de la obra; con él se enfrentan los enemigos civiles de la Corte, los de la religión y los de la familia, y el héroe triunfa sucesivamente de todos. Para que esto se vea claramente, establezco el esquema gráfico que doy como resumen del conjunto de las piezas constituyentes de esta obra de la épica medieval española, y también europea, en la página siguiente.

4.11. DESARROLLO DE LA ACCIÓN ÉPICA

La estructura binaria de fondo se manifiesta a través de una sucesión de episodios cuya unidad menor no aparece indicada por ningún signo manifiesto (la serie en algunas ocasiones cumple con este fin pero no llega a ser un concepto decisivo y continuo); el Poema, en su apariencia textual, se presenta como una continuidad discursiva. Si admitimos la división en tres partes, tal como se indicó en la Parte 2 (y esto lo discuten los críticos), sólo hallamos el cambio de asonancia como indicio de una cierta sucesión de partes menores, y esto, como acabo de decir, sólo tiene efectos rítmicos y con una relativa incidencia, más bien escasa, para que valga como indicio para reconocer los episodios. Con todo, cabe apuntar que a veces la serie tiene recursos propios para denotar su unidad: así la estrofa 1 y la 2 acaban con el parlamento de un personaje (el Cid en este caso) o con un recurso retórico que comporte un descenso marcado del tonema del verso final o con una exclamación. A veces el contenido argumental de la serie puede ofrecer una relativa cohesión narrativa, pero son muchos los casos en que no existe ningún signo o motivo que indique que la serie representa una entidad de cualquier clase en el curso del Poema, salvo el enlace rítmico de la rima.

Paralelo al problema de la cohesión interior de cada serie se halla el del enlace de una serie con otra. Esta cone-

ESQUEMA GRÁFICO DEL CONJUNTO DEL POEMA

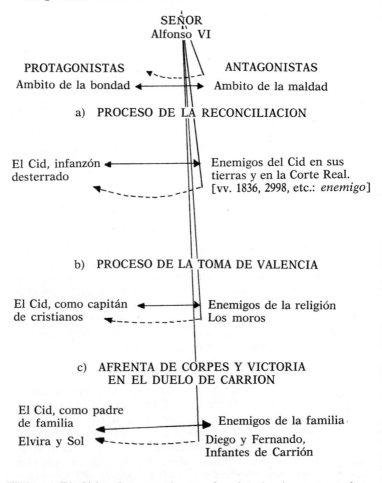

SEÑOR
Alfonso VI

PROTAGONISTAS
Ambito de la bondad

ANTAGONISTAS
Ambito de la maldad

a) PROCESO DE LA RECONCILIACION

El Cid, infanzón desterrado

Enemigos del Cid en sus tierras y en la Corte Real. [vv. 1836, 2998, etc.: *enemigo*]

b) PROCESO DE LA TOMA DE VALENCIA

El Cid, como capitán de cristianos

Enemigos de la religión Los moros

c) AFRENTA DE CORPES Y VICTORIA EN EL DUELO DE CARRION

El Cid, como padre de familia

Elvira y Sol

Enemigos de la familia

Diego y Fernando, Infantes de Carrión

FIN: a) El Cid sobrepasa la prueba del destierro y vuelve al favor del Rey.
b) El Cid vence como capitán de cristianos, y de la victoria saca ganancias y honra.
c) El Cid repara legalmente la afrenta y crece su honra familiar y la consideración social.

xión se establece generalmente por el sentido narrativo que
enlaza una serie con la siguiente; si por algún motivo éste
ha quedado interrumpido, el autor establece un verso que
sirve para reanudar el enlace con el episodio que le sirve
de precedente (véanse los procedimientos narrativos que se
usan con este fin en I. Michael, 1981, 30).

Por regla general la serie comporta en la sucesión de los
versos un avance sucesivo de la acción, equilibrado a veces
armónicamente por la distribución de los verbos en cabeza
y en fin de la línea del verso:

> *partió*'s de la puerta,   por Burgos *aguijava*
> *llegó* a Santa María,   luego *descavalga*
> *fincó* los inojos,   de coraçón *rogava*
>
> (vv. 51-53)

A veces hay como una técnica de contrapunto, que repite
algún elemento precedente en función de políptoton para insistir en su función; el hecho de que el Cid tenga que montar
su campamento en el arenal de Burgos, donde tanta gente lo
conoce, se marca así, insistiendo en el término *posar*:

> cabo [Burgos] essa villa   en la *glera posava*
>
> (v. 56)

> *posó en la glera*,   quando no'l coge nadi en casa
>
> (v. 59)

> *Assí posó* mio Cid   como si fosse en montaña
>
> (v. 61)

En otros casos, en una misma serie (por ejemplo, la 23),
la acción se divide en dos sucesivas alineaciones de hechos
que ocurren en un mismo tiempo para luego confluir otra
vez en la línea temporal única. El Cid prepara a un tiempo
la toma de Castejón y la algara por tierras de Alcalá, y los
hechos suceden así:

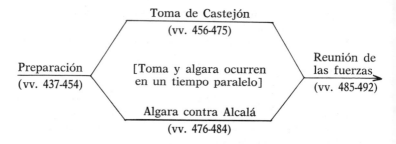

Esta misma disposición de planos isócronos que se suceden en series unidas pueden ser tres, como en los duelos de Carrión; enfrentados los lidiadores del Cid con los de los Infantes (serie 150, vv. 3610-22), se relatan de manera continuada los tres encuentros (Pero Vermúdez frente a Fernando, vv. 3623-3645; Martín Antolínez frente a Diego, serie 151, vv. 3646-3670; y Muño Gustioz frente a Asur González, serie 152, vv. 3671-3692). Los tres duelos se han llevado a cabo al mismo tiempo en sucesivos relatos, y su narración demuestra una cuidada presentación artística del Poema. Como ha indicado J. K. Walsh (1977), este episodio representa el cierre espectacular del PC, pues el terminar la obra con un duelo fue un procedimiento propio de la poesía épica.

El PC usa pocas veces las llamadas series paralelas, que son repeticiones establecidas con una intención artística, mucho más abundantes en la épica francesa; las más características son las de las series 50 y 51, que reiteran la alegría de los desterrados y del Cid por las noticias de Castilla, que estudia E. De Chasca (1972, 199-202 y 313-19) y que se corresponde con la alegría que desarrolla el Cid en torno suyo y a la que me referí en la Parte 3. El estudio minucioso de la estructura parcial del Poema demuestra una cuidada realización, como ha estudiado detenidamente H. Ramsdem (en relación con los vv. 574-610, 1959).

Del mismo modo puede establecerse en muchos casos la evidencia de un criterio artístico que se manifiesta por esta cuidadosa organización interna del Poema. Esto es lo que hace que la mayor parte de los críticos afirmen la unidad constitucional de la obra que se percibe en el examen del desarrollo de la acción épica.

4.12. IMPLICACIONES DIVERGENTES DE LA ACCIÓN: LOS EPISODIOS CÓMICOS

La acción épica mantiene la continuidad del relato progresivo de las hazañas del héroe y promueve los hechos definitorios de su condición; ahora bien, esta tensión promotora a veces deja de actuar como un resorte tensivo y entonces el curso se desvía hacia otras partes que llegan a constituir «episodios» de índole muy diversa que acompañan a la acción propiamente épica. La desaparición de casi todos los demás poemas épicos españoles impide comparar el *PC* con las otras obras para así reconocer el grado de su madurez literaria; cabe, con los riesgos que implica, considerar que un aspecto importante de esta desviación lo constituyen los episodios de una comicidad que en este caso llamaremos «épica».

Su organización expositiva resulta más compleja que las otras partes del Poema, pues aquí el efecto cómico requiere la conjunción de varios factores que han de graduarse convenientemente para que el público sonría o llegue a la risa manifiesta. Examinando estos episodios en punto a su constitución, observamos que en su curso existe un efectismo dramático evidente; la mención de *entremés* (o intermedio divertido) que aplicó T. Montgomery (1962) al caso del Conde de Barcelona puede ampliarse a los demás, sobre todo en el sentido de que el clímax cómico se logra por medio de su organización teatralizada, es decir, establecida sobre recursos de carácter dramático. A este carácter dramático se añade que una de las partes del diálogo ofrece una alta tensión expresiva, pues resume el sentido cómico en unas pocas palabras que habrían de pronunciarse con una peculiar entonación y que serían como la «salida» del caso.

Por otra parte, los episodios que menciono como manifestaciones de la comicidad épica son un recurso artístico del

autor, pues así otorga a su obra la variedad que recomiendan
las Poéticas para que el oyente o el lector dispongan de un
descanso en la tensión que produce el aliento heroico del
Poema. Y todos ellos, más o menos de cerca, rozan la figura
del Cid: el engaño de los judíos, por razón de necesidad;
las bravuconadas del Conde, que acaba por quedar reconocido a la liberalidad de Rodrigo; y la cobardía de los Infantes, en contraste con la serenidad del héroe. E. De Chasca
(1972, 103-104) señala el acierto artístico en la distribución
proporcionada de los episodios (respectivamente I: vv. 78-
207; II: vv. 1017-1081; III: vv. 2278-2310), así como su situación intencionada en el curso del Poema. Este crítico indica
que pudiera tratarse de un recurso para retener a los oyentes, en especial el episodio del Conde, hacia el fin del Cantar
segundo; y como comienzo del tercero, el del león, en donde
verifica la función de servir como anuncio de lo que ocurre
en el resto de la obra; algunos agregan el episodio de los
duelos de Carrión. J. de Oleza (1972), a los citados de las arcas, el Conde y el león, añade el de la persecución de Búcar
y otros efectos de comicidad que examina en cuanto a la
estructura arquitectónica del Poema y que aparecen como
necesidades desde dentro del mismo en un contraste de actitudes vitales y para dar agilidad al relato, dentro de su tensión épica.

Añádase que esta comicidad comporta el uso de la ironía (véase L. N. Uriarti, 1972) que activa un proceso de
desvalorización de los judíos, del gran señor elegante que
es el Conde de Barcelona y de los nobles que se comportan
con vileza, como ocurre con los de Carrión. De todas maneras la ironía es un juego espiritual que se halla más en el
comentador moderno, pues en el *PC* actúa una comicidad
cuya presentación examinaremos en cada caso.

a) El episodio de Raquel y Vidas

Ya indiqué que el público de los Poemas poseía una concepción preestablecida del judío según aparece en el folklore

y en la literatura medieval; la identificación de los personajes del Poema con un consabido cliché producía, en principio, una predisposición hacia la comicidad. En este caso se trataba de ser más astuto que los que poseen la fama de tales, sobre todo en asuntos de dinero; y de este modo Martín Antolínez (vv. 78-200; vv. 1431-1438) es el personaje que actúa astutamente para lograr lo que el Cid necesita. El tema del engaño produce (sobre todo en la literatura folklórica de los cuentos) una impresión cómica si, como en este caso, el autor manifiesta la doblez sicológica de los personajes y juega con ellos para regocijo del oyente. La aparición en dos ocasiones de Raquel y Vidas a lo largo de la obra testimonia que el PC se había articulado con todo cuidado, independientemente de que el héroe reparara o no el engaño.

En el caso del episodio de Raquel y Vidas la teatralidad es patente en su desarrollo y se manifiesta por la abundancia de diálogo, culminando la comicidad en la argucia de la comisión que pide Martín Antolínez a los judíos por el concierto convenido:

> Yo, que esto vos gané,   bien mereçia calças
>
> (v. 190)

Los oyentes, que estaban por el relato precedente al tanto de lo que había ocurrido, sabían que no habría ganancias en el trato de las arcas, y el que Martín Antolínez pidiera, encima, el regalo de unas calzas produciría lo que llamé la culminación cómica del episodio.

b) El episodio del Conde de Barcelona

En este otro caso el poeta cuenta con otra concepción preestablecida: la fama de los francos como gente elegante y cortés. Esto ocurre ya desde el planteamiento mismo de la batalla; en la descripción de los grupos combatientes nos ofrece un enfrentamiento que denota un concepto diferente de la vida en la sociedad. El poeta se vale de la fórmula *ellos...-nosotros...* que pone de manifiesto el mismo Cid cuando avisa a los suyos para que se apresten a la lucha:

> *Ellos* vienen cuesta yuso   e todos traen calças,
> e las siellas coçeras   e las çinchas amojadas.
> *Nos* cavalgaremos siellas gallegas   e huesas sobre calças...
>
> (vv. 992-94)

De esta manera el ejército del conde aparece con ricas guarniciones de Corte mientras que el del Cid con las más adecuadas para el combate. La riqueza de los catalanes aparece confirmada por la resonancia que ofrece en el Poema la mención de Barcelona «la mayor» (v. 3195), paralela a la de Valencia, más numerosa; a las dos se aplica en común.

Concluida la batalla campal con la derrota del Conde, se entabla entonces el enfrentamiento del mismo con el Cid, esta vez de orden verbal; como ya indiqué en la Parte 3 al referirme a la personalidad del de Barcelona, la huelga de hambre es un enfrentamiento de voluntades. Crece la comicidad del caso con la fama de los francos de ser buenos y pulidos comensales; no probar bocado para el Conde sería un gran esfuerzo y al cabo de los tres días, ante la promesa de su liberación, accede a comer. Con el hambre atrasada, el Conde, sin embargo, cuida de los ritos de la limpieza:

> Alegre es el Conde   e pidió agua a las manos
>
> (v. 1049)

M. Molho (1981, 200-203) comenta que el ofrecimiento segundo del Cid para que coma el Conde en el verso 1035b: «quitarvos he los cuerpos e darvos e de [mano]», hay que relacionarlo con la tradición jurídica de la Europa medieval, consistente en que el hombre que recibe comida de otro, queda en un grado de dependencia con él. Y así cuando don Rodrigo le ofrece comer sin que esto suponga un compromiso, libre de cuerpo y de «mano», la invitación cambia por completo de sentido y el Conde la acepta, si bien el Cid no deja de percibir las «ganancias» del combate, cobradas al mismo huésped que se obsequia con el banquete.

El juego oral se establece sobre todo a través de los comentarios del Cid que suscitarían la risa de los oyentes:

> Si bien non comedes, conde,   don yo sea pagado,
> aquí feremos la morada,   no nos partiremos amos.

(vv. 1054-55)

El amable interés del Cid por la buena comida del Conde es el contrapunto de la huelga de hambre que éste pretendía llevar a cabo y que no pudo sostener. Y la despedida de los dos está llena de la ironía que corre por debajo de las corteses frases que se cambian entre ambos; y esto llega al punto de que el Cid se permite incluso una *traductio* o juego de sentidos en la misma palabra:

> Ya vos ides, Conde,   a guisa de *muy franco*

(v. 1068)

Sobre *muy franco* coinciden dos significados: 'muy catalán' en este sentido tópico al que me referí y 'libre por la generosidad del Cid', que los oyentes asociarían con regocijo.

De esta manera el episodio resulta una pieza matizada en su desarrollo por esta ágil presentación dramatizada, como estudiaron T. Montgomery (1962) y M. Garci-Gómez (1975, 113-138).

c) El episodio del león

El episodio del león que en la Corte se escapa de la jaula (vv. 2278-2310) desempeña un doble papel: poner de relieve la personalidad carismática del héroe, ante la que se humilla la fiereza del león (conforme a un tópico literario europeo) y demostrar con rasgos cómicos la cobardía de los Infantes que, sin color, han corrido a ocultarse bajo un escaño y detrás de una viga del lagar, ensuciándose los trajes. El león desencadenó en la Corte una minúscula conmoción que descubre la condición de los reunidos: los caballeros de la mesnada de Rodrigo, conscientes del peligro, protegen a su señor; los Infantes huyen despavoridos abandonándolo; y el Cid, cuando abre los ojos, despertándose del sueño, y percibe la situación, resuelve el caso dominando con sólo su señorío humano al león, señor de los animales, tal como refieren D. Hook (1976) y M. Garci-Gómez (1975, 172-206).

En este episodio los oyentes se reirían sobre todo de lo que un infante dice en tono temeroso con una frase en la que concentra su cobardía, pues ya se cree muerto en el suceso: «¡non veré Carrión!» (v. 2289).

d) El temor del combate

En otras ocasiones los Infantes expresan también a las claras el temor que sienten ante cualquier riesgo que procede de los combates, bien frente a moros o frente a cristianos. Así ocurre cuando sopesan los riesgos de entrar en la batalla contra Búcar y exclaman con evidente exageración:

«¡bibdas remandrán   fijas del Campeador!»

(v. 2323)

O cuando Diego dice asustado al recibir el golpe de Colada:

¡Valme, Dios glorioso!   ¡Señor, e curia'm deste espada!

(v. 3665)

Como si la espada ella por sí misma representase la ira del Cid.

En los diferentes episodios considerados, el poeta se valía de los recursos de una teatralidad hábilmente dispuesta para enfatizar los efectos cómicos implicados en cada situación.

4.13. EL EPISODIO DE LAS CORTES

Comentado ya desde varios puntos de vista, la parte de las Cortes de Toledo (vv. 3000-3391) constituye un largo episodio que se convierte en el centro del tercer Cantar; en esta parte la condición jurídica, ya señalada como un motivo básico del Poema, obtiene su más alta expresión. Se trata de una extensa pieza, cuidadosamente preparada, que se ha realizado contando con que la apreciación de su desarrollo pudo ser percibida por el público de una manera directa, como si estuviera presente en el juicio mismo. En este caso el autor cuenta también con los efectos de la presentación dramática que lleva inherente la representación del juicio: los personajes están reunidos en un lugar y no hay durante el desarrollo otra acción que la sucesión de los discursos que en este caso adoptan un aire de oratoria jurídica, adaptada al caso que se presenta. Nos importa aquí destacar que el autor y los que habían de oír la obra consideraban que la narración dramatizada de un caso jurídico, contada en todas sus partes, estaba dentro del sentido poético que sostenía la contextura poética de un Poema. En este caso, y a diferencia de los episodios del humor épico, el relato de las Cortes se convierte en un remanso en la movida acción épica; en él se advierte el gozo del poeta contando la reunión de la Corte de una manera demorada, animándola con las imprecaciones que se cruzan entre las dos partes litigantes. Por otra parte se encuentra el hecho de que, si antes hubo otros textos del *PC* y otros coautores pudieron quitar y poner, este trozo se mantuvo a través de las copias del Poema hasta alcanzar el manuscrito de Per Abat; si alguno de los que, en este caso, retocaron la obra hubiese creído que no era del gusto del público, lo hubiese reducido o eliminado, pero no ocurrió así. El juglar que lo interpretaba se valdría, lo mismo que indiqué en el caso de los episodios cómicos, de una teatralidad enfatizable en la representación, sólo que aquí los personajes que hablaban mantenían un tono de alta dignidad oratoria; precisamente en esta variedad el juglar hallaría una piedra de toque para su arte, pues podía relatar lo mismo situaciones cómicas que estas otras que requerían una elevada calidad representativa por razón de la dignidad del contenido que no impide, sin embargo, que los protagonistas se crucen duras invectivas de carácter personal que animan el desarrollo.

La conservación de este episodio es un claro indicio de que el Poema se dirige a un público que puede entretenerse con la narración de un caso que es un ejercicio del Derecho, sea cortesano o popular; la obra no sólo contiene el curso de la acción épica sino que, a través de esta dramatización, apunta hacia un futuro novelístico que se abre a un número cada vez más amplio de asuntos.

4.14. El episodio de los duelos de Carrión

El episodio de los duelos de Carrión ocupa un lugar decisivo en la constitución del conjunto del Poema; por de pronto, se trata de una batalla entre cristianos, previamente concertada por la decisión de las Cortes de Toledo y, por tanto, está en relación con este otro episodio que acabo de comentar, sólo que es su contrario: si en las Cortes se lucha con argumentos jurídicos, en estos duelos se hace con las armas en la mano. Sin embargo, no acaban los combates con una violencia de muertes porque en el *PC*, aun en el castigo de la ofensa, domina una mesura que del Cid pasa a los hechos que ocurren a su alrededor. Suficientemente derrotados los Infantes por lo que hicieron al Cid, por haberse mostrado cobardes en varias ocasiones y por haber escarnecido a sus propias mujeres, basta con la humillación de esta derrota final, sobre la cual se alza el ensalzamiento del buen caballero. Por otra parte, contando con que hubiese entre los oyentes del *PC* un cierto recuerdo de la realidad histórica, los Infantes no podían morir en el hecho de la ficción de los duelos, pues entonces el *PC* se hubiese alejado del criterio de credibilidad propio de su constitución. De una manera u otra, el caso del *PC* es singular en comparación con episodios paralelos de la épica.

La complejidad artística del episodio es evidente; por de pronto, se trata de un caso en el que los Infantes se han de mostrar a las claras ante la Corte y el pueblo. No caben interpretaciones de su conducta como ocurrió en la casa del Cid, ni argucias legales, amparadas por privilegios, como en las Cortes. Y así el combate presenta peculiaridades singulares: por de pronto, la presentación del episodio es de condición heroica sin que en esto haya dudas en los oyentes. En un principio los combatientes de ambos bandos aparecen como iguales, tanto en su preparación como en las condiciones en que entran en los combates, rigurosamente instituidas en estos casos. Todo se ofrece con la conveniente aparatosidad espectacular, propia de tales encuentros y narrada con el adecuado tono poético de carácter heroico. El autor, consciente de la situación que narra, establece una cuidadosa y adecuada gradación al presentar los hechos del relato, establecido según las expresiones del formulismo épico-cortesano, y el final de cada uno de los combates ocurre no en relación con el esfuerzo de los Infantes, sino en relación con el temor que sienten por el Cid, aun ausente, y sus espadas. Existe, pues, una coordinación entre el uso del material formulístico y el desenlace que además prepara en los versos finales del Poema la inmediata elevación de la honra del Cid al emparentar con reyes, que es la gran mención —que no escena— con que se cierra el Poema.

J. K. Walsh (1977) estima que la conducta de los Infantes en los duelos pudo representar un quiebro en el curso de su sicología, acaso debido a la adición del episodio al Poema, y rechaza la interpretación de que las del duelo sean escenas cómicas (E. De Chasca, 1967, 302-4) que, en sus efectos ante el oyente, se relacionan con las otras de la jaula del león (2278-2310) y del combate con los moros (2326-2464), tratadas hace poco.

R. M. Walker (1977a) niega que sea necesario un quiebro en la conducta de los Infantes, que le parece concorde a lo largo de la obra: ellos actúan de una manera fanfarrona y presuntuosa cuando no hay peligro, por ejemplo, en la celebración de las bodas:

> Mio Cid de lo que veye   mucho era pagado:
> los ifantes de Carrión   *bien* an cavalgado
>
> (v. 2245-46)

Pero en el punto en que entienden que hay un riesgo para sus vidas huyen de una manera instintiva, sin que el imperativo de su nobleza los obligue a enfrentarse con el peligro.

4.15. Otros episodios

En cierto modo también puede considerarse como un episodio la oración de Jimena en Cardeña (vv. 330-365), esta vez de condición religiosa; se reúnen en ella una breve relación del origen del mundo, varias citas de la vida y Pasión de Jesucristo, y alusiones a personajes del Viejo Testamento y a Santos. Ordenándose en sucesión que recuerda la disposición de los retablos, cada verso posee un breve contenido de religiosidad devota; ya me refería a esta oración en el estudio de la religiosidad del Poema (Parte 2), y aquí sólo toca indicar que sus comentaristas, independientemente de la procedencia de sus materiales, destacan su unidad como tal pieza poética y su oportuna función en el curso del Poema.

De menores dimensiones, podríamos desmontar otras piezas del *PC* que tienen por sí mismas la función de motivos; por su condición formulística nos referimos a ellas más adelante (los números, las aposiciones, las comparaciones, las manifestaciones de la percepción del paisaje urbano y del campestre, etc.). El Poema ha sido así analizado en estas partes menores con un criterio temático, como ocurre con el caso de los animales que se mencionan en él, tratados por A. Oroz (1949); ya me referí a Babieca, el caballo del Cid (M. de Riquer, 1968). Los gallos que se citan como una referencia temporal (vv. 169, 209, 239, 316, 324, 1709) pueden ser mención de un oficio religioso así llamado «cantagallo», entre el de medianoche y el matutino (como indica J. Terlingen, 1953, 288). El *PC*, por tanto, presenta un desarrollo orgánico dentro de las características del poema épico europeo en lengua vernácula, según el cual un esquema básico fundamental se encuentra en correlación con un desarrollo episódico que le otorga variedad y singularidad. Esto representa el más claro indicio de su condición artística, resultado de una elaboración premeditada, tanto si se pretende que el autor sea un juglar de escuela como que sea un clérigo que escribe una obra para la interpretación juglaresca. En el primer caso, estos episodios, considerados como unidades menores, podían servirle para adaptar la dimensión del recitado al tiempo de que disponía de acuerdo con el factor que representaba la presencia del público, y en el caso del clérigo, podían servirle como piezas para constituir la unidad del conjunto.

4.16. EL FORMULISMO ÉPICO

El reconocimiento de la labor de un poeta en la elaboración del *PC* no significa que se otorgue al mismo una libertad total de creación ni que él haya buscado una «originalidad» que estaba muy lejos de pretender. El encuadre histórico del problema evita esta interpretación equivocada. El poeta pretende el mayor aprovechamiento poético de los medios de que dispone, del léxico y del curso morfosintáctico de las palabras; todo el material lingüístico de que dispone ha de ser el propio de la tradición que el grupo genérico ha asegurado ante el público. Parte de este propósito lo logra valiéndose de una serie de fórmulas de expresión que sirven para que oyentes y lectores reconozcan la condición épica del relato; son como la señal manifiesta de que se está dentro de un poema de esta naturaleza y no de otra especie. Constituyen un convencionalismo acordado, sin el cual el Poema no podría hallarse dentro de la poesía épica en vigencia literaria en su época. E. De Chasca ha verificado el recuento y el estudio de estos procedimientos expresivos de índole formularia (1972, en especial la Parte 3, 167-310).

La función de estos procedimientos formularios no se verifica de una manera automática y ciega; en algunos casos el imperativo poético del ritmo o de la rima puede conducir a usos que pudieran parecer involuntarios, pero aún en estos casos cuenta también una ley orgánica del conjunto. El uso de estos procedimientos admite una intencionalidad de orden estilístico y en este sentido E. De Chasca propone: «*a)* que, aunque el juglar en general se atenga convencionalmente a la fórmula, a menudo no deja de particularizarla para adaptarla a un contexto; y *b)* que, para apreciar la fórmula cabalmente como recurso épico, no basta establecerla como congénere» (1972, 173). El uso de este formulismo, cuya utilización excesiva pudiera conducir a un estilo carente de flexibilidad expresiva, no se opone a la condición artística de la elaboración de la obra en la que este material encuentra su equilibrado acomodo dentro de un orden poético establecido, como muestra A. D. Deyermond (1973). En el curso de lo que iré diciendo en el resto de esta parte, este formulismo aparecerá de diversos modos; de todas maneras hay que avisar que un cierto número de efectos literarios debidos a este formulismo han de pasar inadvertidos al lector actual que ni reconoce estos elementos formulísticos como tales, ni producen en él el efecto asociativo con el conjunto de un género que poseyeron cuando estaba vigente ante el público y que hoy ha desaparecido.

4.17. Configuración del sintagma poético: el estilo épico

Una primera indicación debe anteceder al análisis de los procedimientos expresivos del Poema: la consideración aislada, como hemos repetido, de la letra del Poema sólo ofrece un testimonio parcial de lo que sería la interpretación juglaresca, con los ritmos que condicionarían la entonación, de carácter melódico, y los recursos dramáticos del sistema de comunicación, a los que me referiré en el epígrafe siguien-

te. Atenerse tan sólo al texto, como si fuese una novela de
nuestro tiempo, es un recurso necesario e insustituible para
el lector actual, pues hoy no existen juglares a los que pueda
oír declamar la obra. Cabe, en este aspecto, un recurso difícil y recomendable desde un punto de vista pedagógico: una
adecuada declamación de la obra que puede ayudar mucho
para que los procedimientos medievales de la comunicación
poética vuelvan a resultar, hasta cierto grado, eficaces.

En la audición del Poema (bien fuese establecida por una
entonación dramatizada o apoyándose en una melodía elemental con o sin fondo musical o por medio de una lectura
en voz alta), cada verso con sus dos hemistiquios forma en
el discurso una unidad rítmica bipartita, dentro de la que se
acomoda el texto en el curso del Poema. La extensión métrica,
como se dijo, de cada hemistiquio es de 7, 8, 5, 9, etc., sílabas, y esto imponía, según se indicó, un acompasamiento
en la distribución de los elementos morfosintácticos con
arreglo al cual quedan repartidos en una y otra parte del
verso. Esta disposición favorece en el Poema la tendencia
a una geminación, cuyos elementos pueden ser de orden muy
diverso, como estudia E. De Chasca (1972, 194-207); las enti-
dades binarias son las dominantes y esto ocurre en el léxico
(«mugieres e varones», v. 16b), en la disposición morfosintáctica («El día es exido, la noch querie entrar», v. 311), etc.,
según establece C. Smith (1979 g) en un cuidadoso estudio
sobre el binomio en el estilo épico. Las expresiones paralelas
constituyen, como muestra F. M. Waltman en un muestreo
sobre los diez primeros versos del *PC* (1978), un medio básico
para la caracterización de la constitución del Poema y su
estilo consiguiente.

En cuanto al uso del sustantivo que designa los objetos
que se nombran en la obra, B. Darbord (1981) ha notado que
estos reciben escaso trato artístico; se usa sobre todo la
palabra directa que designa el valor significativo material,
con escasa adjetivación, y ésta motivada, como en el caso del
sombrero de Félez Muñoz. Algunas veces aparece una significación metonímica (lanza, barba, etc.). Trata también de la
función narrativa que llega a alcanzar un objeto en razón

de su representatividad en el conjunto cultural de la obra: tal es el caso de las espadas Colada y Tizón, que van de mano en mano, el escaño.

Abunda el uso del epíteto épico, estudiado por R. Hamilton (1962) y por R. H. Webber (1965), que sirve tanto para identificar como para poner de manifiesto la condición de los personajes a los cuales se aplica. Ya traté antes de los epítetos que caracterizan a Rodrigo; tanto el autor en el curso de la narración de los hechos, como los personajes cuando hablan entre sí en la obra, gradúan el uso de los epítetos de una manera adecuada a cada situación del argumento: así el Rey con el Cid y éste con aquél y con sus vasallos, tal como estudia E. De Chasca (1972, 175-195). Los epítetos se combinan con los nombres de una manera eufónica para constituir fórmulas estilísticas que se reparten dentro del molde del hemistiquio; como nota R. H. Webber (1965) la elección y combinación de los mismos es una obra de arte.

A esto hay que añadir, como ya comenté, el uso de los adjetivos que describen menciones geográficas, realzadas por el artículo, en un empleo ritual.

También hay que referir la función que los números realizan en la obra. Así ocurre con el número dos (base del *ambos*, tan frecuente en el Poema: 75 veces); de él resultan los personajes geminados, como las hijas del Cid, los infantes de Carrión, los judíos de Burgos y los otros que he referido. E. De Chasca estudia la significación de las diversas cifras que aparecen en el Poema (1972, 237-69). Y este procedimiento sirve para articular el desarrollo de algunos pasajes del *PC*. Es acertada la demostración, en cierto modo matemática, con que E. De Chasca explica el uso poético de los números teniendo en cuenta lo que con ellos puede hacerse en el uso en la poesía épica: «No hay exageraciones de cantidad en el Poema», escribe este crítico (1972, 244). Y así la compañía del Cid se cifra sucesivamente en 60 (v. 16), 115 (v. 291), 300 (v. 419) y 3600 (v. 1265), desde que atraviesa Burgos como desterrado hasta que cuenta a los suyos en su Corte de Valencia, etc.

Sin embargo, la verosimilitud de las cifras cede en lo que se refiere al número de los combatientes en las lides campales; si bien las cifras de los guerreros del Cid se mantienen dentro de un límite creíble en cuanto al crecimiento de sus mesnadas, sus oponentes moros en la campaña de Valencia ofrecen un número desmesurado: así ocurre con los 50.000 moros de Yúçef que combaten con los 3.970 hombres del Cid (v. 1718), o con las 50.000 tiendas caudales que los de Búcar sitúan frente a Valencia (v. 2313). Esto resulta justificado, desde un punto de vista literario, porque así ocurre en los poemas de la épica medieval, pero, por otra parte, existe el pormenor significativo de que el poeta calle las bajas de los cristianos, como indicó J. Fradejas (1962, 41-43), estableciendo así una imagen propagandística de la lucha con el moro que anime a los cristianos de los Reinos hispánicos a proseguir unos combates en los que puedan ganar riquezas y honores. Si lo hizo el Cid con sus gentes, lo mismo pueden hacerlo otros que se propongan hechos semejantes. Tanto lo uno como lo otro ocurre porque el poeta está del lado cristiano y no le importa mostrarse parcial por la vía de la exageración o del silencio, pues con ello subraya el prestigio de los suyos.

Otras veces el autor del *PC* usa la figura de la comparación, tan propia de las epopeyas antiguas, sólo que en muy pocas ocasiones. Lo que domina es la expresión directa de los hechos que se bastan con su enunciación para mantener la continuidad del ritmo poético, pero esto no excluye el toque artístico de unas pocas comparaciones que, usadas en una obra de ornato parco, tienen un alto valor en el conjunto de la sobriedad narrativa. Así ocurre con la comparación, ya comentada, que expresa el dolor sentido por las personas de la familia del Cid que se separan con ocasión del destierro, asimilado al dolor físico de la desgarradura de uña y carne (vv. 375 y 2642); la bondad, la limpieza, el brillo, lo que reluce, vienen expresados por la comparación con el sol (las hijas del Cid, v. 2333; las lorigas, v. 3074; una camisa, v. 3087; una cofia, v. 3493). El afecto del Cid por su mujer tiene la soberana expresión cristiana, que consiste en comparar el amor que se tiene a la mujer con el que el creyente guarda para su propia alma (v. 279).

Las amplificaciones (algunas de cuyas manifestaciones, el binomio, la geminación, los epítetos, etc., hemos mencionado) se manifiestan también en la repetición, tal como indica J. S. Miletich (1981) que la refiere a los valores estéticos de la dramatización, el curso de los viajes y el énfasis.

La disposición sintáctica más común en el *PC* corresponde a los procedimientos de la yuxtaposición y la coordinación y se usa menos la subordinación; T. Montgomery (1975) trató del matizado uso de las partículas de enlace sintáctico causal en relación con el formulismo. La sucesión de oraciones en el cauce sintagmático se encaja y ordena acomodándose ágilmente dentro de los límites de la flexibilidad del metro fluctuante, pero esto no impide que, dentro de esta limitación constitucional, se logre una eficacia artística matizada. Las combinaciones que pueden aprovecharse en este sistema son muchas: así se hallan paralelismos, oposiciones y complementos; esta disposición puede reiterarse en la medida necesaria, y, lo que resulta muy importante para la caracterización lingüística del Poema, puede adaptarse para el uso de las fórmulas épicas que se establecen dentro de ella.

No puedo aquí sino hacer algunas indicaciones sobre el portentoso ajuste del ritmo poético entre la acción narrada y su desarrollo verbal. No es, en modo alguno, uniforme, sino acomodado a la situación poética de cada pieza en el conjunto; a veces utiliza una descripción rápida al referirse a una batalla, que puede narrarse en conjunto, moviendo las masas de los combatientes (v. 726) o con técnica de retablo, caballero a caballero (v. 733); a veces se detiene morosamente para describirnos con minuciosidad cómo el Cid se viste para la ceremonia de las Cortes (v. 3085); o bien resuelve en unos pocos versos la toma de Valencia (vv. 1203-1210); la parte de las Cortes, que se nos antoja hoy poco movida, fue precisamente una de las pocas que pasó al Romancero en la composición: «Tres cortes armara el Rey...» (vv. 3101-3521).

Por otra parte, si se emplea el término *estilo* aplicándolo al estudio del *PC*, ha de ser siempre considerando que la obra es una más dentro de un grupo genérico que poseería un gran número de factores expresivos comunes; y así se valía con eficacia poética de las técnicas generales para lograr la expresión de la creación literaria concreta que en este caso es el *PC*.

L. A. Allen, en su estudio estructural sobre el *PC*, indica que esta obra, como propia de la épica, oscila entre el estilo cronístico (que representa, para su contraste, con un fragmento de la *Crónica General*) y el estilo poético (testimoniado con otro del *Duelo de la Virgen*, de Berceo); en su análisis encuentra una combinación de partes de uno y otro estilo, que es propio del épico (1959, 378-387).

Algunos críticos han querido resaltar las condiciones del *PC* estableciendo una comparación entre la disposición narrativa de los primeros prosistas y la obra versificada que es el Poema. Considerando que Alfonso X es un autor del siglo XIII, se observa que en los libros puestos bajo su nombre hay un gran esfuerzo por realizar el enlace conceptual de los elementos, amplio en el desarrollo, manteniendo con rigor el orden lógico. En contraste con este criterio, el Poema prefiere un curso cuya única vía para la percepción de la obra poética es la palabra oral, desembarazado de conjunciones, en el que se suceden, al arbitrio del poeta, las referencias narrativas y los diálogos, en forma yuxtapuesta (con preferencia) y coordinada. Esto, que era propio para lograr un alto índice de comunicación con el oyente antiguo, resulta una dificultad para el lector actual que ha de esforzarse por seguir el lento o veloz avance de los versos a través de los planos sintácticos en que sucesivamente se iba situando el juglar, y que hoy nos faltan cuando sólo «leemos» el *PC*, y no lo vemos y oímos representar como tuvo en cuenta el que lo compuso. Así el poeta salta de la comunicación directa a la indirecta sin aviso alguno, y confía en que los oyentes sigan al intérprete con su alertada imaginación, de suerte que en la concepción literaria del *PC* cuenta más esta sucesión, lenta a veces, precipitada otras, del desarrollo argumental,

que la ordenada exposición del proceso lógico del caso tal
como aparece, por ejemplo, en las Crónicas que narran los
mismos hechos, según puso de manifiesto A. Badía Margarit (1960).

Este procedimiento sirve también a T. Montgomery para
poner de relieve la condición oral del estilo del *PC*, cuyo
proceso de percepción es de un orden sicológico diferente
del que resulta de la palabra comunicada por otros procedimientos (1977a, 96-105).

La agilidad narrativa del *PC*, puesta de relieve por el contraste que ofrece la prosa vernácula inicial, es, pues, una de
las características de la obra. El *PC* resulta así fiel a la configuración poética del grupo al que pertenece; R. Lapesa señala la fuerza de opuestos que comporta la expresión de la
obra: «De todo ello resultan un lenguaje y estilo rituales y
vivaces al mismo tiempo, artificiosos o ingenuos, con sabor
de siglos y juvenil lozanía, y que, poseyendo módulos exclusi-
vos, han canalizado el sentir y el decir de toda una comunidad nacional» (1967, 28). El cúmulo de fuerzas poéticas hace,
por su parte, que D. Alonso caracterice así, en último término, los efectos que la obra produce en el lector actual que
sabe reconocer su sentido poético: «el estilo del Poema es así
tierno, frágil, vivido, humanísimo y matizado» (1972a, 114).

4.18. POESÍA ORAL, DRAMATIZACIÓN, ACOMPAÑAMIENTO
       DE LA MÚSICA Y CONDICIÓN JUGLARESCA DEL *PC*

Los procedimientos que he mencionado en cuanto a la
realización poética del *PC* conducen, por tanto, hacia la consideración de la obra como perteneciente a un orden literario que se compone para que obtenga su mayor eficacia
comunicativa mediante la interpretación oral, sin que esto,
como he indicado repetidas veces, resulte incompatible con
su conservación en un códice de cuyas características ya me
ocupé antes.

Por lo tanto, conviene ahora mencionar las consecuencias
de tipo estructural y estilístico que aparecen en el *PC* por

causa de esta disposición. La primera de ellas es su relativa condición «dramática»; en algunas partes esta teatralidad aparecía reforzando determinadas situaciones de la expresividad poemática. Así vimos que ocurría en los episodios en que se producía un efecto de comicidad, culminante con el recurso de la oportuna intervención hablada de un personaje; también había una presentación teatral en el caso de las Cortes, que venía promovida por el carácter de oratoria legal que planteaba el caso propuesto por el Cid. Además hay que contar con que en la actuación del juglar se utilizaban los recursos propios de la dramatización, pues él era como un actor que representaba el Poema ante el auditorio congregado.

Es posible que esta disposición confunda, al menos en un primer contacto con la obra, al lector moderno habituado a una separación entre el arte dramático, propio del teatro, y el arte narrativo, propio de la novela. La obra se encuentra dirigida, como acabamos de decir, hacia un público que se halla presente en torno del juglar recitador, como lo testimonia un vocativo que aparece en un punto culminante de la tensión narrativa:

> mala cueta es, *señores*, aver mingua de pan
>
> (v. 1178)

Todos los otros usos de la palabra *señor* en el *PC* son de orden positivo o en la escala social o en el trato familiar; en esta ocasión el relator entiende que sus oyentes participan, en cierto modo, de algún grado de esta categoría de *señores*, por lo que en este punto condiciona la clase del público. Cierto que la actitud del poeta (y mucho más la del juglar) es siempre la de halagar de cualquier modo al público oyente, pero aun considerando esto, su intención en este caso es la de elevarlo porque así, a su vez, levanta el grado de la obra y, consecuentemente, el de su interpretación.

El relator del *Poema* (y con ello cabe designar al autor y al juglar intérprete) ya vimos en la Parte 1 que se adelanta hasta el uso de la primera persona para aparecer con mayor viveza en la obra. De esta manera el autor sale de su mera función de relator objetivo e impersonal y se acerca al público que oye el Poema, compuesto precisamente para que ocurra esta proximidad.

A veces intensifica esta relación con una clamorosa llamada afectiva al público: esto ocurre en los pasajes de mayor emoción, como en el de la infamia de los Infantes en el robledal; en esta ocasión el intérprete detiene el relato para exclamar, como si fuese la voz de algún oyente demasiado conmovido, que quisiera intervenir en el curso de la acción para dar entonces mismo el merecido castigo a los traidores:

> ¡Quál ventura serie esta,   sí ploguiesse al Criador.
> que assomasse essora   el Çid Campeador!
>
> (vv. 2741-42)

En otras ocasiones, en su evocación lleva a los oyentes al mismo espectáculo de la batalla, y los sitúa como testigos de vista del esfuerzo de los caballeros:

> *Veriedes* tantas lanças   premer e alçar...
>
> (v. 726)

Y así prosigue con júbilo narrativo el relato del encuentro. Y aún más, después de describir la tremolina de la batalla, enumera, como revista de una formación, el desfile de los luchadores en el combate, encabezado por el Cid cabalgando en triunfo:

> ¡Quál lidia bien   sobre exorado arzón
> mio Çid Ruy Díaz,   el buen lidiador...!
>
> (vv. 733-34)

De esta manera se percibe, a través del texto, esta cercanía entre el juglar intérprete y el público que lo rodea durante la interpretación del Poema. Además, aun contando con que los intérpretes fueran juglares de la narrativa épica, que eran los más idóneos para estos casos, pudo haber una gran variedad en la calidad de las representaciones que dependía, como ocurre en el caso de las teatrales, de la condición del auditorio y del lugar en que se celebraba el espectáculo. Si el Poema se recitaba ante un auditorio de nobles cortesanos en una rica sala (así durante las comidas, tal como recomendaba que se hiciese Alfonso el Sabio, o después de ellas, como entretenimiento), el Poema se fragmentaría hábilmente en las partes que mejor conviniese. Pero el caso era distinto si el juglar se hallaba al aire libre en un patio del castillo; y diferente también de si se encontraba en la plaza del pueblo, villa o ciudad durante las fiestas y mercados. Alfonso X lo indica en sus *Partidas* (II, 21.º, 20.ª), entre 1256 y 1265, y Juan Manuel lo reitera en el *Libro de los Estados*, que, hacia 1328, escribe sobre lo que debe hacer el caballero:

> «Et desque llegare a la posada (deve) comer con sus gentes et non apartado. Et desque oviere(n) comido et bebido lo quel cunpliere con tenprança et con mesura a la mesa, deve oír, si quisiere, juglares quel canten et tangan estormentes ante él, diziendo buenos cantares et buenas razones de cavallería o de buenos fechos que mueban los talantes de los que los oyeren para fazer bien» (ed. R. B. Tate e I. R. Macpherson, 105, Libro I, cap. 59).

Dejando a un lado este uso «ejemplar» del Poema épico ¿qué ocasiones tendría el juglar para reunir en torno de su voz al público, y mantenerlo en vilo poético durante un cierto tiempo? Queda así abierta la importante cuestión de las particiones de la larga gesta, ya mencionada en otro lugar. Los estudios de J. Rychner (1955) y los referentes a los *fabliaux*, junto con los de A. B. Lord (1960), indican que a comienzos del siglo actual en la península balkánica aún vivían declamadores profesionales que, desde la mañana a la noche, podían recitar de mil a mil trescientos versos. Hay que pensar, pues, que en la Edad Media habría largas sesiones de declamación juglaresca, cortadas hábilmente para pedir la retribución, e interrumpiendo el largo curso de la obra mediante las fórmulas convenientes.

Aplicar lo que se sabe de los juglares al caso de nuestro Poema ha sido un propósito general de los críticos de la obra. Los recursos del juglar pertenecen al aparato épico del género y poseen esta evidente virtualidad «dramática», incorporando a esta literatura efectos que son propios de la condición teatral. Por esto escribe D. Alonso a este propósito:

No debemos ni un momento olvidar que la recitación juglaresca debía ser una semirrepresentación, y así no me parece exagerado decir que la épica medieval está a medio camino entre ser narrativa y ser dramática (1972a II, 108).

Para que esta peculiar comunicación del texto se pudiera llevar a cabo, se requería que el curso del Poema estuviera preparado para producir estos efectos en el público, sobre todo en el aspecto de la organización sintáctica (y esto es una de las cuestiones menos estudiadas en la obra). En este sentido encontramos dos presentaciones del texto: a) la comunicación objetiva, establecida desde un narrador que cuenta de manera impersonal valiéndose del eje verbal de la tercera persona en función de no-persona; b) el diálogo que es el curso común de la presentación teatral, con el uso de las personas gramaticales primera y segunda en combinación con la tercera para referencias. (En este segundo grupo incluimos también las oraciones o discursos de un personaje delante de otro u otros.)

En el *PC* se utilizan en forma coherente estos diversos usos, de tal manera que en su variedad se encuentra una de las características más patentes de la obra. Así ocurre que, como era de esperar, la comunicación objetiva abunda en la obra, como es la de este caso:

Martín Antolínez   un colpe dio a Galve

(v. 765)

Si el narrador hace que un personaje intervenga desde dentro de la obra, la adecuación sintáctica requiere las convenientes formas del discurso dependientes de los verbos de conocimiento, de la demostración y de otros. Me limitaré a mencionar algunos de los efectos que ocurren en el caso de los verbos de conocimiento.

Así se halla la forma común del discurso indirecto, la menos representativa en este caso:

> díxoles a todos   commo querie trasnochar
>
> (v. 429)

Otras veces el uso es más complejo. Así ocurre en un caso, cuando el Cid conoce la deshonra de sus hijas; entonces expresa ante su Corte el dolor que siente por medio de una breve oración pública (vv. 2830-2834). El autor nos da a conocer primero el efecto de sus órdenes:

> Cavalgó Minaya   con Pero Vermúez
> e Martín Antolínez,   el burgalés de pro,
> con dozientos cavalleros,   quales mio Cid mandó.
>
> (vv. 2836-38)

Y a continuación el autor nos señala la orden por medio de un discurso indirecto:

> Díxoles fuertemientre   que andidiessen de día e de noch,
> aduxiessen a sus fijas   a Valençia la mayor.
>
> (vv. 2839-40)

Obsérvese que el adverbio *fuertemientre* daría ocasión para que el juglar elevase la voz para acentuar la expresión de la fuerza del Cid y que con este tono prosiguiese hasta el fin dando a los dos versos una entonación dramatizada como si comunicase el texto a través de la voz del propio Rodrigo. Esta subida entonación permitiría además la exclusión del *que* en la segunda parte de la oración complementaria (v. 2840).

El autor pudo también usar el verbo *dicendi* en forma declarada y adscrito al interlocutor conveniente, marcando así de una manera indicativa el curso del diálogo:

Dixo el Rey: «Esto feré   d'alma e de coraçón.
Aquí vos perdono   e dovos mi amor.
En todo mio Reino   parte desde oy»
Fabló mio Çid e dixo: «Merçed, yo lo reçibo, Alfonso mio
[Señor...

(vv. 2033-36)

Otras veces el verbo *dicendi* se sitúa al final de la oración complementaria, como en la escena en que Rodrigo vuelve de la batalla de Valencia:

Reçibienlo las dueñas   que lo están esperando;
Mio Çid fincó ant'ellas,   tovo la rienda al cavallo:
«A vos me omillo dueñas,   grant prez vos he gañado...»

(vv. 1746-48)

Y al fin del parlamento añade el autor:

Esto dixo Mio Çid   diçiendo del cavallo.

(v. 1756)

Pero además hay otro procedimiento sintáctico en el que aparece la oración complementaria de un verbo *dicendi* que no se expresa y que el oyente o lector tiene que sobreentender. Un ejemplo: cuando el Cid se prepara para asistir a las Cortes, el parlamento que dirige a los suyos que lo rodean entra directamente en el curso de la obra:

Suelta fue la missa   antes que saliesse el sol
e su ofrenda han fecha   muy buena e complida:
«Vos, Minaya Albar Fáñez,   el mio braço meior,
vos iredes comigo   e el obispo don Iherónimo...

(vv. 3061-64)

No hay indicación alguna entre el verso 3062 y 3063 y hay que suponer un implícito [*El Cid dijo a los suyos*:].

Esta variedad de usos crea una peculiar disposición en la que es necesario suplir estos elementos, que sólo pudieron hacerse patentes ante el público que oía la recitación mediante la entonación dramatizada del juglar que entonces adoptaba la voz correspondiente. Estos usos se han estimado muy importantes para definir la contextura del *PC* y para destacar mejor su función en la épica española. D. Alonso (1972b) ha comparado el *PC* con poemas franceses, y en particular con la *Chanson de Roland*, encontrando los siguientes porcentajes de uso:

	PC	*Ch. de R.*
Casos en que existen procedimientos con uso explícito de los verbos *dicendi*	53,9 %	97,3 %
Casos en que no aparece verbo *dicendi* que anuncie lo que va a decir el personaje	41,6 %	2,6 %

La *Chanson de Roland* resulta así una obra más intelectual frente al gran uso del recurso dramático del Poema español; probablemente puede deberse esto a que, según M. de Riquer (1959), dentro de la misma épica francesa hay Poemas mejor dispuestos para la lectura y otros que lo son más para la recitación juglaresca. El caso del *PC* sobrepasa con mucho la disposición más elevada de los franceses en favor de este dramatismo consustancial.

Por otra parte, la dramatización aparece también en la épica oralista de Yugoeslavia, como indica J. S. Miletich (1981), que la sitúa entre las modalidades de la repetición, sobre todo en lo que se refiere a situar ante los ojos de los oyentes el curso de los acontecimientos narrados.

Apurando aún más esta cuestión de la declamación épica, C. Smith ha reunido la fraseología física del lenguaje épico del *PC* (o sea las expresiones en las que intervienen referencias al cuerpo humano) y su interpretación es que, aplicándola al simbolismo dramático del juglar le servía para hacer más patente aún la mímica que acompañaría el espectáculo de la recitación (1977h).

El *PC*, como obra perteneciente a la épica medieval, cuenta con recursos que, utilizados por un poeta que conoce el «oficio», crean una obra mucho más compleja de lo que puede parecer en una primera consideración. El lector no lo ha de juzgar según el patrón crítico que se usa para otras obras; esto no es —repito— ni una novela ni una historia, ni tan siquiera un «romance». El *PC* es un poema épico medieval, creado intencionadamente para que fuese interpretado por juglares. Para lograr esta cima artística hubo antes una intensa creación épica previa, en la que confluyó una tradición común europea y también lo que representaba su difusión a través de España con el cultivo de la épica indígena vernácula; hubo, pues, tiempo y ocasión para que madurase un arte poético que, desde nuestra perspectiva y sólo en contraste con la moderna experiencia, nos parece de condición primitiva, pero que en realidad es el fruto maduro de un género literario. No falta, como se ha dicho, la audaz suposición de entender el *PC* como una innovación creada genialmente y que es el comienzo de la épica española, como cree C. Smith. Cualquiera que sea su interpretación, el *PC* participa (como veremos en la parte siguiente) de la condición de los primitivos del Medievo europeo: estos son, desde el punto de vista de su constitución artística, mucho más complejos y difíciles de percibir que lo que muestra su aparente sencillez.

5

POSTERIDAD DEL *POEMA DEL CID*

Crónicas históricas, erudición e historia de la literatura. Actualidad del *Poema del Cid*. Valoración estética. Bibliografía

5.1. El *PC* y las Crónicas

Una vez tratadas estas cuestiones sobre el *PC* como obra literaria única, en relación con el testimonio poético del códice de Madrid y sus implicaciones genéricas, nos ocuparemos de la fortuna literaria de la obra. Si bien no contamos con testimonios tempranos de la resonancia del *PC* entre los públicos, cabe establecer hipótesis (como la de C. Smith —1980a, 418— en que encuentra motivos para suponer que hubo tres manuscritos iniciales), y también cabe seguir la vía indirecta que nos presenta el uso del Poema (lo mismo que el de otros de la épica vernácula) como material informativo del que se valieron los cronistas que historiaron la época en que había vivido el Cid. El conjunto de estudios sobre esta materia ha sido expuesto ordenadamente por M. Magnotta (1976, 118-135), que trata: *a)* de las relaciones del *PC* con la *Primera Crónica General; b)* con la *Crónica de Castilla* y la *Crónica particular del Cid; c)* con la *Crónica de Veinte Reyes;* y *d)* con la *Crónica de 1344, Tercera Crónica General* y *Crónica Toledana.*

Menéndez Pidal estudió con especial énfasis la relación entre los Poemas y las Crónicas que pudieran haberse valido de aquellos como fuentes de información para la exposición de sus contenidos históricos. Esta tendencia, iniciada en la *Crónica Najerense* (hacia 1160), culminó con el nuevo arte de escribir en la lengua vernácula la historia según lo inspiró y dirigió Alfonso X. Indica Menéndez Pidal que estos relatos procedentes de la literatura épica habían invadido la nueva forma histórica alfonsina «mucho más de cuanto podía esperarse, pues ya no eran meras alusiones y episodios de los poemas, sino éstos en su integridad se incorporaron simplemente reducidos a prosa» (1969, 9).

La transferencia de los contenidos de los Poemas épicos a las Crónicas plantea muchas cuestiones sobre este aspecto de la historiografía de la época y de las siguientes, que ha tratado D. Catalán (1969). Un resumen general de estas relaciones entre el *PC* y las Crónicas generales de España se encuentra en L. Chalon (1976, 214-276). J. M. Caso González (1980) ha planteado en forma breve el asunto de las fuentes épicas de la *Primera Crónica General* y entre los varios casos que examina, uno de ellos se refiere al Cid, del que en esta *Crónica* se cita una *estoria*; según este crítico hay que hacerse muchas preguntas sobre si la fuente de la mencionada *Crónica* pudiera haber sido una *estoria* en la que no hubiese habido una relación con el *PC*, ni siquiera en una forma refundida (al menos, mientras no se pueda probar esto) y que la tal fuente no estuviera acaso más en el camino de la novelización de la materia cidiana, propia del sentido que pudiera inspirar la vía literaria de los libros de caballerías. En cuanto a otros textos más tardíos, me referiré a la *Crónica de Veinte Reyes*, de comienzos del siglo XIV, que se ha usado para suplir las faltas del códice de Madrid; la confianza que Menéndez Pidal puso en esta *Crónica* con este fin ha menguado. Parece ser que su texto procede de una Abreviación de un borrador de la *Primera Crónica General* que habría utilizado a su vez un *Poema del Cid* bastante cercano al texto que contiene el códice de Madrid. Según N. A. Dyer (1979) algunas diferencias indican una mayor intervención clerical, dentro de esta cercanía.

La cuestión de estas relaciones no se ha de considerar sólo desde el punto de vista de los Poemas como fuente de noticias, ni, en un sentido inverso, el uso de las Crónicas como medio para conocer los Poemas y sus diferentes versiones, sino como medios diferentes de exposición literaria:

el cuidado del arte impone al poeta épico una técnica muy distinta de la del cronista. Mientras que éste está pendiente de establecer la cronología de los acontecimientos que cuenta, concordar tradiciones divergentes, ceñirse, en lo que puede, a la verdad histórica, el poeta se preocupa, primordialmente, del aspecto estético de la obra... (L. Chalon, 1976, 558; la traducción es mía).

Por entre estos dos propósitos diferentes, el establecimiento de las relaciones tiene que ser muy cauto y siempre abierto a nuevos ajustes, pues desde la parte de las Crónicas quizás se pueda aportar más material sobre el asunto.

Menéndez Pidal reunió las noticias que existen sobre el Cid y los historiadores de los Siglos de Oro, que llevan implicadas la presencia del *PC* como fuente histórica (1969, 11-28). De entre las diferentes menciones al Cid en las obras históricas de este período, hay que citar el caso de Jerónimo de Zurita, estudiado por J. Piccus (1971). Comparando la primera edición de los *Anales de la Corona de Aragón* (1562) con la segunda, póstuma (1585), encontró añadidos en lo referente al Cid que indican que acaso conoció una versión poética del Poema, puede que algo diferente de la del códice de Madrid.

También, de entre otras menciones del Cid en las obras históricas de Garibay, Mariana, etc., destaco una porque se refiere directamente a nuestro códice de Madrid: un historiador de la Orden benedictina, fray Prudencio de Sandoval (1560-1621), que fue cronista real, historiador de reyes medievales españoles (de Alfonso VI, entre otros), revolvió privilegios, libros antiguos, viejas memorias, piedras arqueológicas y otras antiguallas; y por entre este material informativo, llegó a conocer el *PC* que hoy conservamos; en una ocasión se refiere al sobrenombre de Cid aplicado a Rodrigo: «Del renombre ya dixe que no auía hallado que se firmasse assí.» Y un poco más adelante: «En unos versos bárbaros notables, donde se llora el destierro deste cauallero, y los guarda Vivar con mucho cuydado, le llama mio Cid; que dizen assí: De los sus ojos fuertemente lorando...» (1601, 41).

Otras referencias van marcando el gran desarrollo de la historiografía cidiana que no nos importa aquí más que de una manera indirecta y que se encuentra reunida en la monumental obra de *La España del Cid* (1969).

5.2. El PC ingresa en la Literatura

Dejando a un lado las formas de la Historia, seguiremos por la vía literaria buscando las referencias que haya suscitado el Cid en otras manifestaciones literarias. El Poema de las *Mocedades* es una obra tardía, del siglo xiv, muy mal conservada en cuanto al texto, que representa el envés del *PC*, como he tenido ocasión de indicar en páginas anteriores: el Cid de las *Mocedades* contrasta con el del *PC* como figura literaria. Su edición y estudio, establecidos por A. Deyermond (1969), permiten conocer lo que queda de esta pieza tardía. En la *Crónica rimada del Cid*, probable obra de un erudito clerical, existe una resonancia de la misma, junto con la de primitivos romances, como estudia R. S. Willis (1972).

Por otra parte, la obra de los mesteres de la juglaría y de la clerecía están acercándose cada vez más en sus fundamentos; dentro de esta corriente, C. Smith (1980a, 423-25) indica las relaciones entre ellos, sobre todo en lo que toca a determinados aspectos (uso del epíteto épico, los binomios, algunas fórmulas comunes). Y entre este fondo común de los mesteres pudiera situarse una materia épica que en una consideración adecuada a la Poética medieval ofreciese elementos comunes de fondo. De esta manera se ha llegado a un posible planteamiento paralelo y sucesivo de esta materia, como es el caso de la propuesta que hace Dana A. Nelson diciendo que «el desarrollo de la poesía épica en una lengua vernácula [puede considerarse] como pasando por tres fases diferentes: 1) épica oral tradicional (de la que no queda ningún ejemplo en español); 2) épica semiliteraria registrada por un poeta-escriba (de la que el *PC*, *Beowulf* y la *Chanson de Roland* son ejemplos principales); 3) épica literaria (representada en español por el *Libro de Alexandre* y el *Poema de Fernán González*)» («Nunca devriés nacer»: clave de la creatividad de Berceo», *Boletín de la Real Academia Española*, 56 (1976), 29). El *Libro de Alexandre* ofrece reminiscencias del contenido del *PC*, como es el que las ganancias del combate se reciban de Dios (*PC*, 1334, 1750-51 y *Alexandre*, est. 1079 c y d); y el cuidado por el casamiento de las hijas del Cid y de Darío (*PC*, v. 282 y *Alexandre*, est. 1784 d-85 g), como indicó Ian Michael en su estudio *Classical Material in the Libro de Alexandre* (Manchester, University Press, 1970, índices). Alonso Zamora, editor del *Poema de Fernán González*, se pregunta si puede haber relación entre el episodio del caballo del Cid (vv. 3511-15) y el del conde castellano (est. 570) (*Poema de Fernán González*, Madrid, Espasa-Calpe, 1946, 168).

Juan Manuel reúne al Cid con Fernán González y el rey Fernando III en una referencia de uno de los ejemplos del *Conde Lucanor*: «... et quando loan al Cid Roy Díaz o al conde Ferrant Gonzáles de quantas lides vençieron o al sancto et bien aventurado rey don Ferrando de quantas buenas conquistas fizo...» (*El Conde Lucanor*, ed. J. M. Blecua, Madrid, Castalia, 1969, p. 204, Exemplo XLI). Esto demuestra que en 1335 el Cid tenía una consideración de héroe comparable al viejo Fernán González (920-970) y al moderno rey don Fernando (1217-1252). No sabemos si esto recoge un eco de la fama del Cid literario pero prueba que ya formaba parte de los héroes famosos que un escritor tan cuidadoso como don Juan Manuel citaba en tan noble compañía.

La cuestión general de las relaciones entre la épica y el Romancero se halla expuesta por M. Magnotta (1976, 136-149). Esta cuestión tiene dos aspectos: uno que toca a la existencia de romances anteriores al Poema, como propuso Ferdinand Wolf aplicando la tesis romántica sobre la épica (antes de Homero hubo cantos rapsódicos); y el otro que se refiere a las derivaciones romancísticas del *PC*. De la primera cuestión tratamos en el lugar conveniente: en todo caso se ha indicado que pudo haber, en la historia de la épica, un período de cantos primitivos, más cercanos a formas de condición elemental y acaso «más» folklórica. Ya indicamos que R. H. Webber (1951b) llamó la atención por la relativa semejanza de las fórmulas usadas en la épica y en el Romancero que permiten suponer una procedencia tradicional común.

Menéndez Pidal se ocupó a lo largo de su vida de las relaciones entre los Poemas épicos y el Romancero (véase la bibliografía sobre el asunto de R. H. Webber, 1951a). En sus primeros juicios estableció la teoría de la derivación de los romances procedentes de los Poemas épicos: «los fragmentos [más afortunados] así conservados y repetidos frecuentemente por la memoria, aislados por el pueblo de lo que los rodeaba, son los romances más viejos que existen» (cita procedente de *L'Épopée castillane à travers la Littérature espagnole*, París, A. Colin, 1910, 160; la traducción es mía). Esta opinión va matizándose en sucesivas obras hasta su básico libro sobre el Romancero en el que escribe:

> Probablemente ciertos episodios de las gestas [...] se convirtieron en los primeros romances épico-líricos [...] viniendo a resultar principios de muerte o transformación de la epopeya en balada. Probablemente [insiste] hubo un largo período de convivencia en que a la vez que se recitaban los cantares de gesta, se cantaban los episodios romancísticos de ellos derivados (1953, 3).

No hay, sin embargo, una convicción total de que se haya podido pasar del sistema de la representación profesional de los juglares al sistema de la reproducción memorizada por parte de un público, de naturaleza folklórica, como es propio del Romancero oral; o, al menos, no se sabe en qué medida esto haya podido ocurrir ni en qué casos. Además, el Romancero también penetró en la vía de la difusión manuscrita e impresa, con las consiguientes consecuencias en el proceso de la conservación de las obras. Por otra parte, está el grave problema de que se desconoce qué estado (o estados) de transmisión del Poema pudieran haberse hallado en el proceso de la transición entre ambas formas; esto pretende resolverlo Menéndez Pidal con la mención de los romances juglarescos. En lo que pudiera afectar al paso del *PC* hacia el Romancero resumí el estado general de la cuestión en cuanto al romance que parece que más se acercaba al Poema, el del rey moro que perdió a Valencia (1978, 26-43); R. H. Webber (1980) ha hecho una exploración análoga sobre estos mismos textos para caracterizar el lenguaje del Poema en relación con el de los romances. El resultado del acercamiento entre el uno y los otros no ha encontrado motivos para suponer una relación directa entre el *PC* del códice de Madrid y los textos que se nos han conservado de este romance. A C. Smith (1980a, 418) le parece que el romance pudo proceder de una copia del *PC* posterior a 1207, en la que un coautor hizo que Búcar huyera en una barca (en una versión más acorde con la historia). El romance no es el proceso de una desintegración, sino una pieza poética que posee su propio sistema poético, diferente del que es propio del Poema épico. A lo más, podrán existir analogías relativamente aproximadas en rasgos parciales.

Esto, sin embargo, no ha impedido que Rodrigo se haya convertido en el protagonista de numerosos romances, en los que se muestra, en ocasiones, irreflexivo y rebelde, como refiere Menéndez Pidal en el citado estudio sobre el Romancero (1953, 222-29).

Con ocasión de un renacimiento del Romancero en los Siglos de Oro, en 1605 J. de Escobar recogió una *Historia y Romancero del Cid* que obtuvo una gran fortuna editorial (1973); la modelación de este Cid tardío ha sido tratada por F. Cazal (1978).

Paralela a esta fortuna del Cid en el Romancero, existe la resonancia de su fama en los Poemas del arte mayor, de los que el *Laberinto de Fortuna* de Juan de Mena es su más calificado representante. Pues bien, en el mismo comienzo de este Poema, cuando Mena tiene que elegir la figura que él cree representativa de las «grandes façañas de nuestros mayores», menciona al Cid:

> Como non creo que fuessen menores
> que los d'Africanos los fechos del Çid...
>
> (*Laberinto de Fortuna*, editor
> L. V. Fainberg, Madrid, Alham-
> bra, 1976, 78, est. 4.)

Un Cid comparable a los Escipiones aparece oscurecido en su fama por falta de autores, que suponemos habían de ser épicos. El *PC* se encuentra en el olvido y el Romancero es una obra «menor» en la consideración poética de la época. Tuvo que llegar un nuevo grupo genérico de la épica para que el Cid recobrase su fama poética (al menos en la intención), y esto ocurrió con la versión poética de los hechos de su vida en el abundante campo de la épica culta de los Siglos de Oro: Diego Jiménez de Ayllón publicó *Los famosos y eroycos hechos del ynuencible y esforçado Cid Ruydiaz de Viuar* (Amberes, 1568, y Alcalá, 1579), obra de ficción, basada en la *Crónica del Cid* y alejada de nuestro *PC*, pues se orienta hacia la corriente de ficción ariostesca (véase Frank Pierce, *La poesía épica del Siglo de Oro*, Madrid, Gredos, 1968, 2.ª ed. índices).

La memoria del Cid en esta época se encuentra también testimoniada por su presencia entre las figuras de las máscaras que salían por las calles con motivo de las más varias Fiestas de la Monarquía. Así hallamos la mesnada de don Rodrigo paseándose en 1594 por las calles de Sevilla; los vecinos de la parroquia de San Salvador dispusieron

> una máscara de quatro quadrillas que hizieron número de cinquenta aventureros [...] Fue la primera quadrilla de pastores, siguiéronse turcos, terciaron los cavalleros del Cid con sus trages antiguos y remataron la máscara de los nueve de la Fama... (Reyes Messía de la Cerda, *Discursos festivos en que se pone la descripción [de] la Fiesta del Sacramento [...]*, ms. de la Bib. Nac. Madrid, fechado a 2 de junio de 1594, fol. 9).

La representación de la «antigüedad» española corre a cargo del Cid y de sus gentes, cuya caracterización sería reconocible por parte de los sevillanos.

La consideración del Cid como un caballero que lleva a cabo hazañas y hechos de caballerías asoma en el *Quijote* de Cervantes (I, 49) y fue comentada al referirme al problema del verismo de la épica.

La comedia española acogió también la figura del Cid entre los personajes básicos de algunas obras, como puede verse en el estudio de Adalbert Hämel *Der Cid im Spanischen Drama des XVI und XVII Jahrhunderts*, Halle, 1910; así ocurre sobre todo con *Las Mocedades del Cid* de Guillén de Castro (ed. de Luciano García Lorenzo, Madrid, Cátedra, 1978) y *Las Hazañas del Cid* (obra estudiada por Sturgis E. Leavitt, «Una comedia sin paralelo: *Las Hazañas del Cid* de Guillén de Castro», en el *Homenaje a W. L. Fichter*, Madrid, Castalia, 1971, 429-438); ambas proceden del Romancero y no del Poema medieval.

La popularidad que el Romancero, la épica culta y la comedia española dan al Cid en los Siglos de Oro conduce a su difusión como héroe que levanta su fama por entre otras figuras medievales, creando lo que A. Egido estudia como el Cid barroco (1979) y del que escribe: «Este héroe local acaba por asombrar al mundo convirtiéndose en un mito español» (idem, 509); observemos también que en las apreciaciones de su figura se insiste en su condición castellana. Esta magnificación del Cid establece en los Siglos de Oro una corriente mitificadora que armoniza con el valor moral del héroe medieval. Así ocurre en la Oda a don Pedro Portocarrero, de fray Luis de León:

> Virtud hija del cielo,
> la más ilustre empresa de la vida;
> en el escuro suelo
> luz tarde conocida,
> senda que guía al bien, poco seguida:
>   Tú dende la hoguera
> al cielo levantaste al fuerte Alcides;
> tú en la más alta esfera
> con las estrellas mides
> al Cid, clara victoria de mil lides.

Este Cid «virtuoso», comparable a Hércules, es el que ha de transpasar las fronteras e ingresar en la literatura europea abriendo una consideración de su figura, lejos ya de la imagen del Cid que pudiera proceder del Poema medieval; en la *Bibliography of Comparative Literature* de Fernand Baldensperger y Werner P. Friederich (Chapel Hill, University of North Carolina, 1950, 456-457) hay información sobre este aspecto de la difusión por otras literaturas de la figura de un Cid que se aleja de nuestro propósito. De estas transformaciones de don Rodrigo, la obra dramática de Corneille *Le Cid* fue la más afortunada y la de mayor extensión entre el público y la más estudiada por la crítica (así, Menéndez Pidal, 1945a, 196-200). La confluencia de esta corriente europea de orden creador con la crítica revalorizadora del *PC* medieval ocurrió en el quicio del siglo XIX; sobre estos últimos ecos del Cid, héroe europeo de leyenda y su estudio en el marco de la literatura medieval, se ocupa F. Ramos Ortega (1977 y 1981).

Un crítico que ha estudiado el conjunto de la Literatura española desde sus orígenes hasta el Barroco, O. H. Green, ha encontrado que existe una continuidad en la fama del Cid que sobrepasa las periodizaciones comunes de la Literatura europea:

> Dado que la verdad y la doctrina son realidades inmutables —desde el *PC* hasta Calderón— no se ve que evolucionen de la oscura Edad Media a la luz del Renacimiento ni de aquí al Barroco neogótico (1969, IV, 154).

Sin embargo, hay que notar que junto a este Cid que mantiene su prestigio heroico en España y aun lo propaga en Europa existe también la otra pendulación que convierte a don Rodrigo en una figura cómica y risible. Ocurre esto como un aspecto más de la libertad barroca, sobre todo en la época de Felipe IV, en la que las figuras más dignas de la Historia se presentan con los más duros perfiles de la parodia. En este sentido, Francisco de Quevedo es, según Menéndez Pidal (1953, II, 198), el más temible «iconoclasta de figuras heroicas», y de él no se libró don Rodrigo. El romance es la forma más adecuada para estas aventuras de signo negativo y Quevedo escribió uno de sus romances tempranos comenzando con una variante de un verso acreditado formulísticamente en el Romancero que decía «Medio día era por filo...»; este comienzo había servido para uno de los muchos romances cidianos de la *Séptima flor de varios romances nuevos* (1595) y Quevedo lo convierte en el principio de su poesía titulada «Pavura de los condes de Carrión», que relata la aventura del león suelto. La pieza es irreverente y destructiva según Raimundo Lida (*Prosas de Quevedo*, Barcelona, Ed. Crítica, 1981, 112-13) y comienza con esta descripción desmitificadora del Cid durmiendo:

> Medio día era por filo
> que rapar podía la barba,
> cuando después de mascar,
> el Cid sosiega la panza;
>   la gorra sobre los ojos
> y floja la martingala,
> boquiabierto y cabizbajo,
> roncando como una vaca.
>   Guárdale el sueño Bermudo,
> y sus dos yernos le guardan
> apartándole las moscas
> del pescuezo y de la cara...

> Francisco de Quevedo, *Poesía original completa*, Barcelona, Planeta, 1981, ed. J. M. Blecua, pp. 1029-1033.

Los Infantes, cuando ven al león, no pueden contener sus cuerpos:

> Apenas Diego y Fernando
> le vieron tender la zarpa,
> cuando hicieron sabidoras
> de su temor a sus bragas...

Toda la composición es una pieza maloliente que reitera el mismo tema con la contumacia con que Quevedo se emplea en estos casos. El núcleo argumental de la pieza pudo tomarlo de muchas partes y no es necesario acudir al *PC*, como indicó D. Alonso (1972a, 127-128) señalando que ya en la *Primera Crónica General* se inicia esta exageración.

En otras ocasiones también se refiere al Cid y en un caso sigue de cerca la misma materia del Poema como ocurre con otro romance titulado «Las hijas del Cid» (ídem, pp. 1123-1124, atribuido a Quevedo a través de copias) en que, escrito en fabla antigua y usando un encrespado lenguaje poético, sabe sin embargo tratar con dignidad el asunto. Quevedo se nos presenta así como un escritor contradictorio —como la España de la época y representación de otros muchos— que logra dar a sus romances un aire tan personal, entre bandazos de parodia y respeto en un asunto como el del Cid, síntoma esta vez de una consideración apasionada de la Historia, establecida en sus héroes más representativos y ya «viejos».

Para volver a enlazar con el *PC* medieval tiene que plantearse la consideración de la obra desde el punto de vista histórico de la erudición. Y esto ocurrió en el siglo XVIII, en que se inició una nueva época para el conocimiento del Poema, y el códice, desde el lugar de Vivar en que había permanecido, comenzó un ajetreado recorrido, y de mano en mano fue a parar a un erudito, T. A. Sánchez (1723-1802), que tuvo la feliz idea de publicarlo formando parte del volumen I de su *Colección de poesías castellanas anteriores al siglo XV* (1779). Fue en su época el primer gran poema medieval que en la Literatura europea pasó desde el códice manuscrito a la letrería de imprenta. Con esto comienza su gran difusión y, el *PC* se incorpora así a los estudios históricos de la Literatura española primitiva. El Poema fue primero entre los eruditos, obra curiosa y venerable hasta que el Romanticismo europeo comenzó la apreciación artística de la obra. Dentro de este movimiento, fueron algunos escritores extranjeros los primeros en propagar la valía artística de la obra en sí, dentro de una consideración de carácter estético. Así ocurre con Robert Southey en 1808 y 1814; con Henry Hallam, en 1818; con Friederich Schlegel, en 1812 y otros más (puede verse la mención de estas valoraciones del *PC* en M. Magno-tta, 1976, 177-207).

George Ticknor, en su *History of Spanish Literature* (Boston y Nueva York, 1849), supo darle el relieve adecuado en el conjunto de la literatura española, en uno de los manuales más difundidos en la segunda mitad del siglo xix por Europa y América; y, por su parte, Ferdinand J. Wolf, recogiendo un estudio de 1831, incluye una valoración del Poema en sus *Studien zur Geschichte der spanischen und portugiesischen Nationalliteratur*, de Berlín, 1859. Resultó muy importante que un hispanoamericano, Andrés Bello, estudiase con novedad y acierto el Poema entre 1823 y 1834 preparando una edición que no apareció hasta 1881 en Santiago de Chile, como refiere P. Grases (1981). M. Milá y Fontanals (1959), en 1874, realizó el importante trabajo de situar el Poema en el centro de nuestra épica medieval, y M. Menéndez Pelayo supo recoger y comentar estas investigaciones; su hermosa prosa erudita es el antecedente inmediato de los estudios de Menéndez Pidal. C. Smith (1976, 99-107) recoge las noticias de la crítica sobre el *PC* en el siglo xix.

Al mismo tiempo, al compás del progreso de la Filología, se sucedieron las ediciones (por J. S. A. Damas-Hinard, París, 1858; por K. Volmöller, Halle, 1879; por A. Restori, parcial, Milán, 1890; por V. E. Lidforss, Lund, 1895-96; por A. M. Huntington, Nueva York, 1897-1903), y la «Biblioteca de Autores Españoles» acogió el Poema en su tomo 57 (1864), en una deficiente edición, cuidada —es un decir— por F. Janer. En los comienzos de su edición, Menéndez Pidal (1956a, 1017-21) recoge la noticia de las ediciones que precedieron a su labor crítica y justifica las normas que aplicó para la suya.

Al cabo de esta actividad, en el siglo xx, Menéndez Pidal recogió el viejo legado poético, juntó la suma de erudición que desde la edición de 1779 se había reunido sobre el mismo, y trabajó en él con la conciencia escrupulosa de saber que tenía entre las manos el testimonio más completo de la existencia de nuestra antigua poesía épica. De esto resultó la obra, tantas veces citada en este *Panorama*, que recogió el fruto de muchos años de trabajo: sus ediciones paleográfica y crítica del *PC*, publicadas reunidas en 1908-1911, de la que proceden las sucesivas ediciones que él mismo realizó. Esta obra, que constituye, según se ha dicho, la base textual más difundida del *PC*, dio motivo a un gran número de estudios; sin embargo, no pudo resolver todas las cuestiones problemáticas y discutibles del códice de la Biblioteca Nacional de Madrid, pues el *PC*, única pieza de la serie poética que representa, puede considerarse en sus diferentes aspectos desde perspectivas y métodos distintos, según se ha dado cuenta en este libro. Sin embargo, las ediciones más recientes, que difieren en muchas cuestiones del criterio sustentado por Pidal, no dejan de reconocer la gran importancia de los estudios de este filólogo, sobre todo de su gran edición, en cuanto a la discusión de los problemas textuales que comporta. Así ha ocurrido con las ediciones de A. Kuhn (1951), C. Smith (1972 en inglés y 1976 en español), I. Michael (1976), M. García Gómez (1977) y J. Horrent (1982), ya citadas.

5.3. MODERNIZACIONES

Otro aspecto de la difusión del *PC* en el siglo actual procede de las versiones que se han realizado del texto medieval al español moderno. Evidentemente esto es un signo de la popularización de los fondos culturales de índole histórica, que así pueden llegar a los que les resulta difícil leer el español medieval, siempre más numerosos que los que lo leen.

En esta empresa se han reunido poetas y profesores. Para esta labor, Alfonso Reyes (1919; Selecciones Austral, 1980) prefirió la prosa literaria, lo mismo que C. Goic (Universidad de Santiago de Chile, 1955), F. M. Torner (Méjico, Libreros Mexicanos, 1957) y A. Bolano e Isla (México, Porrúa, 1968), A. Cardona de Gibert (Barcelona, Bruguera, 1967), J. Loveluck (Zig-Zag, 1973), L. Sánchez Ladero (Barcelona, Sopena, 1972). P. Salinas (1926; Publicaciones de la Revista de Occidente, 1975) escribió una versión poética buscando el verso de diez y seis sílabas, partido casi siempre en hemistiquios, en la que la fidelidad al viejo texto y la maestría

poética de su autor se equilibran intencionadamente. Luis
Guarner (1946; ed. Aubí, 1973), más atenido a un criterio filológico, realizó una versión en romance octosílabo. M. Martínez
Burgos (Burgos, Ayuntamiento, 1955) prefirió el metro des-
igual asonante y fray Justo Pérez de Urbel eligió el verso
alejandrino y también hizo la suya en verso A. Marrent (1967,
Juventud). Las versiones mencionadas no son sino una muestra de la diversidad de criterios utilizada para esta labor de
modernizar el texto antiguo; en el prólogo a este libro me
he referido a la novena edición de mi versión del *PC*, publicada en la Colección «Odres nuevos» de esta misma editorial
(1981). Me atuve en mi versión al criterio seguido por Salinas
y Guarner, que consiste en seguir tras el curso de la poesía
épica en las letras de España. Al verso de la juglaría, con
sus series de versos oscilantes en número de sílabas y asonantados, siguió el *Romancero* que, conservando la asonancia,
limitó el vaivén de libertad métrica en el centro del octosílabo, hasta quedar en él parado. Al reducir, pues, en cuanto
me fue posible, a versos de ocho sílabas mi versión, sigo el
resultado del proceso de la tradición épica. No me olvidé, en
el acomodo lingüístico que requirió mi versión, de recoger el
sentido poético que es propio de la poesía de difusión juglaresca. En cierto modo, una labor de esta naturaleza me acercaba, con unos ocho siglos de distancia por medio, al oficio
del juglar-intérprete, que fue también, como yo, un artesano
de la poesía.

Otro aspecto de mi edición es que he vertido en el mismo
verso del romance los fragmentos que, por medio de la
Crónica de Veinte Reyes, servían en la edición crítica de
Menéndez Pidal, para llenar las lagunas del códice. Para
esto en mi versión he recreado totalmente la Parte *I del
Cantar del destierro, que lleva una numeración independiente,
con las cifras antecedidas de un asterisco. Antes de la Parte *I
he añadido la *Invocación del juglar que es enteramente de
mi invención; he querido en ella imaginarme lo que sería
la llamada del juglar en la plaza del pueblo o en el cantar
del Cid. Sigue después el relato atenido a los textos cronísti-
cos que Menéndez Pidal puso en cabeza de la edición crítica

del Poema (1956, 1019-1025). Y después paso a la versión del texto con el criterio que aquí he resumido. Otros dos pequeños trozos que faltan en el manuscrito de Madrid se reconstruyen de la misma manera; así, una laguna situada entre los versos 2337 y 2338 se salva también con el texto cronístico aducido por Menéndez Pidal (vv. *131-*154); y la otra, entre el v. 3507 y el v. 3508, con la misma solución (vv. *155-*171).

5.4. TRADUCCIONES

A estas versiones en español moderno hay que agregar las traducciones del *PC* en las diferentes lenguas europeas. He aquí algunas de ellas, no todas, con la indicación del traductor por si pudieran servir en algún caso como información:

a) *Inglesas*

1. J. Ormsby, Londres, Longmans, 1879 (y otras).
2. A. M. Huntington, Nueva York, Putnam, 1897-1903 (y otras).
3. R. S. Rose y L. Bacon, Berkeley, Universidad de California, 1919.
4. M. Serwood, Nueva York, Longmans, 1930 y otras.
5. L. B. Simpson, Berkeley, Universidad de California, 1957 (y otras).
6. W. S. Merwin, Londres, Dent, 1959 (y otras).
7. G. Markley, Indianapolis, Bobbs-Meirill, 1961.
8. G. Wilbern, Nueva York, Am. R. D. M., 1966.
9. R. Hamilton y J. Perry, Manchester, Universidad, 1975.

b) *Italianas*

1. G. Bertoni, Bari, Laterza, 1912 (y otras).
2. D. Coltelli, Lanciano, Carabta, 1929.
3. F. Testena, Roma, Pistolezi, 1937.
4. S. Battaglia, Florencia, 1939 (y otras).
5. C. Guerrieri-Crocetti (véase 1957, 375-484).
6. L. Fiorentino, Florencia, Sansoni, 1959.

c) *Alemán*

1. J. Adam, Breslau, Universidad, 1911.
2. A. Kuhn, Halle, Niemeyer, 1951 (y otras).
3. H. J. Neuschäfer, Munich, Eidos, 1964.

d) *Francés*

1. J. S. A. Damas-Hinard, París, Imp. Impériale, 1858.
2. E. de Saint-Albin, en *Légende du Cid*, París, Lib. Internationale, 1866, pp. 225-334 (y otras).
3. E. Kohler, París, Klincksieck, 1955.
4. J. Horrent, Editions Scientifiques E. Story-Scientia Gante, 1982.

e) *Portugués*

A. Lopes Vieira, Lisboa, Soc. Ed. Portugal-Brazil, 1929.
A. Lambert da Fonseca, Porto, Liv. Civilizaçâo, 1962.

f) *Sueco*

C. G. Estlander, Helsingfors, Acta Soc. Scient. fenicae, 1867.

g) *Ruso*

A. A. Smirnov, Moscú, 1959.

h) *Arabe*

El Taher Ahmad Makki, El Cairo, Dar al-Ma'arif, 1970.

i) *Polaco*

J. Wilkon', Cracovia, Wydawn. Lit., 1970. (Hay otras de 1866 y 1904.)

j) *Hebreo*

Traducción de Moshe Attias, Jerusalem, 1967, con abreviada introducción española.

k) *Serbocroata*

Traducción de V. Draskovic, Belgrado, 1975.

5.5. RECONOCIMIENTO DE LA CONDICIÓN ESTÉTICA DEL PC

Si otorgamos al *PC* la condición de obra *artística* (y esto se halla implícito en el punto en que admitimos que es una creación literaria), cabe establecer una consideración sobre el sentido que podemos dar a su orientación estética. Esto puede hacerse de una manera absoluta, valorando el *PC* sin ninguna base histórica, o sea a través de una lectura sin perspectiva. Así lo hizo A. M. Pascual Martín (1978), y el resultado fue que encontró en la obra integridad, claridad, armonía, proporción, repetición y simetría, contraste y ritmo, etcétera. Es decir, que una lectura «ingenua» de la obra replantea muchas de las cuestiones que se han tratado en las páginas anteriores; el resultado es que el *PC* permanece siendo una obra artística ante la consideración de un lector culto y con educación literaria, sin otras exigencias.

Pero una apreciación cabal de la obra requiere una mayor complejidad. Las obras artísticas se agrupan en épocas para así establecer los estilos colectivos dentro de una común unidad estética. Por tanto, el *PC* tiene que situarse en un marco epocal en relación con los grandes estilos artísticos de la Edad Media; y con esto se abre la perspectiva de la historia de los estilos, aplicable al *PC* como a cualquier otra obra. Y para esto hay que asegurar la cronología inicial y de difusión de la obra. La dificultad estriba, en este caso, en que la fecha de composición del *PC* no se ha establecido de manera que sea aceptada por todos los críticos. Sin embargo, si bien se discute la fecha de la redacción inicial de un *Poema del Cid* de la que procediese la versión del códice de Madrid, cabe decir que todos están de acuerdo en que la obra se hallaba en un proceso de difusión desde comienzos del siglo XIII. Por otra parte, salvo en los que creen que el *PC* es obra que inicia esta clase de poemas, los más aceptan que en él pueden hallarse las resonancias artísticas del siglo XII; y esto por razón del carácter arcaizante de la obra y por la naturaleza del grupo genérico al que pertenece. Estableciendo paralelos con las otras artes, A. Valbuena Prat

(1981) estima que «la grandeza adusta y sencilla del *Cid* es hermana de la severidad uniforme y formidable de las murallas de Avila...» (1965, 68). En forma indirecta me referí antes a que la imagen que mejor representa la Divinidad que aparece en el *PC* es el Pantocrator que cubría con su espectacular grandeza las iglesias de la época.

De esta suma de asociaciones con las otras obras artísticas ha resultado que el estilo de época que mejor conviene con el *PC* es el que se corresponde con el Románico tardío. Así para J. Casalduero (1962), el Cantar del destierro es una obra del románico final, arte gráfico-plástico de estructura sencilla, levantada sobre tres temas: batallas, embajadas y bodas, que sirven para expresar la parte histórica (relaciones entre el Cid y Alfonso VI) y la novelesca (relaciones del Cid con los suyos).

E. Moreno Báez (1967) expone la opinión de que el *PC* «refleja las ideas dominantes en la Europa del siglo XII, igual que la música o artes plásticas» (1967, 437). Se trata de una obra propia del Románico maduro, exaltador de las virtudes cristianas, gracias al influjo cluniacense; la ejemplaridad del Cid procede de la tesis de la *doctrina antigua*, propia de los escolásticos y favorecedora de presentar al héroe como un modelo de virtudes, sin perder por ello la impresión de la realidad circundante. Ocurre así otra aplicación del arte románico tendente a la armonía entre lo arquetípico y lo cotidiano; la estructura del *PC* mantiene su centro sobre el héroe, sin que se desplace a lo largo de la obra.

Desde el punto de vista de los efectos estéticos que produce la percepción del *PC* en un lector actual con la conveniente educación artística, la calificación de los críticos mencionados es aceptable, y corresponde a la impresión que. se atribuye a la épica europea, sobre todo en relación con las grandes obras de la francesa. Sin embargo, es de notar que el adjetivo de *tardío* que le añaden los críticos indica que el *PC* sobrepasa lo que pudiera ser la percepción común del estilo románico; en efecto, en el *PC* se acepta del arte románico el hieratismo espectacular que ofrece la impresión de la grandeza del héroe, la conducta ejemplar del Rey que premia al buen vasallo que lo sirve con amor, el vigor de los combates en defensa de la fe o del honor y las exhibiciones jurídicas de la Corte, organizados y resueltos en los grandes frisos equilibrados en círculos; junto a esta aceptación, sin embargo no dejan de apuntar algunos asuntos que moverán la espiritualidad del arte gótico. Así, por ejemplo, los rasgos de humanidad que en algún caso rompen esta disposición suntuaria y solemne para mostrar la condición humana: la implicación de la familia y, sobre todo, la irrupción de la mujer con las manifestaciones del amor matrimonial o filial, los personajes laterales que en algún caso descubren el afecto de la familia o de la amistad y otros rasgos van concretando un cierto matiz en las apreciaciones que adelanta la cronología de la percepción artística hacia el arte gótico. Cabe referirse a la factura «novelística» que muestra el *PC*; y esto ocurre precisamente en una obra que mantiene en sus rasgos externos (la versificación y el léxico) una estructura arcaica y en su argumento, una materia poética de acusados rasgos veristas por pertenecer a un asunto de la historia bastante próxima a los primeros oyentes del Poema. Evidentemente en el *PC* se perciben unos factores de desplazamiento artístico que obligan a los críticos a esa adjetivación de Románico *tardío*, señalador de una cierta cercanía, y aun participación, en el estilo gótico, tal como apuntamos en este juicio.

Por otra parte, desde el punto de vista de la estructura de la canción de gesta europea algunos críticos (como Friedrich Schürr, *Das altfranzösische Epos*, Munich, M. Hueber, 1926) han señalado que el uso de paralelos y repeticiones en los poemas épicos coincide con un principio fundamental del arte gótico: repetición con variación. Y esto se ha considerado también para la lírica provenzal (véase Peter E. Bondanella, «The Theory of the Gothic Lyric and the Case of Bernart de Ventadorn», *Neuphilologische Mitteilungen*, 74 (1973), 369-381; en estos aspectos de la estructura coinciden en destacar que el Gótico es el arte de la yuxtaposición, mientras que el Renacimiento lo es de la unidad (D. Frey, ídem, p. 371).

Otro aspecto de la estética del *PC* es la percepción de la naturaleza que su autor comunica a los oyentes por medio de la descripción paisajística de la obra. El conjunto de las referencias de los críticos a este tema se encuentra reseñada en M. Magnotta (1976, 229-233). La cuestión está en que estas descripciones son breves y están siempre condicionadas por la situación de los personajes en relación con la realidad interior del Poema; es un paisaje vivido e intuido, como indica E. Huerta (1948). El poeta medieval pone en estos casos el arte al servicio del tema; las descripciones contienen sólo los rasgos necesarios para que dentro de ellas, cuando se trata de referencias a lugares, actúen los personajes. Los oyentes o los lectores ponen de su imaginación lo más conveniente para lograr el fondo, como propone I. M. Gil (1963). Así ocurre con el breve pero muy bien figurado fondo de la ciudad de Burgos (vv. 15-17), en donde ocurre el encuentro del Cid y la niña de nueve años. Y otro tanto pasa con la elaborada miniatura de Castejón, la pequeña villa mora, sorprendida, al amanecer, por el Cid y sus fuerzas (vv. 456-63); la amplísima visión de Valencia y de sus huertas, contemplada por «ojos vellidos» desde el alcázar de la ciudad (vv. 1610-16); la evocación leve, pero precisa, del sombrío robledal de Corpes (vv. 2697-700); son aspectos de la naturaleza en el *PC* que estudia E. Orozco (1968).

5.6. EL *PC* EN EL PENSAMIENTO ESPAÑOL DEL SIGLO XX

Las indicaciones precedentes se han referido a las cuestiones literarias que plantea el *PC* que han culminado en su valoración estética dentro de la teoría de los estilos artísticos. Conviene también mencionar la repercusión que el *PC* ha obtenido en el curso del pensamiento español del siglo XX, pues la obra, más allá de la significación literaria que le es propia, ha intervenido también en el proceso de las ideas de la época y ha llegado a convertirse en un tema polémico.

El primer hito que hay que mencionar es el certamen que la Real Academia Española abrió en 1892 para premiar un trabajo sobre «Gramática y vocabulario del *Poema del Cid*»; a este certamen se presentaron cuatro concursantes, y dos de ellos fueron Ramón Menéndez Pidal y Miguel de Unamuno. Entregados los trabajos en 1893, el concurso no fue fallado hasta 1895 y lo ganó Menéndez Pidal con un estudio sobre la gramática y vocabulario del *PC* que se integró después en su gran edición de la obra, ya mencionada; este trabajo mereció 19 votos mientras que el de Unamuno no obtuvo ninguno. Este encuentro marcó, en cierto modo, el destino de los dos hombres: Unamuno dejó de plantearse como objetivo de su trabajo los estudios de carácter filológico y Menéndez Pidal siguió elaborando sus investigaciones sobre el Cid que se bifurcaron en dos grandes obras: el *Manual elemental de Gramática histórica española*, cuya primera es de 1904, y edición estudio del *PC*, que tantas veces hemos encontrado en este *Panorama*. La obra de Unamuno ha permanecido ignorada hasta su publicación reciente (1977) en que se ha exhumado sólo por su valor en la biografía del autor. De esta manera el *PC* interviene en la preparación de la ideología de la llamada Generación del 98 señalando el enfrentamiento, en el campo de la investigación filológica, entre Unamuno, que había de ser uno de los más polémicos representantes del grupo y Menéndez Pidal, que prefirió el camino del estudio histórico. Aunque esta obra de Unamuno quedó olvidada, incluso para él mismo, hemos de creer que dejaría alguna huella en el pensamiento del autor; no en vano se lee con propósitos de estudio y se comenta una obra de la categoría del *PC*. Pero, al mismo tiempo, observamos que Unamuno no emprendió otra aventura semejante y que no dejó de manifestar su inquina hacia los especialistas, independientemente de que luego asegurase su amistad con Menéndez Pidal y se diese cuenta de su probidad científica abundantemente demostrada. La lectura del *PC* se convirtió así en una oscura resonancia en la obra de Unamuno, siempre gustador de las viejas palabras revividas.

Los trabajos de Menéndez Pidal sobre el *PC* se han considerado como una pieza importante para el establecimiento de la ideología del 98. Por de pronto, el año de esta conmoción Menéndez Pidal, nacido en 1869, contaba 29 años; D. Gamallo Fierros ha reconstruido lo que hizo en su transcurso («Menéndez Pidal en el año 1898», *Revista del Instituto José Cornide de Estudios Coruñeses*, 4, 4, 1968, 51-141): durante el mismo, prosigue su trabajo laborioso, centrado entonces en la aparición de su *Catálogo* de las Crónicas generales de España del Palacio Real (Madrid, Rivadeneira) y en la publicación en la *Revue Hispanique* de su estudio sobre «El *PC* y las Crónicas Generales de España» (5, 1898, 435-469); pone título al que será desde entonces en adelante el *Libro de Buen Amor* (*Revista de Archivos, Bibliotecas y Museos*, 2, 1898, 106-09); visita Francia, organiza el homenaje a Menéndez Pelayo y sigue al tanto de las cuestiones académicas. En una carta a Rufino José Cuervo escribe a su vuelta de París (27 de mayo): «Ya ve V. qué mal he hallado a mi país; la única preocupación es la guerra que nos rodea por todas partes» (ídem, 78-79). No ha querido entregar su edición del *Catálogo* de Palacio a la Reina «para no distraerla ni un solo punto de las atenciones que requieren las difíciles circunstancias por que atraviesa la nación» (ídem, 88). El 8 de junio escribe confesándose a Alfred Morel-Fatio: «He hecho yo solo mi educación filológica y desconfío de ella» (ídem, 82).

Precisamente como consecuencia de los efectos de las noticias de la guerra en las colonias, Joaquín Costa (1844-1911), uno de los más destacados regeneracionistas de esta difícil época, dijo esto que afectaría vivamente a Menéndez Pidal y que corrió mucho en los comentarios de entonces: que había que echar doble llave al sepulcro del Cid para que no volviese a cabalgar. El propio Costa poco después indicó que su intención era referirse al Cid de la guerra, pero no al que él interpretaba como el Cid hombre público y «democrático» y que pedía responsabilidad a los Reyes (Menéndez Pidal, 1945, 236-37). En este mismo año de 1898, y esto nos importa mucho, Menéndez Pidal publica la edición del *PC* (Madrid, Hijos de J. Ducazcal) que luego quedaría integrada en la gran edición de 1908-11, a la que tantas referencias hemos hecho.

Reuniendo cuanto he indicado y teniendo en cuenta lo que esto representó después en la vida de Menéndez Pidal, los críticos y los historiadores se han planteado la cuestión de si él tiene o no que figurar en el grupo de los intelectuales que se reúne en la llamada «Generación del 98» y, más en concreto para nuestro fin, lo que pudiera haber representado el *PC* en el movimiento ideológico que este grupo impulsó en España; algunos datos sobre esto ofrece W.-D. Lange (1982, 164-169). Sin embargo, no es un innovador progresista, sino que se basa en precedentes científicos; así aprovecha conceptos de la crítica del siglo XIX que le resultan útiles para establecer su concepción de la épica: Menéndez Pidal enlaza con la corriente europea del siglo XIX (especialmente, de procedencia germánica, Diez, Wolff) que en España recogen críticos como Pedro José Pidal, como ha mostrado el citado W.-D. Lange (1982).

Dentro de la teoría de las generaciones, hay un historiador de la Literatura, G. Díaz Plaja, que lo relaciona aún mejor con el grupo precedente en la sucesión generacional de la historia de la literatura española; según Díaz Plaja, Menéndez Pidal conservó durante su vida la mentalidad cultural de la Restauración y de ella proceden sus divergencias con los escritores del 98; no aparece su nombre en las protestas públicas que estos formularon y sentía cierta vinculación afectiva y social por la Monarquía, sobre todo en los intentos de buscar fórmulas de convivencia entre tradición y novedad («Discurso por Ramón Menéndez Pidal» [1969] en *El ocio atento*, Madrid, Narcea, 1974, 253-266).

En cuanto a esta adscripción a la Generación del 98 de que nos ocupamos, D. Alonso (1975) ha dedicado un estudio al asunto. Si se establece un criterio cerrado en la concepción del término histórico-literario «Generación», el resultado es negativo en el sentido de que Menéndez Pidal difiere de una serie de características que se aplican en los manuales a los de la «Generación del 98»: así ocurre que si se considera a los hombres de esta generación como «literatos (y aún de literatísimos)», Menéndez Pidal no lo es, sino que su actuación y obras son las de un científico que pule y afina un método riguroso, escribe en un estilo parco y ceñido, y se limita, en lo que le resulta posible, al estudio de una parte de la cultura medieval: la historia, la lengua y la épica medievales, en donde el *PC* es fundamental. (Sin embargo, esta limitación la sobrepasa en varias ocasiones en su larga vida para intervenir en asuntos que siente que le tocan de cerca: Lope, Las Casas, Santa Teresa, etc.) Su reacción personal frente a los hechos del 98 es, en lo que cabe, optimista por cuanto que ni aun en la deprimente experiencia histórica de este año vimos que cejaba en su trabajo y prosigue luego con su cometido sin tregua, a través de las más diferentes circunstancias políticas. Su convivencia con los hombres del 98 es limitada y, alejado de las reuniones literarias en los cafés, elabora con paciencia a lo largo de los años sus trabajos documentales y teóricos.

Sin embargo, por encima de estos enfrentamientos se halla la convivencia de todos estos escritores, científicos, intelectuales, etc., en el mismo ámbito de la nación, en la que determinadas experiencias, sobre todo si son de orden político, resultan comunes; el propio Menéndez Pidal lo reconocería, al menos de una manera sentimental, cuando entrega a P. Laín Entralgo una fotografía en que el filólogo aparece con el Guadarrama al fondo, dedicada con estas palabras «Uno del 98». Según D. Alonso «Pidal y la generación del 98 coinciden en tres acciones que me parecen caracterizadoras: internacionalización con aporte de nuevas técnicas, nuevo descubrimiento de la tradición española» (1975, 123). Y en los tres aspectos el *PC* resultó fundamental: su edición obtuvo una acogida internacional en el campo de la Filología románica de la época; el método que aplicó en sus estudios poseía una base positivista, que venía siendo cultivada en Europa en los diferentes estudios sobre la épica y que se había aplicado a las anteriores ediciones del *PC*. Este método era —y, bien entendido, sigue siendo— insustituible para preparar los textos literarios que habían de ser objeto de edición con una garantía lingüística; y la tradición fue para él un punto de partida que situó como un soporte necesario para la concepción de la épica.

La conexión entre el *PC* y la Generación del 98 se ha establecido sobre todo en relación con «un nuevo descubrimiento de España: [esta generación] ama sus viejos pueblos y ciudades, sus campos, describe e interpreta sus paisajes; gusta de escritores y héroes de la Edad Media» (D. Alonso, 1975, 117). Y, entre ellos, el *PC* ha resultado una obra preferida; así, Azorín en sus comentarios de «Los poetas primitivos» incluye uno sobre «El cantar del Cid» (*Obras selectas*, Madrid, Biblioteca Nueva, 1969, 909-910). En él establece un paralelo entre el poeta del Cid y la actualidad: «Era seguramente un pueblo castellano; todo está hoy como entonces...» (ídem, 909). Esta es la asociación más generalizada: el *PC* con Castilla, y de ahí a la mención de Castilla como el Reino más decisivo en la formación de España como nación moderna.

Sin embargo, Menéndez Pidal no se muestra conforme con el sentido que los escritores del 98 dan a Castilla, a su paisaje y a sus gentes, como ocurre en el caso de Antonio Machado. En una ocasión Menéndez Pidal nos ofrece en *La España del Cid* su impresión, incluso con alardes literarios, del pueblo del Cid; Vivar, considerado por el filólogo como el solar del héroe es hoy una parte de Castilla pero no de la que imaginaron los hombres del 98, la «desolada Castilla»; «estas llanuras castellanas, aunque de aspecto austero, no tienen tristeza de páramo» (1969, 116). Es una región «riquísima en danzas y canciones»; confía en el campesino de Vivar: «Si gana una fe de nueva eficacia, entregará su vida como antaño, a cualquier heroica demanda» (ídem).

Con todo, la cuestión es más compleja que la que pudiera ofrecer una simple interpretación, pues el caso español del fin de siglo pertenece a una corriente artística europea, dentro de la cual la literatura de la Edad Media (y en nuestro caso, el *PC*) obtiene una peculiar valoración: la consideración de los autores «primitivos» ocurre dentro del Modernismo literario entendido en un sentido amplio; una de las corrientes del mismo es el Prerrafaelismo que también aparece en autores españoles que se consideran como de la Generación del 98. El *PC* es una pieza destacada de entre las de la Literatura medieval renacidas en esta ocasión, como estudié en relación con Antonio y Manuel Machado (*Los «Primitivos» de Manuel y Antonio Machado*, Madrid, Cupsa, 1977, 34-45 y 211-214). La corriente poética que promueve esta creación enlaza, en esta ocasión, de una manera directa con la actividad filológica que dirige Menéndez Pidal, y esto ocurre lo mismo para Manuel que para Antonio. Manuel Machado escribió la poesía más difundida de esta modalidad, titulada «Castilla» (*Alma*, 1902); como he estudiado en mi libro, es una libre recreación de la tensión emotiva que le produjo la lectura de los versos del Poema (vv. 21-64) en que una «niña de nuef años» (v. 40) se enfrenta con la justa indignación del Cid y logra que salga de Burgos sin producir violencia, camino del destierro. Esta poesía de M. Machado fue además, uno de los motivos más difundidos para asociar la figura del Cid con Castilla. Menos conocida fue otra poesía del mismo, «Alvar Fáñez» (1904). Tanto la una como la otra tienen un aire de primitivismo estético, dentro del cual cuenta una cierta aproximación a la lengua medieval del Poema. Antonio mencionó al Cid en sus «Campos de Castilla» y en otros lugares, demostrando una intuición directa del Poema en ocasiones culminantes de su vida, como diré.

Otra vía de difusión de la figura del Cid en nuestro siglo fue el teatro; el rebrote que el teatro histórico del siglo XIX obtuvo en la Literatura española se continuó en el teatro modernista. Dentro de esta corriente Eduardo Marquina (1879-1946) compuso el drama *Las hijas del Cid*, estrenado en 1908; inspirado en el *PC*, centra la acción en el caso patético de sus hijas. En 1973 Antonio Gala dio a conocer otra obra dramática, titulada *Anillos para una dama*, en la que la figura fundamental es doña Jimena (lo mismo había hecho en una consideración lírico-ensayística M. T. León, 1968). La obra de Gala transcurre en el cerco que los moros han establecido en torno a Valencia, ya muerto el Cid. Rodrigo es una ausencia presente en un primer plano del desarrollo, y el autor se apoya directamente en el *PC* para verificar la evocación del héroe que sigue influyendo en el destino de los demás. Es una obra de aire brechtiano y que obtuvo gran éxito (véase mi estudio sobre esta obra de próxima publicación en Roma).

La figura de Rodrigo ha obtenido también plasmación cinematográfica en una película titulada *El Cid;* fue su director Anthony Mann y su productor Samuel Bronston. Se produjo en 1961 y actuó como asesor histórico Gonzalo Menéndez Pidal. El resultado fue un film espectacular, un *western* histórico en el que Charlton Heston actuaba como Cid y Sofía Loren como Jimena, más acertado —en grado relativo, claro es— el primero que la segunda. La obra, según un crítico, es una «pura pirotecnia formal» (*Esquemas de películas*, 155, Madrid, Film Ideal, 1962, 37); realizada con un gran despliegue de medios, con una cuidada e irreal fotografía, sólo recoge algunos aspectos del *PC*. Sirvió para divulgar la figura del Cid (durante varios años los bachilleres españoles contaron la vida de Rodrigo según esta versión) y fue mal recibida por la crítica intelectual (Juan Antonio Gaya Nuño, «El Cid, un insulto a la Historia de España», *La Estafeta Literaria*, 1 marzo 1962).

Se ha publicado un álbum fotográfico sobre el Cid (*Caminos de mio Cid*, Madrid, Editora Nacional, 1974, guión de Manuel Bayo) que no se ciñe estrictamente al Poema.

Poetas, ensayistas y dramaturgos renovaron así desde diversos puntos de vista la memoria del *PC*, en tanto que la obra, dentro de la Historia de la Literatura, iba conociéndose cada vez mejor y crecía su difusión tanto desde un punto de vista de su enseñanza en institutos y universidades, como en el dominio de la investigación. Por eso puede asegurarse que la figura del Cid (y, sobre todo, por medio de su poema épico) viene a ser una pieza común en el patrimonio cultural de los españoles; es así como el *PC* desborda el campo estrictamente filológico.

Este progresivo conocimiento de la obra trajo su sucesiva interpretación en relación con los sucesos políticos de la movida historia de España en el siglo xx. Y esto afectó de una manera directa a su promotor más decisivo: en efecto, la larga vida de Menéndez Pidal (murió en 1968) transcurre por entre los acontecimientos históricos que ocurrieron a partir del 98: así se suceden los últimos años del período constitucional, la dictadura de Primo de Rivera, la República, la Guerra Civil y el período del gobierno de Franco. Son setenta años en los que la obra filológica del maestro prosigue en un tono sostenido y en una misma dirección; desde la Institución Libre de Enseñanza de sus comienzos hasta la dirección de la Real Academia Española en los últimos tiempos, ofrece a los españoles la lección de su vida. D. Alonso resume así en 1968 el sentido de esta lección: «Trabajo, trabajo incesante para ver si entre todos ayudamos a sacar del atasco este viejo carro de España» («Juventud, madurez y ancianidad en la obra de Menéndez Pidal» en *Obras Completas*, IV, Madrid, Gredos, 1975, 135). D. Catalán (1982) ha establecido un balance de esta gran labor insistiendo en lo que puede ser aún estímulo para el investigador del futuro en estas materias dentro del método que impulsó Menéndez Pidal desde sus primeras obras hasta el fin de su vida. Y A. Galmés (1982) ha señalado las relaciones de algunas de las ideas críticas de Menéndez Pidal sobre el poeta y el texto, el texto y el público, y el mensaje poético del texto, con especial atención a las exposiciones del formulismo francés en la revista *Poétique*.

Una obra realizada a través de tanto tiempo y en tan diversas circunstancias tuvo que ser objeto de numerosas interpretaciones, críticas y juicios de toda índole. Propiamente en el curso de este *Panorama crítico* se puede notar que una gran parte de su contenido consiste en la exposición de la obra de Menéndez Pidal, tanto en lo que se refiere a su investigación científica, como en lo que toca a la exposición de sus puntos de vista frente a los comentarios y objeciones de otros críticos. En este sentido el *PC* resulta para él una obra esencial, pues la estudia desde la juventud hasta la ancianidad, y por eso se convierte, de entre sus trabajos, en la más representativa.

Hemos considerado cómo el *PC* pasa a ser una obra que se incorpora a la cultura de los lectores desde comienzos de siglo; su reiterada lectura (y lo que rodeó la edición científica y las de «La Lectura» y luego de «Clásicos Castellanos», junto con los libros complementarios, *La España del Cid*, etc.) obtuvo indudablemente un eco que podemos denominar «político» por establecer un enlace entre el poema medieval y las situaciones contemporáneas que se iban sucediendo de manera cada vez más veloz e imprevista. Azorín, al que he mencionado hace poco y que imaginaba en la Castilla actual a un doble del poeta antiguo, escribía reseñando *La España del Cid*, refiriéndose a la repercusión contemporánea de la obra: «El final del libro, dedicado a sacar las consecuencias psicológicas y morales de la vida del Cid, es una magnífica lección de patriotismo. ¡Qué finura y qué sobriedad! ¡Qué actualidad tan viva y esplendente!» (*ABC*, 26 mayo 1930).

De esta manera, pues, el Cid resultaba cada vez más «actualizable»; el crecido número de ediciones modernizadas que se publican del *PC* ilustra este aspecto y explica por qué escritores de la categoría de Alfonso Reyes en 1916 y Pedro Salinas en 1926 emprendiesen la labor de traducir al español moderno el viejo Poema.

José Antonio Maravall («Menéndez Pidal y la renovación de la Historiografía» [1959] en *Menéndez Pidal y la historia del pensamiento*, Madrid, Arión, 1960, 183-160) ha examinado lo que representan Menéndez Pidal y sus estudios en el desarrollo del pensamiento español de la primera mitad del siglo y ha destacado, sobre todo, de qué manera su disciplina filológica ha repercutido en la Historiografía española y la ha situado en un primer plano en el concierto intelectual de los planteamientos europeos y americanos del asunto. En el caso del *PC*, vemos que en su obra, junto a la necesaria aportación positivista (fijación del texto y su análisis), existe también el establecimiento de una teoría que da sentido a los datos (la noción de estado latente, la tradicionalidad, el popularismo, etc., aplicado todo ello al caso del Poema); según J. A. Maravall, esta doble actividad nos ofrece «una interpretación que desde el ángulo visual de la Historia literaria de este caso nos hace comprender la Historia como conocimiento científico del pasado humano» (ídem, 95-6); y desde este punto de vista se pasa a una «historia del pensamiento» hacia la que ha tendido la investigación y teoría de Menéndez Pidal, como lo demuestra el que, desde sus trabajos concretos sobre el *PC*, haya pasado a *La España del Cid*, que es también una construcción histórica y no sólo una biografía del héroe. Y a esto se añade que, además de su labor propia, haya dirigido una *Historia de España* (Madrid, Espasa-Calpe, II —el primero editado en 1935, y actualmente en curso de publicación) en la que un grupo de colaboradores, constituido por investigadores de diferentes disciplinas, aunó sus esfuerzos para lograr una visión histórica del pasado de España. Resulta sintomático que en el tomo I, 1 (1947, I-CIII) publicara Menéndez Pidal su estudio «Los españoles en la historia. Cimas y depresiones en la curva de su vida política», que se considera como el ensayo de filosofía de la Historia de España más decisivo que escribió.

De esta manera, desde el *PC* de los primeros trabajos de Menéndez Pidal se abre una vía fluida hacia la Historia, en la que las piezas del análisis poético se conciertan con una «teoría» de España basada en los siguientes principios: sobre el fondo europeo, la presencia del elemento islámico (la Edad Media como «época cristiano-islámica», según se desprende del *PC*), Castilla como factor decisivo en la Reconquista frente al Reino de León, arcaizante y asimilador del mozarabismo, y en función paralela a la Francia del Norte (*PC* y *Chanson de Roland*), son estos conceptos que se proyectan hacia el futuro de España. Según la teoría historicista que expone, esta fluencia del pasado hacia el presente resulta capital para entender la España de hoy; por eso escribe, refiriéndose, por ejemplo, a lo que hoy es el Vivar del Cid, que «sin un recuerdo para este solar del heroísmo, la visión de España quedará siempre deficiente» (1969, 115). Y en este punto han surgido las discrepancias y las tergiversaciones sobre el entendimiento de España cuando la nación se vio conmovida por los acontecimientos históricos de 1936.

La trágica ocasión de la Guerra Civil puso otra vez en la actualidad el aprovechamiento de la figura del Cid: así Antonio Machado, en la parte de la República, exalta la hombría de bien del héroe y escribe: «... la sombra de Rodrigo acompaña a nuestros heroicos milicianos...» («Los milicianos de 1936», en *Obras. Poesía y Prosa*, Buenos Aires, Losada, 1964, 662). Y lo mismo ocurrió en la parte de Franco, como ha estudiado M. E. Lacarra (1980b, 107-111), en donde, por citar sólo un caso, N. Sanz y Ruiz de la Peña escribió un paralelo entre el Cid y Franco (*Romancero de la Reconquista*, Valladolid, Santarem, 1937). Como los episodios de la Guerra Civil convirtieron en lugares de combate los mismos de las correrías del Cid, los técnicos militares compararon figuras y estrategias; el caso del Cid tuvo ocasión de aparecer en estas consideraciones. Así de una conferencia sobre «Problemas militares», explicada en la Universidad Internacional Menéndez Pelayo de Santander en 1961, se originó un libro de José María Gárate Córdoba (*Espíritu y milicia en la España medieval*, Madrid, Publicaciones Españolas, 1967) que dedica un amplio espacio (pp. 111-189) a la estadística bélica y al arte militar en el *PC*. Información sobre esta perspectiva histórica y contemporánea se halla en el estudio de Miguel Alonso Baquer («La ética del Cid y la pedagogía militar contemporánea», *Revista de la Universidad de Madrid*, 18 [1969], 19-38). Reuniendo estos datos y otros, ocasionales, M. E. Lacarra (1980b, 113-117) llega al extremo de interpretar la figura de Menéndez Pidal como la del «ideólogo liberal del franquismo»; con ello pretende implicar al autor (que con un criterio científico, que nadie le negó, realiza su obra) en situaciones que eran ajenas a su voluntad de trabajo, proseguido de una manera continua, en la circunstancia que le había tocado vivir, para cumplir con el cometido que se había impuesto; de ahí que la utilización de datos sueltos, resultado a veces de una intencionada interpretación, resulte inadecuada para calificar así el proceso de una labor conjunta y homogénea. Incluso críticos que entienden y juzgan el *PC* de manera totalmente opuesta a Menéndez Pidal, han rechazado esta opinión; así C. Smith afirma que «desde luego D. Ramón no era de ningún modo franquista» (1980b, 29). Lo mismo indican otros testimonios que siguieron de cerca el trabajo de Menéndez Pidal en esta época, como el de R. Lapesa («Menéndez Pidal, creador de escuela: El Centro de Estudios His-

del Poema y E. de Chasca (1976) reunió una síntesis, en inglés, de las cuestiones generales que plantea el *PC* con una bibliografía comentada. En los tratados más recientes de la Historia de la Literatura, el *PC* ocupa siempre un capítulo básico en el período medieval, como es el caso del que le dedica A. Deyermond (1980), en donde resume las últimas corrientes críticas sobre el *PC* y reúne una bibliografía fundamental escogida. También contienen información bibliográfica sobre el *PC* las revistas especializadas sobre épica medieval, como el *Bulletin Bibliographique de la Société Rencesvals (pour l'étude des épopées romanes)*, en cuyo fascículo núm. 9 (París, A. G. Nizet, 1975) figura la referente a España desde 1962, con 147 referencias a nuestro Poema.

Añadamos las informaciones estrictamente bibliográficas sobre el *PC*. En primer lugar, las contenidas en las grandes recopilaciones de Bibliografía, como la general de J. Simón (1963), con 382 títulos y el manual del mismo autor (1980), con 140 títulos. Y en segundo lugar hay que citar las bibliografías específicas del *PC*, reunidas por D. Sutton (1970), con 923 referencias, y M. Magnotta (1976), con 650 referencias, acompañadas de un aparato crítico ordenador. Y además del material publicado, existe un gran número de estudios (inéditos hasta cierto punto) en las tesis doctorales y de licenciatura («doctoral dissertations» y «master's and seniors theses»), de las cuales D. J. Billick (1981) recoge la referencia de 56 títulos. Precisamente una de ellas se refiere a una visión cronológica de los estudios sobre el *PC*, realizada por M. Durrant (1975); y otra, de B. Darbord, sobre semánticas de lengua y textual (París, IV, 1979).

5.8. *Final*

Como término de este *Panorama* reuniré un resumen de conjunto de lo que llevo escrito. El *PC* es una obra básica para el conocimiento de la épica medieval vernácula de España y una de las más importantes en el conjunto de la europea. Perteneciente al sentido estético de la época artística del Románico tardío, el *PC* con sus 3730 versos es una obra que se nos ha conservado casi completa, divisible en tres partes, a la que los críticos reconocen cada vez más el sentido de la unidad de su composición. Esto implica la cuestión del autor que la compuso; y los que abogan por un autor culto, siempre clerical (aunque sea laico en su profesión), defienden que el *PC* es obra que ofrece un arte poética consciente, hábilmente utilizada, con un gran conocimiento de la épica francesa que supone además una intensa experiencia literaria (que es el conocimiento del género) y el apoyo de una «biblioteca» (en la que pudo formarse su autor y en la que luego se conservó la obra). Otros creen que el *PC* es el resultado de un largo proceso establecido a través de la interpretación juglaresca, y en el curso del cual pudo haber unos juglares entendidos en el arte de la composición, alguno de los cuales fue el primer autor y algunos verificaron la función de coautores en sucesivos reajustes, mientras que la mayor parte fueron intérpretes de la obra limitándose a reproducirla, adaptada a las circunstancias de cada representación. De esta manera, los textos orales se conservaban y «rehacían» en cada interpretación según unos, a través de una memoria profesional (como es la que desarrollan los actores) o, según otros, mediante la combinación de fórmulas que se ordenaban sobre la línea recordada de un argumento básico. De cualquier forma que sea, todos aceptan que la estructura de la obra requiere que sea comunicada al público por medio de los juglares y sobre este fin se articula el sistema general de la narración del Poema.

La manera de exponer o de compaginar estas interpretaciones ha producido importantes diferencias en el juicio de la obra. Sin embargo, la realidad poética absoluta con que contamos con respecto al *PC* es el códice de Madrid, cuyo texto manuscrito plantea el problema de la escritura de la obra y, por tanto, la intervención de los factores conservadores inherentes a la letra. De ahí proceden las cuestiones que tocan a la integridad del texto con respecto a la familia de manuscritos a la que pertenece el hecho incontrovertible del *PC* conservado: ¿en qué circunstancias se produjo esta escritura del códice? De cualquier manera que haya sido, con o sin precedentes, la obra indica una concepción y una realización unitarias dentro de las características que son propias de la épica vernácula: es un poema sobre Rodrigo Díaz de Vivar, el Cid, compuesto para ofrecernos junto con una noticia del héroe castellano y su circunstancia, relativamente cercana en la historia al público, la imagen paradigmática de un buen vasallo, varón maduro, propenso al ejercicio del derecho, que actúa de una manera comedida (mesurada) en medio de un ambiente violento de guerras con el infiel (a veces, amigo de conveniencias) y de disputas con los enemigos de la Corte; de todos triunfa y vuelve a ganar el perdido amor de Alfonso VI, su rey, al mismo tiempo que se apodera de las tierras de Valencia sobre las que impone su dominio. Esta medida de su conducta le ofrece ocasión de mostrar un necesario hieratismo épico, propio de estos héroes poéticos, que, sin embargo, se compensa con numerosas notas de humanidad que lo acercarían a los oyentes en el tiempo y en el espacio. No es un héroe lejano y legendario, sino alguien, un infanzón castellano, cuya memoria personal perdura y cuyos hechos cuentan las historias cortesanas y cuya fama sería conocida de muchos y, por lo tanto, es aprovechable como lección humana para todos. El héroe pertenece al grupo social de la nobleza media y se enfrenta con enemigos que pertenecen a la alta nobleza; el Rey, atento a su valía personal, reconoce sus méritos hasta el punto de que gana otra vez su confianza puesta en entredicho por los encizañadores y acaba por preferirlo a los demás vasallos, aun de mayor nobleza, distinguiéndolo de una manera excepcional.

Los hechos que se cuentan en el Poema pudieron parecer verídicos al público de la época; al menos eran creíbles porque se referían a lugares conocidos y los personajes, en un cierto número, se sabía que habían existido. Lo que realizaban no era desmesurado en exceso y algunos episodios podían servir como ejemplo en las algaras y correrías contra los moros; los motivos de la acción del Cid se basaban en la virtud de un varón maduro. De esta manera los versos del

Poema valían para sus oyentes como entretenimiento y como
lección, de tal manera que las gentes podían considerarlos
un estímulo para la acción en una sociedad que quería ganar
honra y bienes.

Un contenido de esta naturaleza obtiene en el *PC* su expresión en un lenguaje poético que crea su propio sistema
dentro de la condición literaria épica; cualquiera que haya
sido su base lingüística —y la opinión más común es que sea
la castellana— lo importante son los numerosos recursos de
que se vale el autor para mantener la tensión literaria de la
obra a lo largo de los 3.730 versos conservados. En esta
lengua del Poema actuaron, por un lado, el sentido arcaizante que convenía para acentuar una patente diferencia con
la lengua común y, por otro, el uso de los convencionalismos
lingüísticos que marcaban el carácter poético de la obra. Los
formulismos propios del género servían para este fin, y el
autor los usaba en forma decidida y consecuente, pues sabía
que en ellos se hallaba el color épico: repeticiones verbales, sintagmas asegurados en el uso de adjetivos y otras
secuencias calificativas, expresiones establecidas con este prestigio, piezas formulísticas articulables en su curso, unidades
descriptivas aplicadas a determinadas situaciones, etc. La disposición del verso era el módulo métrico (y, por tanto, rítmico) que convertía el cauce del sintagma en poema, frente a
la prosa, sobre todo la cronística, y en contraste con la lengua cotidiana. Dentro de este módulo se verificaban las más
ajustadas combinaciones. El curso del verbo era libre, exten-
diéndose el número de versos en estrofas de un número diverso de ellos según la adecuación argumental.

El *PC* se hallaba así situado dentro del género épico y
la pobreza de testimonios poéticos de que disponemos no
nos permite más que aventurar algunas apreciaciones. La
mayor parte de los críticos están de acuerdo en que se trata
de una obra sobresaliente, para algunos la primera y decisiva
de nuestra literatura primitiva. Por esta madurez, algunos
críticos la han situado en una época de florecimiento de los
poemas épicos, consecuencia de un intenso cultivo previo por
parte de una juglaría poética que había ido mejorando su

producción literaria ante públicos cada vez más exigentes en la calidad de las obras que oían; otros resaltan la función del poeta que logró una obra tan cabal como consecuencia del conocimiento de la literatura paralela y del dominio del arte poético, aplicados por un artista genial, creador de esta pieza maestra.

De una u otra manera el grado de maestría del que compuso el *PC* quedó aceptado por casi todos los críticos. La obra, editada a partir del siglo XIX con rigor, vertida al español moderno y a un gran número de lenguas, sigue siendo todavía objeto de estudio, y aún quedan muchas cuestiones por resolver dentro y fuera del Poema; de ahí la aplicación de unos a la que llaman *endocrítica,* y otros a la *exocrítica,* contando, sin embargo, con que estos puntos de vista dependen del investigador, pues el *PC* es un hecho poético radical en el que todo cuenta: el dentro y el fuera, el antes y el después, el proceso creador y su realización acabada. En estos últimos años, la bibliografía crítica del *PC* ha aumentado, tanto en lo referente a una concepción de fondo de la obra, como en el intento de resolver numerosos pormenores del texto que aún quedan oscuros. La erudición positiva y la audacia de las interpretaciones más atrevidas siguen en juego y pueden dar mucho de sí. En cierto modo esto prueba la genialidad de la obra poética (y aun el mismo fenómeno de la poesía) claramente manifiesta en la primera de las grandes obras épicas de nuestra literatura, comprometida a la vez y en forma paradójica con la realidad y con el espacio de un pasado que se convierte en presente poético y, por tanto, vivo en la cultura española de nuestro tiempo.

FRANCIA

NAVARRA
Pamplona

Jaca

ARAGÓN

ROSELLÓN
VALSPIR

PALLARS
URGEL
CERDAÑA
BESALÚ
AMPURDÁN

zcoa
a

Huesca

Barbastro
Monzón

ajera

R. Ebro

R. Jalón

Zaragoza

Lérida

BARCELONA

Barcelona

TAIFA DE
ZARAGOZA

Jalón

Calatayud

TAIFA
DE
LÉRIDA

Daroca

R. Jiloca

Huesa

Alcañiz

Molina

El Poyo

Montalbán

Tévar

R. Guadalope

Monreal

Morella

TAIFA DE
ALBARRACÍN

R. Tajo

Albarracín

Teruel

Castellón

Jérica

Onda

Segorbe

Burriana
Almenara

Sagunto

Liria

Puig

Valencia

R. Júcar

Cullera

TAIFA
DE
VALENCIA

Játiva

Denia

Benicadell

Alcoy

E

Alicante

Murcia

Aledo

SULA IBÉRICA
1091 – 1092

Km   200

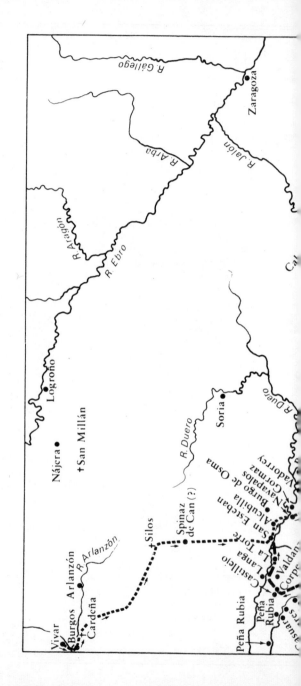

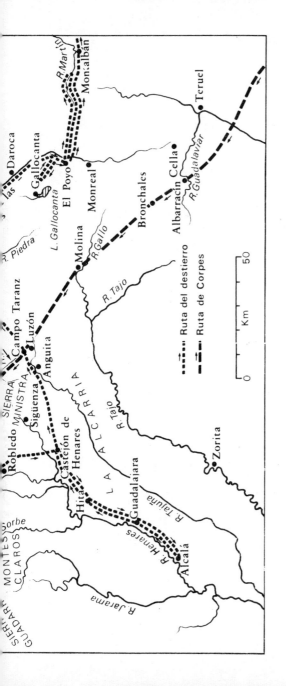

Mapa de las rutas cidianas. *Poema de Mio Cid.* Clásicos Castalia, 75.

Detalle del anterior.

BIBLIOGRAFÍA

Esta bibliografía sólo contiene la referencia de los libros que se han citado en este *Panorama crítico* y que se relacionan de una manera inmediata, por uno u otro motivo, con el *PC*; los que han aportado datos complementarios han quedado mencionados en los lugares correspondientes de una manera extensa, como advertí en el Prólogo; por lo tanto, esta Bibliografía es una relación parcial de obras que se ocupan del *PC*. El lector debe buscar la información bibliográfica en los libros que ya cité antes, bien en las obras generales de H. Serís (1948) y de J. Simón (1963-65 y 1980), o bien en las que se refieren al *PC*, de D. Sutton (1970) y M. Magnotta (1976). En la medida en que ha sido posible (contando con que este *Panorama* es sólo un libro orientador) se han mencionado con cierta abundancia los estudios más recientes para así completar de algún modo las indicadas informaciones bibliográficas. La cifra que figura entre corchetes después del título es la de la primera difusión de la obra o artículo correspondiente, y la indico siempre que me ha sido posible fijarla.

ADAMS, Kenneth
1976 «The Yugoslav Model and the Text of the *PMC*», en *Medieval Hispanic Studies* [...] *to Rita Hamilton*, Londres, Tamesis, pp. 1-10.
1978 «*Pensar de:* Another Old French Influence on the *PMC* and Other Mediaeval Spanish Poems», *La Corónica*, 7, 1, pp. 8-12.

300   PANORAMA CRÍTICO SOBRE EL «POEMA DEL CID»

AGUIRRE, J. M.
1968   Epica oral y épica castellana: «Tradición creadora y tradición repetitiva», *Romanische Forschungen*, 70, pp. 13-43.
1979   «Rima y oralidad», *La Corónica*, 7, 2, pp. 107-08.
1981   «El nombre propio como fórmula oral en el *CMC*», *La Corónica*, 9, 2, pp. 107-119.

AIZENBERG, Edna
1980   «Raquel e Vidas: Myth, Stereotype, Humor», *Hispania*, 63, pp. 478-86.

ALONSO, Amado
1944   «Dios, ¡qué buen vassallo, si oviesse buen señore», *Revista de Filología Hispánica*, 6, pp. 187-91.
1946   Nota al artículo de Leo Spitzer: «¡Dios, qué buen vassallo si oviesse buen señor!», *Revista de Filología Hispánica*, 8, pp. 135-36.

ALONSO, Dámaso
1972a «Estilo y creación en el *PC*» [1941], en *Obras Completas*, Madrid, Gredos, II, pp. 107-47.
1972b «El anuncio del estilo directo en el *PC* y en la épica francesa» [1969], en *Obras Completas,* Madrid, Gredos, II, páginas 195-214.
1975   «Menéndez Pidal y la generación del 98» [1969], en *Obras Completas*, Madrid, Gredos, IV, pp. 99-123.

ALONSO, Manuel
1942   «El Canciller Diego García de Campos y el *CMC*», *Razón y Fe*, 126, pp. 477-94.

ALVAREZ, Fray Jesús
1952   *El Cid y Cardeña*, Burgos, H. Santiago Rodríguez.

ALLEN, Louise H.
1959   «A Structural Analysis of the Epic Style of the *Cid*», en *Structural Studies on Spanish Themes*, Salamanca, Acta Salmaticensia, 13, 3, Filosofía y Letras, pp. 345-414.

ARMAND, Octavio
1972   «El verso 20 del *CMC*», *Cuadernos Hispanoamericanos*, 269, pp. 339-48.

AUBRUN, Charles V.
1947 «La métrique du *MC* est régulière», *Bulletin Hispanique*, 49, pp. 322-72.
1972 «Le *PMC*, alors et à jamais», *Philological Quarterly*, 51, páginas 12-22.

BADIA MARGARIT, Antonio
1954 «Sobre las interpretaciones del verso 20 del *CMC*», *Miscelánea Filológica en Memoria de Amado Alonso*, publicado en *Archivum*, 4, pp. 149-65.
1960 «Dos tipos de lengua cara a cara», en *Homenaje a Dámaso Alonso*, Madrid, Gredos, I, pp. 115-39.

BANDERA GOMEZ, Cesáreo
1966 «Reflexiones sobre el carácter mítico del *PMC*», *Modern Language Notes*, 81, 195-216.
1969 *El PMC: poesía, historia, mito*, Madrid, Gredos.

BEDIER, Joseph
1926-29 *Les légendes épiques (Recherches sur la formation des chansons de geste)*, París, Champion, 4 tomos, 3.ª ed.

BELTRAN, Luis
1978 «Conflictos interiores y batallas campales en el *PMC*», *Hispania*, 61, pp. 235-44.

BENDER, Karl-Heinz
1980 «Die christlich-maurischen Beziehungen im *CMC*», *Iberoromania*, 11, pp. 1-30.

BENICHOU, Paul
1953 «El casamiento del Cid», *Nueva Revista de Filología Hispánica*, 7, 316-36.

BILLICK, David J.
1981 «A Checklist of Theses and Dissertations on the *PC* and the Cid Legend», *La Corónica*, 9, 2, pp. 172-76.

BURSHATIN, Israel G. y BUSSELL, Thomson B.
1977 «*PMC*, line 508: The Cid as a Rebellions assal?», *La Corónica*, 5, pp. 90-2.

BURT, John R.
1980 «The Question-Motif in the *PMC*», *Revista de Estudios Hispánicos*, 14 (1980), pp. 95-106.
1981 «Honor and the Cid's Beard», *La Corónica*, 9, 2, pp. 132-37.

BUSCHI, C. E.
1972 «La mujer en el *PC*», *Comunicaciones de Literatura Española*, Buenos Aires, 1, pp. 76-87.

CALDERA, Ermanno
1965 «L'oratoria nel *PMC*», en *Miscellanea di Studi Ispanici*, 10, Pisa, Universidad, pp. 5-29.

CANTERA BURGOS, Francisco
1958 «Raquel e Vidas», *Sefarad*, 18, pp. 99-108.

CARRASCO, F.
1969 «¿Un antecedente latino de ¡Dios, qué buen vasallo! [...]?, *Thesaurus*, 24, pp. 284-86.

CASALDUERO, Joaquín
1962 «El Cid echado de tierra» [1954], en *Estudios de Literatura española*, Madrid, Gredos, pp. 28-58.
1973 «Un personaje del *PMC*: Per Vermudoz» [1964], en *Estudios de Literatura española*, 3.ª ed., Madrid, Gredos, pp. 53-61.

CASO GONZALEZ, José Miguel
1979 «El *CMC*, literatura comprometida», en *Estudios* [...] dedicados al profesor E. Orozco Díaz, Granada, Universidad, pp. 251-67.
1980 «La *Primera Crónica General* y sus fuentes épicas», en las *Actas de las III Jornadas de Estudios Berceanos*, Logroño, Instituto de Estudios Riojanos, pp. 33-56.

CASTRO, Américo
1954 *La realidad histórica de España*, México, Porrúa.
1957 «Poesía y realidad en el *PC*» [1935], en *Hacia Cervantes*, Madrid, Taurus, pp. 3-17.

CATALAN MENENDEZ-PIDAL, Diego
1963a «Crónicas Generales y Cantares de Gesta: El *MC* de Alfonso y el del pseudo Ben-Alfaray», *HR*, 31, pp. 195-215 y 291-306.

1963b «El taller historiográfico alfonsí. Metodos y problemas en el trabajo compilatorio», *Romania*, 84, pp. 354-75.

1969 «Poesía y novela en la historiografía castellana de los siglos XIII y XIV», en *Mélanges offerts à Rita Lejeune*, Gembloux, J. Duculot, I, pp. 423-41.

1982 «El modelo de investigación pidalino cara al futuro» [1979], en *Actas del Coloquio hispano-alemán*, Tübingen, Niemeyer, pp. 40-65.

CAZAL, Françoise

1977 *Le Cid dans la poésie du Siècle d'Or: El Romancero e Historia de Juan de Escobar*, Université de Toulouse-Le Mirail (Tesis de tercer ciclo).

1978 «L'idéologie du compilateur de Romances: Remodelage du personnage du Cid dans le *Romancero e historia del Cid*, de Juan de Escobar (1605)», en *L'Idéologique dans le texte (Textes hispaniques)*, Actes du IIème Colloque du Séminaire d'Études Littéraires de l'Université de Toulouse-Le Mirail, Toulouse, pp. 197-209.

CLARKE, Dorothy Clotelle

Crucial Line 20 of the PMC: its Meaning and its Structural Use, El Cerrito, Cal, imprenta particular, 1976 (citado a través de *PMC*, ed. I. Michael, 1981, 456-57).

COROMINAS, Pedro

1917 «Sobre algunas ideas jurídicas en los *CMC*», en *El sentimiento de la riqueza en Castilla*, Madrid, pp. 61-219.

CORREA, Gustavo

1952 «El tema de la honra en el *PC*», *Hispanic Review*, 20, páginas 185-99.

CORTES Y VAZQUEZ, Luis

1954 «Ritmo, color y paisaje en la *Chanson de Roland* y el *PC*», *Boletín de la Biblioteca Menéndez Pelayo*, 30, pp. 117-70.

CHALON, Louis

1969 «Le roi Búcar du Maroc dans l'histoire et dans la poésie épique espagnole», *Le Moyen Age*, 35, pp. 39-49.

1976 *L'Histoire et l'Épopée castillane du Moyen Age. Le cycle du Cid. Le cycle de comtes de Castille*, París, Champion.

1980   «Por onrra del Çid e de la sua seña», en *Études* [...] *offerts à Jules Horrent*, Lieja, Universidad, pp. 57-62.

CHAPLIN, Margaret
1976   «Oral-formulaic Style in the Epic: a progress Report», *Medieval Hispanic Studies* [...] *to R. Hamilton*, Londres, Tamesis, pp. 11-20.
        Véase: Deyermond, Alan.

CHASCA, Edmund V.
1972   *El arte juglaresco en el PMC*, Madrid, Gredos, 2.ª ed.
1976   *The Poem of the Cid*, Boston, Twayne.

CHIARINI, Giorgio
1970   «Osservazioni sulla tecnica poetica del *CMC*», *Lavori Ispanistici*, II, Florencia, D'Anna, 7-65.

DARBORD, Bernard
1981   «Les objets et leurs fonctions dans le *CMC*», *Iberica*, Universidad de París-Sorbona, pp. 99-111.

DEVENY, John J.
1977   «Women in *PMC* and in *El cantar de los Infantes de Lara*», *La Corónica*, 6, 1, 12 (resumen de una comunicación).

DEYERMOND, Alan
1969   *Epic Poetry and the Clergy: Studies on the «Mocedades de Rodrigo»*, Tamesis, Londres.
1973   «Structural and Stylistic Patterns in the *PMC*», *Medieval Studies in honour of R. W. Linker*, Madrid, Castalia, páginas 55-71.
1977   «The Lost Literature of Medieval Spain: Excerpts from a Tentative Catalogue», *La Corónica*, 5, 2, pp. 93-100.
1978   «The Problem of Lost Epics: Evidence and Criteria», *La Corónica*, 7, 1, pp. 5-6 (Resumen de una comunicación).
1980   «El *CMC* y la épica», en *Historia y crítica de la Literatura española*, al cuidado de Francisco Rico, I, Edad Media, Barcelona, Ed. Crítica, pp. 81-97.

——, y CHAPLIN, Margaret
1972   «Folk-Motifs in the Medieval Spanish Epic», *Philological Quarterly*, 51, pp. 36-53.

DUGGAN, Joseph J.
1974 «Formulaic Diction in the *CMC* and the Old French Epic», *Forum for Modern Language Studies*, 10, pp. 260-69.
1976 *A Guide to Studies on the «Chanson de Roland»*, Londres, Grant and Cutler, referencias al *PC* en números 318, 342, 441 a 449.

DUNN, Peter N.
1962 «Theme and Myth en the *PMC*», *Romania*, 83, pp. 348-69.
1970 «Levels of Meaning in the *PMC*», *Modern Languages Notes*, 85, pp. 109-19.
1975 «*PMC*, vv. 24-38: epic rethoric, legal formula and the question of dating», *Romania*, 96, pp. 255-64.

DYER, Nancy J.
1979 *Crónica de Veinte Reyes*. Use of the Cid Epic: Perspectives, Method, and Rationale», *Romance Philology*, 33, pp. 534-544.

EDERY, Moise
1967 «El fondo bíblico del *MC*», *Romania*, 20-21, pp. 56-60.

EGIDO, Aurora
1979 «Mito, géneros y estilos: el Cid barroco», *Boletín de la Real Academia Española*, 59, pp. 499-527.

ESCOBAR, Juan de
1973 *Historia y Romancero del Cid* [1605], Madrid, Castalia, ed. de Antonio Rodríguez Moñino.

FAULHABER, Charles B.
1976 «Neotradicionalism, Formulism, Individualism, and recent Studies on the Spanish Epic», *Romance Philology*, 30, pp. 83-101.

FLORANES, Rafael
1908 Opúsculo. Véase Menéndez Pelayo, Marcelino (glosas de la edición del *PC* de T. A. Sánchez).

FRADEJAS LEBRERO, José
1962 *Estudios épicos: el Cid*, Ceuta, Aula Magna.

GALBIS, Ignacio R.
1972 «Don Ramón Menéndez Pidal y el perfil jurídico del Cid», *Revista de Estudios Hispánicos*, 6, pp. 191-210.

GALMES DE FUENTES, Alvaro
1978   *Epica árabe y épica castellana*, Barcelona, Ariel.
1982   «Menéndez Pidal y la actual crítica acerca de las literaturas románicas», en *Actas del Coloquio hispano-alemán*, Tübingen, Niemeyer, pp. 65-76.

GARCIA GOMEZ, Emilio
1951   «Esos dos judíos de Burgos», *Al-Andalus*, 16, pp. 224-27.

GARCIA GONZALEZ, Juan
1961   «El matrimonio de las hijas del Cid», *Anuario de Historia del Derecho Español*, 31, pp. 531-68.

GARCI-GOMEZ, Miguel
1975   *Mio Cid. Estudios de endocrítica*, Madrid.
1977   *CMC*, Madrid, Cupsa.

GERLI, E. Michael
1980   «The Ordo Commendationis Animae and the Cid Poet», *Modern Language Notes*, 95, pp. 436-41.

GIFFORD, Douglas
1977   «European-Folk Tradition and the Afrenta de Corpes», en *Mio Cid Studies*, Londres, Tamesis, pp. 49-62.

GIL, Ildefonso Manuel
1963   «Paisaje y escenario en el *CMC*», *Cuadernos Hispanoamericanos*, 158, pp. 246-58.

GILMAN, Stephen
1961   *Tiempo y formas temporales en el* PC, Madrid, Gredos.

GRASES, Pedro
1981   *La épica española y los estudios de Andrés Bello sobre el* PC, [1941], en *Estudios sobre Andrés Bello*, I. Investigaciones monográficas, Barcelona, Seix Barral, pp. 335-459.

GREEN, Ottis H.
1969   *España y la tradición occidental. El espíritu castellano en la Literatura desde el Cid hasta Calderón* [1963-66], Madrid, Gredos.

GRIEVE, Patricia E.
1979   «Shelter as an Image-pattern in the *CMC*», *La Corónica*, 8, 1, pp. 44-9.

GUERRIERI CROCETTI, Camilo
1944   *L'Epica Spagnola*, Milán, Bianchi-Giovini, [A cura di...].
1957   *Il Cid e i Cantari di Spagna* [a cura di...], Florencia, Sansoni.

HALL, Robert A. Jr.
1965-66   «Old Spanish Stress-Timed verse and Germanic Superstratum», *Romance Philology*, 19, pp. 227-34.

HÄMEL, Adalbert
1928   «Französische und spanische Heldendichtung». *Neue Jahrbucher für Wissenschäft und Jugenbildung*, 4, pp. 37-48.

HAMILTON, Rita
1962   «Epic Epithets in the *PMC*», *Revue de Littérature Comparée*, 36, pp. 161-78.

HART, Thomas H.
1956   «The Infantes de Carrión», *Bulletin of Hispanic Studies*, 38, pp. 17-24.
1977   «Characterization and Plot Structure in the *PMC*», *Mio Cid Studies*, Londres, Tamesis, pp. 63-72.

HARVEY, L. P.
1963   «The Metrical Irregularity of the *CMC*», *Bulletin of Hispanic Studies*, 40, pp. 137-43.

HATHAWAY, Robert L.
1974   «The Art of the Epic Epithets in the *CMC*», *Hispanic Review*, 42, pp. 311-21.

HEMPEL, Wido
1981   «Kollektevrede im *CMC*», en *Aspetti e Problemi delle Letterature Iberiche. Studi offerti a F. Meregalli*, Roma, Bulzoni, pp. 191-207.

HERSLUND, M.
1974   «Le *CMC* et la chanson de geste», *Revue Romane*, 9, pp. 69-121.

HINOJOSA, Eduardo de
1899   «El derecho en el *PC*», en el *Homenaje a Menéndez Pelayo*, Madrid, Victoriano Suárez, I, pp. 551-81.

HOOK, David
1976   «Some observations upon the Episode of the Cid's Lion», *Modern Language Review*, 71, pp. 553-64.
1980   «On Certain Correspondences between the *PMC* and Contemporary Legal Instruments», *Iberomania*, 11, pp. 31-53.

HORRENT, Jules
1951   «*Roncesvalles*»: *Étude sur le fragment de cantar de geste conservé à l'Archivo de Navarre (Pampelune)*, París, Les Belles Letres, vol. 122 de la Bibliothèque de la Faculté de Philosophie et Lettres de l'Université de Liège.
1973a   «Tradición poética del *CMC* en el siglo XII» [1964], en *Historia y poesía en torno al CC*, Barcelona, Ariel, pp. 243-311.
1973b   «Localización del *Cantar de mio Cid*», en *Historia y poesía en torno al CC*, Barcelona, Ariel, pp. 313-329.
1973c   «El Cid histórico», en *Historia y poesía en torno al CMC*, Barcelona, Ariel, pp. 9-89.
1973d   «El *Carmen Campidoctoris*» [1959], en *Historia y poesía en torno al CMC*, Barcelona, Ariel, pp. 91-122.
1973e   «El *CMC* frente a la tradición rolandiana» [1956], en *Historia y poesía en torno al CC*, Barcelona, Ariel, pp. 341-74; en las pp. 343 a 345, amplía bibliografía de las relaciones entre el *PC* y la *Chanson de Roland*.
1973f   «Notas de crítica textual sobre el *CMC*» [1964], en *Historia y poesía en torno del CC*, Barcelona, Ariel, 1: «A propósito del *explicit* de Per Abbat», pp. 197-207; 2: «Acerca de algunas correcciones inspiradas en la *Crónica de Veinte Reyes*, pp. 207-18; 3: «Algunos especímenes de corrección al *CMC*, ed. R. Menéndez Pidal», pp. 218-41.
1973g   «La *Gesta Roderici*», en *Historia y poesía en torno del CC*, Barcelona, Ariel, pp. 123-43.
1976   «Note sur le Cid, héros chrétien», *Revue belge de Philologie et d'Histoire*, 54, pp. 769-72.
1977   «La *Gesta Roderici*», en *Mio Cid Studies*, Tamesis, Londres, páginas 123-43.
1982   *CMC. Chanson de mon Cid*, Gante, Editions Scientifiques E. Story-Scienctia, 1982.

HUERTA, Eleazar
1948   *Poética del MC*, Santiago de Chile, 1948.
1965   «La primera hoja del *MC*», en *Collected Studies in honour of Américo Castro's Eightieth Years*, Oxford, Lincombe Lodge Research Library.

KAY, Sara
1978 «The Nature of Rethoric in the *Chanson de geste*», *Zeitschrift für Romanische Philologie*, 94, pp. 305-20.

KIRBY, Steven D.
1980 «Legal Doctrine and Procedure as Approaches to Medieval Hispanic Literature», *La Corónica*, 8, 2, pp. 164-71.

KULLMANN, Ewald
1931 «Die dichterische und sprachliche Gestalt des *CMC*», *Romanische Forschungen*, 45, pp. 1-65.

LACARRA, José María
1975 «En torno de la propagación de la voz *hidalgo*», en el *Homenaje a don A. Millares Carlo*, Las Palmas de Gran Canaria, Confederación Española de Cajas de Ahorro, II, pp. 43-53.

LACARRA, María Eugenia
1977 «El *PMC* y el Monasterio de San Pedro de Cardeña», en el *Homenaje a don José María Lacarra de Miguel*, II, Zaragoza, Universidad, pp. 79-94.
1980a *El «PMC»: Realidad histórica e ideología*, Madrid, José Porrúa.
1980b «La utilización del Cid de Menéndez Pidal en la ideología militar franquista», *Ideologies and Literature*, 3, 12, pp. 95-127.

LANGE, Wolf-Dieter
1982 «El concepto de tradición en la crítica literaria de don Ramón Menéndez Pidal», en las *Actas del Coloquio hispano-alemán Ramón Menéndez Pidal*, Tübingen, Niemeyer, páginas 150-171.

LAPESA MELGAR, Rafael
1961 «Sobre las construcciones *con sola su figura, Castilla la gentil* y similares», *Ibérida. Revista de Filología*, 6, pp. 83-95.
1967 «La lengua de la poesía épica en los cantares de gesta y en el Romancero viejo» [1955-1964], en *De la Edad Media a nuestros días*, Madrid, Gredos, pp. 9-28.
1980a *Historia de la lengua española*, Madrid, Gredos, 8.ª ed. refundida y muy aumentada.
1980b «Sobre el *CMC*. Crítica de críticas. Cuestiones lingüísticas», en *Études de Philologie Romane et d'Histoire Littéraire offerts à Jules Horrent*, Lieja, Universidad, pp. 213-31.

1982 «Sobre el *CMC*. Crítica de críticas. Cuestiones históricas», en *Essays on Narrative Fiction in the Iberian Peninsula in Honour of Frank Pierce*, Oxford, The Dolphin Book, páginas 55-66.

LAZA PALACIOS, Manuel
1964 *La España del poeta de MC (Comentarios a la Crónica de Alfonso VII)*, Málaga, El Guadalhorce.

LE GENTIL, Pierre
1953 «La notion d'*état latent* et les derniers travaux de M. Menéndez Pidal», *Bulletin Hispanique*, 55, pp. 113-148.
1959 «Le traditionalisme de D. Ramón Menéndez Pidal, d'après un ouvrage récent», *Bulletin Hispanique*, 61, pp. 183-214.

LEO, Ulrich
1959 «'La Afrenta de Corpes', novela psicológica», *Nueva Revista de Filología Hispánica*, 13, pp. 291-304.

LEON, María Teresa
1968 *Doña Jimena Díaz de Vivar, gran señora de todos los deberes*, Madrid, Biblioteca Nueva, 2.ª ed.

LEVI-PROVENÇAL, E.
1948 «La toma de Valencia por el Cid según las fuentes musulmanas y el original árabe de la Crónica General de España», *Al-Andalus*, 13, pp. 79-156.

LI GOTTI, Ettore
1951 «El *CMC*, Cantar del "buen vassallo"», *Letterature Moderne*, 2, pp. 521-43.

LIDA DE MALKIEL, María Rosa
1952 *La idea de la fama en la Edad Media castellana*, México, Fondo de Cultura Económica.

LOMAX, Derek W.
1977 «The date of the *PMC*», en *Mio Cid Studies*, Londres, Tamesis, pp. 73-81.

LOPEZ ESTRADA, Francisco
1977 *Los «Primitivos» de Manuel y Antonio Machado*, Madrid, Cupsa.

1978   «El Romancero medieval, I. Teoría general», *Revista de Bachillerato*, 2, núm. 5 (1978), 2-15; «Comentario del *Romance del Rey moro que perdió a Valencia*», ídem, 2, número 6, pp. 26-43.

1979   *Introducción a la Literatura medieval española*, Madrid, Gredos, 4.ª ed.

1981a   «Sobre la repercusión literaria de la palabra *clerecía* en la literatura vernácula primitiva», en *Actas del I Simposio de Literatura española*, Salamanca, Universidad, pp. 251-262.

1981b   *PC* (versión moderna, con prólogo de...), Madrid, Castalia, 9.ª ed.

LORD, Albert B.
1960   *The Singer of Tales*, Cambridge, Mass., Harvard Studies in Comparative Literature.

LORENZ, Erika
1971   *Der altspanische Cid*, München, W. Fink.

MAGNOTTA, Miguel
1971   «Sobre la crítica del *Mio Cid*: problemas en torno del autor», *Anuario de Letras* (Méjico), 9, pp. 51-98.

1976   *Historia y bibliografía de la crítica sobre el PMC (1750-1971)*, Chapel Hill, University of North Carolina, núm. 145 de la serie de los North Carolina Studies in Romance Languages and Literatures.

MARAVALL CASESNOVES, José Antonio
1964   *El concepto de España en la Edad Media*, Madrid, Instituto de Estudios Políticos, 2.ª ed.

MARCOS MARIN, Francisco
1971   *Poesía narrativa árabe y épica hispánica. Elementos árabes en los orígenes de la épica hispánica*, Madrid, Gredos.

MARIN, Nicolás
1974   «Señor y vasallo. Una cuestión disputada en el *CC*», *Romanische Forschungen*, 86 (1974), pp. 451-461.

MARTIN, Georges
1979   «Mio Cid el Batallador. Vers une lecture sociocritique du *CMC*», *Imprévue*, 1/2, pp. 27-91.

1980   «La marginalidad cidiana. Texto, mitos», *Imprévue*, 1, páginas 53-61.

MATEU Y LLOPIS, Felipe
1947   «La moneda en el *PC*. Un ensayo de interpretación numismática del *CMC*», *Boletín de la Real Academia de Buenas Letras de Barcelona*, 20, pp. 43-56.

MENENDEZ PELAYO, Marcelino
1908   «Dos opúsculos inéditos de D. Rafael Floranes y D. Tomás Antonio Sánchez», *Revue Hispanique*, 18, pp. 295-431. El Opúsculo de Floranes, en pp. 343-93; y la respuesta de Sánchez, en pp. 394-431.

MENENDEZ PIDAL, Ramón
1913   *PMC*, Madrid, «La Lectura».
       (En 1980, en la Colección «Clásicos Castellanos» ha aparecido la 15.ª edición.)
1945a *La epopeya castellana a través de la Literatura Española* [1911], Buenos Aires, Espasa-Calpe, 1945, 2.ª ed. en español.
1945b «Cuestiones de método histórico», en *Castilla, la tradición y el idioma*, Buenos Aires, Espasa-Calpe, pp. 75-169.
1950   *El Imperio Hispánico y los cinco Reinos*, Madrid, Instituto de Estudios Políticos.
1951   *Reliquias de la poesía española*, Madrid, Espasa-Calpe.
1953   *Romancero Hispánico (Hispano-Portugués, Americano y Sefardí). Teoría e historia*, Madrid, Espasa-Calpe, 2 vols.
1956a *CMC, Texto, Gramática y Vocabulario, por...* [1908-1911], Madrid, Espasa-Calpe, 3 vols., 3.ª ed.
1956b *Los godos y la epopeya española. «Chansons de geste» y baladas nórdicas*, Madrid, Espasa-Calpe, pp. 1-57.
1957   *Poesía juglaresca y orígenes de las literaturas románicas* [1924], Madrid, Instituto de Estudios Políticos, 6.ª ed.
1959   *La Chanson de Roland y el neotradicionalismo (Orígenes de la épica románica)*, Madrid, Espasa-Calpe.
1965-66 «Los cantares épicos yugoeslavos y los occidentales...», *Boletín de la Real Academia de Buenas Letras de Barcelona*, 31, pp. 195-225.
1969   *La España del Cid* [1929], Madrid, Espasa-Calpe, 7.ª ed., 2 volúmenes.
1970a «Dos poetas en el *CMC*» [1961], en *En torno al PC*, Barcelona, Edhasa, pp. 117-174.

1970b «Recapitulación final» [1962], en *En torno al PC*, Barcelona, Edhasa, pp. 199-234.
1970c «La épica medieval en España y Francia» [1952], en *En torno al PC*, Barcelona, Edhasa, 73-101.
1970d «Mitología en el *PC*» [1958], en *En torno al PC*, Barcelona, Edhasa, pp. 191-98.

MICHAEL, Ian
1976-1977 «Geographical Problems in the *PMC*»: «I. The exile Rout», en *Medieval Hispanic Studies* [...] *Rita Hamilton*, Londres (1976), pp. 117-28. «II. The Corpes Rout», en *Mio Cid Studies*, Londres, Tamesis (1977), pp. 83-9.
1981 *PMC*, ed. de... [1976], Madrid, Castalia, 2.ª ed.

MILA Y FONTANALS, Manuel
1959 *De la poesía heroicopopular castellana* [1874], Barcelona, CSIC, ed. de Martín de Riquer.

MILETICH, John S.
1977 «Medieval Spanish Epic and European Narrative Traditions», *La Corónica*, 6, 2, pp. 90-6.
1981 «Repetition and aesthetic function in the *PMC* and South-Slavic oral and literary epic», *Bulletin of Hispanic Studies*, 58, pp. 189-96.

MOLHO, Maurice
1977 «El *CMC*, poema de fronteras», en el *Homenaje a don José María Lacarra*, Zaragoza, Universidad, pp. 243-260.
1981 «Inversión y engaste de inversión. Notas sobre la estructura del *CMC*», en *Organizaciones textuales (textos hispánicos)* [1980], Université de Toulouse-Le Mirail, pp. 193-208.

MONTGOMERY, Thomas
1962 «The Cid and the Count of Barcelona», *Hispanic Review*, 30, pp. 1-11.
1975 «Grammatical Causality and Formulism in the *PMC*», en *Studies in Honor of Ll. A. Kasten*, Madison, Hispanic Seminary of Medieval Studies, pp. 185-98.
1977a «The *PC*: Oral Art in Transition», en *Mio Cid Studies*, Londes, Tamesis, pp. 91-112.
1977b «Basque Models for some Syntactic Traits of the *PMC*», *Bulletin of Hispanic Studies*, 54, pp. 95-9.

MONTORO, Adrián G.
1974   «La épica medieval española y la "estructura trifuncional"
       de los indoeuropeos», *Cuadernos Hispanoamericanos*, 95,
       páginas 554-71.

MORENO BAEZ, Enrique
1967   «El estilo románico y el *CC*», *Actas del II Congreso Inter-
       nacional de Hispanistas*, Nimega, Universidad, pp. 429-38.

MORRIS, J.,
       Véase Smith, Colin (1977h).

MUÑOZ CORTES, Manuel
1974   «El uso del pronombre *yo* en el *PC*», en *Studia hispanica in
       honorem R. Lapesa*, Madrid, Gredos, II, pp. 379-97.

MYERS, Oliver T.
1977   «*PMC*: a final word?», en *Mio Cid Studies*, Tamesis, Lon-
       dres, pp. 113-28.

NAVARRO TOMAS, Tomás
1974   *Métrica española* [1956], Madrid-Barcelona, Guadarrama-
       Labor, 5.ª ed.

NELSON, Jan A.
1973   «Initial Imaginery in the *CMC*», *Neuphilologische Mittei-
       lungen*, 74, pp. 382-86.

NEPAULSINGH, Colbert I.
1980   «The Afrenta de Corpes and the Martyrological Tradition»,
       La Corónica, 9, 1, pp. 5-6.

NORTHUP, George T.
1942   «The *PC* viewed as a Novel», *Philological Quartely*, 21, pági-
       nas 17-22.

OLEZA, Juan de
1972   «Análisis estructural del humorismo en *PC*», en *Homenaje
       a Rafael Benítez Claros*, en *Ligarzas*, Valencia, 4, pp. 193-234.

ORDUNA, Germán
1972   «Las técnicas de estructura y la intervención de los dos
       juglares en el *PMC*», en *Studia Hispánica in honorem
       R. Lapesa*, II, Madrid, Gredos, pp. 411-431.

OROZ, Rodolfo
1949 «Los animales en el *CMC*», en *Miscelánea de* [...] *F. A. Coelho, Boletim de Filologia*, Lisboa, 10, pp. 273-78.

OROZCO DIAZ, Emilio
1968 «Sobre el sentimiento de la Naturaleza en el *PC*» [1965], en *Paisaje y sentimiento de la Naturaleza*, Madrid, Prensa Española, pp. 65-81.

PARDO, Aristóbulo
1972 «Los versos 1-9 del *PMC; ¿*no comenzaba ahí el Poema», *Thesaurus*, 27, pp. 261-92.

PASCUAL MARTIN, Antonio María
1978 «Transfondo estético del *PMC*», *Arbor*, 99, 388, pp. 39-50.

PATTISON, O. G.
1967 «The Date of the *CMC*: A Linguistic Approach», *Modern Language Review*, 62, pp. 443-50.

PELLEN, René
1976 Reseña del artículo de A. Ubieto (1972), en *Revue de Linguistique Romane*, 40, pp. 241-57.
1979 *PMC. Dictionnaire lemmatisé de formes et des références*, I, París, Universidad (XIII).

PERISSINOTTO, Giorgio
1979 «La Reconquista en el *PMC*. Una nueva lectura», *Hispanófila*, 65, pp. 1-15.

PICCUS, Jules
1971 «Jerónimo de Zurita y el *CMC*», *Nueva Revista de Filología Hispánica*», 20, pp. 381-84.

POLAINO ORTEGA, Lorenzo
1981 «El saber jurídico de Mio Cid», *Boletín de la Real Academia Sevillana de Buenas Letras*, 9, 88-99.

POLLMANN, Leo
1973 *La épica en las Literaturas románicas*, Barcelona, Planeta.

PORRAS COLLANTES, Ernesto
1977 «Descripción funcional del *CMC*», *Thesaurus*, 32, pp. 660-91.

RAMOS ORTEGA, Francisco
1977   «*La Fille du Cid*, de Casimir Delavigne: del héroe neoclásico al romántico», *Segismundo*, 13, 1-2, pp. 187-211.
1981   «La fortuna del Cid en el Romanticismo francés», *Revista de Literatura*, 43, pp. 37-58.

RAMSDEM, H.
1959   «The taking of Alcocer» (*CMC* vv. 574-610)», *Bulletin of Hispanic Studies*, 36, pp. 129-23.

RIAÑO RODRIGUEZ, Timoteo
1971   «Del autor y fecha del *PMC*», *Prohemio*, 2, pp. 467-500.

RICHTHOFEN, Erich von
1970a «El problema estructural del *PC*» [1967], en *Nuevos estudios épicos medievales*, Madrid, Gredos, pp. 136-46.
1970b «Estilo y cronología de la temprana epopeya romance» [1962], en *Nuevos estudios épicos medievales*, Madrid, Gredos, pp. 109-28.
1970c «¿Hacia una nueva cronología?» [1964], en *Nuevos estudios épicos medievales*, Madrid, Gredos, pp. 129-135.
1976   «Conceptos épicos de moderación frente a la intolerancia y los prejuicios» [1970], en *Límites de la crítica literaria*, Barcelona, Planeta, pp. 203-11.

RIQUER, Martín de
1952   *Los cantares de gesta franceses*, Madrid, Gredos.
1959   «Épopée jongleresque à écouter et épopée romanesque à lire», en *La technique littéraire des Chansons de geste. Actes du Colloque de Liège, 1957*, París, pp. 75-84.
1968   «Bavieca, caballo del Cid Campeador, y Bauçan caballo de Guillaume d'Orange» [1953], en *La leyenda del Graal y otros temas épicos medievales*, Madrid, Prensa Española, pp. 227-247.
1980   «El *CMC* para el lector actual», en *CC*, texto antiguo de R. Menéndez Pidal, prosificación moderna de Alfonso Reyes [1976], Madrid, Espasa-Calpe, Selecciones Austral, pp. 9-34.

RODRIGUEZ-PUERTOLAS, Julio
1976   «*PMC*: nueva épica y nueva propaganda», en *Literatura, historia y alineación*, Barcelona, Labor, pp. 9-43; apareció también (ligeramente modificado, según el autor) en *Mio Cid Studies*, Tamesis, Londres, 1977, pp. 141-59.

RUBIO GARCIA, Luis
1972 *Realidad y fantasía en el PMC*, Murcia, Universidad.

RUSSELL, Peter E.
1978a «El *PMC* como documento de información caminera», en *Temas de «La Celestina», y otros estudios*, Barcelona, Ariel, pá-
1978c «San Pedro de Cardeña y la Historia heroica del Cid» [1958], en *Temas de «La Celestina» y otros estudios*, Barcelona, Ariel, pp. 71-112.
1978d «Alcocer», en *Temas de «La Celestina» y otros estudios*, Barcelona, Ariel, pp. 35-69.
1978e «Algunos problemas de Diplomática en el *PMC* y su significación» [1952], en *Temas de la «Celestina» y otros estudios*, Barcelona, Ariel, pp. 15-33.

RYCHNER, Jean
1955 *La Chanson de geste. Essai sur l'art épique des jongleurs*, Genève-Lille, Droz y Giard.

SALINAS, Pedro
1958a «El *CMC*, Poema de la honra» [1945], en *Ensayos de Literatura Hispánica*, Madrid, Aguilar, pp. 27-44.
1958b «La vuelta al esposo: ensayo sobre estructura y sensibilidad en el *CMC*» [1947], en *Ensayos de Literatura Hispánica*, Madrid, Aguilar, pp. 45-57.

SALVADOR MARTINEZ, H.
1975 *El «Poema de Almería» y la épica románica*, Madrid, Gredos.

SALVADOR MIGUEL, Nicasio
1977 «Reflexiones sobre el episodio de Rachel e Vidas en el *CMC*», *Revista de Filología Española*, 59, pp. 183-223.

SANCHEZ, Thomás Antonio
1779 *Colección de poesías castellanas anteriores al siglo XV...*, ilustradas con notas por..., Madrid, Sancha, I [...] *Poema del Cid*.
1908 Opúsculo. Véase Menéndez Pelayo, Marcelino. (Respuesta a las glosas de Rafael Floranes.)

SANCHEZ ALBORNOZ, Claudio
1956 *España, un enigma histórico*, Buenos Aires, Editorial Suramericana, 2 vols.

SANDOVAL, Fray Prudencio de
1601 *Primera Parte de las Fundaciones de los monasterios del glorioso padre San Benito...*, Madrid, Luis Sánchez.

SAUSSOL, José María
1978 *Ser y Estar. Orígenes de sus funciones en el CMC*, Sevilla, Universidad.

SCHAFLER, Norman
1977 «*Sapientia et fortitudo* in the *PMC*», *Hispania*, 60, pp. 44-50.

SCHWEIZER, Ulrico
1974 *Die erzählenden Vergangenheitstempora im Altfranzösischen («Chanson de Roland») und im Altspanischen («PMC»). Ein Vergleich*, Zürich, Juris Druck, Verlag Zurich, 1974.

SERRANO CASTILLA, Francisco
1954 «El *PC*, obra probable de algún monje benedictino», *Estudios*, 10, pp. 67-71.

SICILIANO, Italo
1951 *Les origines des chansons de geste. Théories et discussions*, París, J. Picard.
1968 *Les chansons de geste et l'épopée. Mythes, histoire, poème*, Turín, Società Editrice Internazionale.

SIMON DIAZ, José
1963 *Bibliografía de la Literatura Hispánica*, Madrid, Consejo Superior de Investigaciones Científicas, III, vol. I, referencias desde núm. 307 a núm. 689.
1980 *Manual de Bibliografía de la Literatura Hispánica*, Madrid, Gredos, 3.ª edición, referencias desde el núm. 2433 a número 2573 (hasta fines de 1976).

SMITH, Colin
1976 *PMC* [1972], Madrid, Cátedra.
1977a «Per Abad y el *PMC*» [1973], en *Estudios cidianos*, Madrid, Cupsa, pp. 15-34).

1977b «El Derecho, tema del *PMC* y profesión de su autor», en *Estudios cidianos*, Madrid, Cupsa, pp. 63-85.

1977c «Historias latinas y épica vernácula» [1971], en *Estudios cidianos*, Madrid, Cupsa, pp. 87-106.

1977d «Fuentes clásicas de dos episodios del *PMC*» [1975], en *Estudios cidianos*, Madrid, Cupsa, pp. 107-23.

1977e «Temas carolingios y franceses en el *PMC*», en *Estudios cidianos*, Madrid, Cupsa, pp. 125-59.

1977f «Further French Analogues and Sources for the *PMC*», *La Corónica*, 6 (1977), pp. 14-21.

1977g «Realidad y retórica: el binomio en el estilo épico», en *Estudios cidianos*, Madrid, Cupsa, pp. 161-217.

1980a «Sobre la difusión del *PMC*», en *Études* [...] *offerts à Jules Horrent*, Lieja, Universidad, pp. 417-27.

1980b «Los orígenes de la poesía vernácula en España», en las *Actas del Sexto Congreso Internacional de Hispanistas*, Toronto, Universidad, pp. 27-43.

1979a «La métrica del *PMC*», *Nueva Revista de Filología Hispánica*.

—— [y MORRIS, J.]
1977h «La fraseología física del lenguaje épico», en *Estudios cidianos*, Madrid, Cupsa, pp. 219-89.

——, y WALKER, Roger
1979b «Did the Infantes de Carrión intend to kill the Cid's daughters?», *Bulletin of Hispanic Studies*, 56, pp. 1-10.

SOCARRAS, Cayetano J.
1971 «The Cid and the Bishops of Valencia (An Historical Interpretation)», *Iberromania*, 3, pp. 101-11.

SOLA-SOLE, J. M.
1976 «De nuevo sobre las arcas del Cid», *Kentucky Review Quartely*, 23, pp. 3-15.

SPITZER, Leo
1946 «¡Dios, qué buen vassallo   si oviesse buen señor!», *Revista de Filología Hispánica*, 8, pp. 132-35.

1962 «Sobre el carácter histórico del *PMC*» [1948], en *Sobre antigua poesía española*, Buenos Aires, Universidad, 1962, páginas 9-25.

SPONSLER, Lucy A.
1973   «Women in Spain: Medieval Law versus Epic Literature»,
       Revista de Estudios Hispánicos, 7 (1973), pp. 427-448.

STANLEY, Margaret P.
1975   «¿Quién es el verdadero enemigo del Cid?», Hispanófila, 55,
       páginas 31-8.

STRAUSSER, Mary J.
1969-70   «Alliteration in the PMC», Romance Notes, 11, pp. 439-43.

SUTTON, Dona
       «The Cid: A Tentative Bibliography to January 1969», Re-
       vista de Filología (de Santiago de Chile), 21, pp. 21-173.

TALENS, Jenaro
1978   «Análisis de un fragmento del PMC» [vv. 330-365, oración
       de doña Jimena], en la parte «Teoría y técnica del análisis
       poético», publicada en el colectivo Elementos para una se-
       miótica del texto artístico, Madrid, Cátedra, pp. 83-95.

TERLINGEN, Juan
1953   «Uso profano del lenguaje cultual cristiano en el PMC»,
       en Estudios dedicados a Menéndez Pidal, Madrid, Consejo
       Superior de Investigaciones Científicas, IV, pp. 265-94.

THOMOV, Thomas S.
1965   «La Chanson de Roland et le PC: A propos de la question
       des contacts littéraires romanes», Annuaire de l'Université
       de Sofia (Faculté de Philologie), 59, pp. 337-69.

THOMSON, B. Busell
       Véase BURSHATIN, Israel G. y ...

UBIETO ARTETA, Antonio
1957   «Observaciones al CMC», Arbor, 37, pp. 145-70.
1972   «El CMC y algunos problemas históricos», en el Homenaje
       a Rafael Benítez Claros, en Ligarzas, Valencia, 4, pp. 5-192.

UNAMUNO, Miguel
1977   Gramática y vocabulario del PC, Madrid, Espasa-Calpe,
       ed. Barbara D. Huntley y Pilar Liria.

URIARTI REBAUDI, Lía Noemí
1972   «La ironía en el *PC*», *Comunicaciones de Literatura Española*, 1, pp. 150-55.

VALBUENA PRAT, Angel
1981   *Historia de la Literatura Española* [1937], Barcelona, Gustavo Gili, I.

VARVARO, Alberto
1971   «De la storia alla poesia epica: Alvar Fáñez», en los *Studi di Filologia romanza offerti a Silvio Pellegrini*, Padua, Liviani, pp. 655-65.

VEGA GARCIA-LUENGOS, Germán
1980   «El objeto directo con *a* en el *PMC*», *Castilla*, 2.ª época, 1, páginas 135-52.

WALKER, Roger M.
1976   «The Role of the King and the Poet's Intention in the *PMC*», en *Medieval Hispanic Studies* [...] *to Rita Hamilton*, Londres, Tamesis, pp. 257-66.
1977a «The Infantes de Carrión and the final duels in the *PMC*», *La Corónica*, 6, 1, pp. 22-5.
1977b «A Possible Source for the 'Affrent Corpes' Episode in the *PMC*», *The Modern Language Review*, 72, pp. 335-47.
1979b Véase Smith, Colin.

WALSH, John K.
1970-71 «Religious Motifs in the Early Spanish Epic», *Revista Hispánica Moderna*, 36, pp. 165-72.
1977   «Epic Flaw and Final Combat in the *PMC*», *La Corónica*, 5, 2, pp. 100-09.

WALTMAN, Franklin M.
1973   *Concordance to PMC*, The Pennsylvania State, University Press, University Park and London (basada en la edición paleográfica de R. Menéndez Pidal).
1975   «Tagmemic Analysis and Unity of Authorship in *CMC*», en *Revista de Estudios Hispánicos*, 9, 451-69.
1978   «Parallel Expressions in the *CMC*», *Bulletin of Hispanic Studies*, 55 (1978), pp. 1-3.
1980   «Formula and Theme in the *CMC*», *Hispania*, 63, pp. 20-4.

WEBBER, Ruth House
1951a «Ramón Menéndez Pidal and the Romancero», *Romance Philology*, 5, pp. 15-25.
1951b «Formulistic Diction in the Spanish Ballad», Publications in Modern Philology, University of California, 34, pp. 175-278.
1965   «Un aspecto estilístico del *CMC*», *Anuario de Estudios Medievales*, 2 (1965), 485-96.
1980   «Lenguaje tradicional: epopeya y romancero», *Actas del Sexto Congreso Internacional de Hispanistas*, Toronto, Universidad, pp. 779-81.

WEST, Geoffrey
1977   «King and Vassall in History and Poetry: a contrast between *the Historia Roderici* and the *PMC*», en *Mio Cid Studies*, Tamesis, Londres, pp. 195-208.
1981   «A proposed literary context for the Count of Barcelona episode of the *CMC*», *Bulletin of Hispanic Studies*, 58, páginas 1-12.

WILLIS, Raymond S.
1972   «La *Crónica rimada del Cid*: A School Text?», en *Studia hispanica in honorem R. Lapesa*, Madrid, Gredos, I, pp. 587-595.

ZAHAREAS, Anthony
1964   «The Cid's legal Action at the Court of Toledo», *Romanic Review*, 55, pp. 161-72.

ÍNDICE DE AUTORES, PERSONAJES DEL *POEMA DEL CID* Y MATERIAS TRATADAS

Las referencias van en un orden alfabético único y envían a las páginas del libro. Agradezco a doña María Soledad Arredondo su ayuda en la confección de estos índices.

Abat, P., 20, 25, 28-30, 40-45, 51, 52, 131, 199, 201, 202, 207, 211, 224, 237
Abencerraje, El, 166
Abengalbón, 128, 144, 164, 165
Acción épica, 227-241
Adams, K., 39, 215, 299
Adjetivos, 120, 124, 243, 244
Afrenta de Corpes, 53, 54, 59, 68, 110, 136-138, 143, 145, 146, 159, 165, 197, 250, 306, 310, 314, 319, 321
Aguirre, J. M., 24, 39, 41, 213, 224, 225, 300
Aizenberg, E., 167, 300
Alejandro II, Papa, 84
Alfonso I el Batallador, 153
Alfonso V de León, 132
Alfonso VI, 23, 59, 60-67, 71, 73, 78-80, 86, 87, 94, 101, 108, 109, 116, 117, 122, 123, 130, 132, 140, 147, 151, 153, 154, 157, 160, 161, 168, 169, 176-180, 182, 185, 254, 261, 277, 295
Alfonso VII, 22, 185
Alfonso VIII, 23, 24, 25, 81, 96, 97, 152
Alfonso X El Sabio, 36, 79, 115, 142, 247, 251, 259

Alonso, A., 64, 300
Alonso, D., 145, 187, 248, 252, 255, 270, 282-284, 287, 300
Alonso, M., 45, 290, 300
Altercatio Hadriani Augusti et Epicteti philosophi, 18
Alvar, M., 173
Álvarez, Fr. J., 300
Álvarez, Alvar, 146
Allen, L. H., 126, 157, 208, 247, 300
Amigos del Cid, 139-154
Ami et Amile, 200
Ansúrez, G., 156
Antigüedad, 67, 124, 194, 319 (*Véase* Influencias latinas clásicas)
Antolínez, M., 143, 144, 149, 151, 162, 165, 167, 173, 230, 233, 252, 253
Aposiciones, 120
Árabes, influencias (*Véase* Influencias árabes)
Arabismos en el *PC*, 203
Aragón y el *PC*, 94, 95, 145, 148, 182, 185, 211, 212
Argumento, 58-61, 107-111
Argumento (como verosimilitud), 88-94

Aristóteles, 88
Armas y letras, 150, 151, 226
Armand, O., 68, 300
Attias, M., 275
Aubrun, Ch. V., 90, 142, 219, 301
Augurios, 196
Auze, 196
Autor del PC, 26-29, 311, 316, 318, 321
    (Véase Juglar-autor y Clérigo-autor)
Azorín, 284, 288

Babieca
    (Véase Bavieca)
Bacon, L., 274
Badía Margarit, A., 64, 248, 301
Baldensperger, F., 268
Balzac, H. de, 92
Bandera, C., 65, 87, 91, 99, 112, 301
Barbas del Cid, 120, 121, 302
Barroco, El Cid en el, 267-270, 305
Battaglia, S., 274
Bavieca, 121, 122, 199, 240, 316
Bayo, M., 286
Bédier, J., 42, 130, 301
Beer, R., 130
Beltrán, Don, 185
Beltrán, L., 119, 301
Bello, A., 22, 197, 209, 218, 271, 306
Ben Alcama, 115
Bender, K. H., 77, 83, 162, 301
Benichou, P., 132, 301
Beowulf, 262
Berceo, G. de, 22, 28, 48, 55, 173, 224, 247, 263
Berenguer III, R., 134
Berte aus grans piés, 200
Bermúdez, Pedro, 143, 165, 230, 253
Bernardo, arzobispo, 141
Bertoni, G., 130, 274

Biblia, relaciones con la, 18, 48, 70, 72, 90, 117, 172, 195, 196, 305
Bibliografía del PC, 292, 293, 311, 318, 320, 299-322
Billick, D. J., 293, 301
Binomios léxicos, 172, 173, 243
Blanca de Navarra, 23, 34
Blanco, C., 292
Bolano e Isla, A., 272
Bondanella, P. E., 278
Borgoñeses en el PC, 185
Bronston, S., 286
Búcar, rey, 77, 122, 163, 167, 232, 236, 245, 265
Burgués (gentilicio y clase social), 65, 66, 144, 145, 173, 174
Burguesía, 148, 149, 170-177
Burshatin, I. G., 116, 301
Burt, J. R., 70, 90, 120, 196, 302
Buschi, C. E., 132, 302

Caldera, E., 115, 142, 192, 302
Caminos en el PC, 103, 313, 317
Campeador (título), 119, 120
Cantar (parte de la obra), 55, 57, 119
Cantar de los Infantes de Lara, 132
Cantera, F., 167, 302
Cantores yugoeslavos, 32, 33, 39, 40, 251, 255, 299, 311-313
Cardona de Gibert, A., 272
Carlomagno, 87, 142, 198
Carmen Campidoctoris, 119, 193, 194
Carrasco, F., 67, 302
Casalduero, J., 277, 302
Caso González, J. M., 176, 260, 302
Castellanidad del PC, 95, 96, 124, 160, 161, 178, 179, 183, 211, 306
Castro, A., 34, 91, 99, 202, 302
Castro, Guillén de, 267
Catalán, D., 15, 260, 287, 302-303

Catalanes en el *PC*, 183, 184, 231, 233-235, 313, 322
Cazal, F., 265, 303
Ceremonial, 73, 74, 81
Cervantes, M. de, 102, 147, 148, 267
Cine, El *PC* en el, 286
Clarke, D. C., 303
Clerecía, 43, 47, 48, 70, 207, 225, 247, 260, 263, 311, 318
    (*Véase* Cristianismo, Oraciones, Derecho, Jurídicos, aspectos, Sapientia, Fortitudo)
Clérigo-autor, 40-45, 78
Códice del *PC* (BN Madrid), 15-19, 294, 295, 308
Coester, A., 130
Colada (espada), 128
Colección de poesías castellanas anteriores al siglo XV, 19, 270
Coltelli, D., 274
Comicidad, 231-236, 249
Comparaciones, 125, 245, 246
Comparatismo, 99, 198-204
    (*Véase* Relaciones con...)
Composición binaria, 225-227
    (*Véase* Binomios léxicos)
Conde de Barcelona [Berenguer Ramón II], 55, 108, 117, 129, 183, 184, 231-235
Corneille, P., 268.
Cornu, J., 218
Corominas, J., 57, 78, 174, 303
Coronación de Luis, 202
Correa, G., 128, 303
Corte y el *PC*, 36, 58, 62-68
Cortes convocadas por Alfonso VI, 81, 82, 155, 156, 237, 238
Cortés y Vázquez, L., 202, 303
Cortesía como motivo social, 133, 134, 144, 158
Costa, J., 281
Covarrubias, S. de, 128
Credibilidad en el *PC*, 99-103, 146

Cristianismo, 87, 125, 226, 245, 246, 308, 314, 319, 320
    (*Véase* Religiosidad)
Crónica de Castilla, 131, 259
Crónica de 1344, 259
Crónica de Veinte Reyes, 107, 154, 185, 259, 260, 273
Crónica Najerense, 259
Crónica particular del Cid, 259, 266
Crónica rimada del Cid, 262
Crónica Toledana, 259,
Crónicas y el *PC*, 100, 195, 259-262, 302, 308, 322
Cronicón del Monasterio de Maillezais de Poitou, 88
Cruzada, 84
Cuervo, R. J., 281
Cultismos, 216
Curtius, E. R., 199

Chalon, L., 111, 131, 163, 185, 260, 261, 303-304
Chanson de Florence, 200
Chanson de Guillaume, 198
Chanson de Roland, 10, 65, 98, 99, 119, 141, 142, 150, 161, 198-200, 202, 212, 213, 255, 262, 289
Chaplin, M., 39, 197, 304
Chasca, E. de, 39, 54, 64, 88, 120, 145, 222, 223, 230, 232, 239, 241-244, 293, 304
Chiarini, G., 199, 219, 304
Chronica Adefonsi Imperatoris, 45

Damas-Hinard, J. S. A., 271, 275
Dante, 187
Darbord, B., 243, 293, 304
Derecho, relación con el, 77-82, 197, 307, 319, 320, 322
Descripción de batallas, 250
Destierro, 53, 54, 108, 124, 125, 302

Deveny, J. J., 132, 304
Deyermond, A., 15, 16, 114, 197, 202, 242, 262, 293, 304
Di Stefano, G., 122
Dialectalismo, 32, 210-214
Diálogo, 252-255
Díaz, Alvar, 155
Díaz, Froila, 185
Díaz Plaja, G., 282
Diez, F. Ch., 282
Diplomática documental, 60, 317
Dramatización, 248-256
Draskovic, V., 275
Duelos en Carrión, 156, 161, 230, 232, 238-240, 321
Duggan, J. J., 39, 200, 305
Dunn, P. N., 23, 91, 99, 305
Durán, A., 205
Durrant, M., 293
Dyer, N. A., 260, 305

-e paragógica, 223-224
Eclecticismo (postura crítica), 46
Economía y PC, 80, 81, 312
Edery, M., 72, 305
Ediciones del PC, 19, 209, 210, 270-272, 312, 313, 317, 318
Egido, A., 267, 305
El Taher Ahmad Makki, 275
Elpha, 197
Elvira, D.ª [Cristina], 121, 134, 136, 137, 161, 180
Eneas, 193
Enemigos cristianos del Cid, 154-161
Enrique, Conde don, 185
Épica medieval, 15, 16, 42, 43, 102, 186-188, 191, 192, 198-208, 256, 262, 263, 303-307, 312, 313, 315, 317, 318
Épica renacentista, 102, 266
Episodios, 183, 184, 231-241, 308
Epítetos, 119-122, 244, 307
Ercilla, Alonso de, 100
Escobar, J. de, 265, 305

Estlander, C. G., 275
Espadas en el PC, 128
España, 121, 124, 168, 169, 182, 183, 310-312, 318
Estética, interpretación, 276-279, 315
Estilo, 202, 208, 242-248, 322
Estrofa
   (Véase Serie estrófica)
Estructura del PC, 54, 55, 126, 202, 307, 313, 314, 316
Explicit del PC, 20

Fáñez, Alvar, 62, 65, 73, 81, 124, 125, 133, 137, 140-143, 147, 154, 155, 157, 160, 178, 199, 253, 254
Fáriz, 162
Faulhaber, Ch. B., 45, 305
Fecha del PC, 19-26, 216, 217, 310, 315, 316
Felipe IV, 268
Fernán González, 124
   (Véase Poema de Fernán González)
Fernández Flórez, D., 202
Fernando III, 263
Ficción, 88-94
Fijosdalgo, 147, 148
Fiorentino, L., 274
Floranes, R., 22, 42, 43, 305
Folklore, 35-38, 89, 159, 196-198, 203, 232, 233, 304, 306
Formulismo, 57, 212, 213, 233, 234, 241, 242, 246, 304, 305, 321
Fortitudo, 117-119, 150, 318
Fouques de Caudie, 200
Fradejas, J., 84, 97, 181, 245, 305
Francesas, influencias
   (Véase Influencias francesas)
Franco, F., 290
Frey, D., 278
Friederich, W. P., 268

Frontera, 85, 86, 98, 153, 154, 313
Frontino, 163, 195
Fuero Juzgo, 79
Fuero Real, 79
Fuero Viejo de Castilla, 79

Gala, A., 285
Galbis, I. R., 78, 305
Galmés, A., 119, 123, 203, 215, 287, 306
Galve, 162, 252
Gamallo Fierros, D., 281
Ganancia
   (*Véase* Honor-ganancia)
Gárate Córdoba, J. M.ª, 290
García, Galín, 146, 182, 185
García de Campos, D., 45
García Gómez, E., 166, 272, 306
García González, J., 78, 306
García Lorenzo, L., 267
Garci-Gómez, M., 56, 65, 167, 235, 236, 306
Garibay, E. de, 261
Gaya Nuño, J. A., 286
Generación del 98 y el *PC*, 280-284
Geografía, 103, 313
Gerli, E. M., 72, 306
Gesta como parte de la obra, 55, 183
Gesta Roderici, 194
Gies, D. T., 205
Gifford, D., 159, 197, 306
Gil, I. M., 279, 306
Gilman, S., 213, 306
Girart de Roussillon, 200
Goic, C., 272
Gómez Peláyez, 155
González, Asur, 82, 110, 143, 155, 156, 197, 230
González, Diego, 144, 159, 230, 236, 269
González, Ferrán [Fernando], 136, 143, 159, 230, 269
Gótico, arte... y el *PC*, 278

Gramática, 63-65, 313, 314, 318, 320, 321
   (*Véase* Primera persona, Verbos, Adjetivos, Sintaxis)
Grases, P., 271, 306
Green, O. H., 70, 268, 306
Gregorio VII, Papa, 71
Grieve, P. E., 127, 306
Guarner, L., 273
Guerra Civil española y el Cid, 289-291
Guerrieri, C., 130, 274, 307
Guías bibliográficas, 292, 293, 305
Gundisalvo, D., 45
Gustioz, Nuño, 143, 156, 165, 182, 230

Hagiografismo, 130, 137
Hall, R., 217, 307
Hallam, H., 270
Hämel, A., 199, 267, 307
Hamilton, R., 120, 244, 274, 307
Hart, T. R., 111, 158, 307
Harvey, L. P., 38, 219, 220, 307
Hattaway, R. L., 120, 307
Hempel, W., 171, 195, 307
Hércules, 90, 268
Hergueta, D., 130
Héroe del *PC*, 111-131, 139
Herslund, M., 200, 215, 307
Hinojosa, E. de, 78, 307
Historicidad, 88-99, 100, 112-114, 139-141, 146, 159, 259-261, 288, 289, 295, 303, 308-310, 319, 320, 322
Hjelmslev, L., 227
Homero, 263
Honor-ganancia, 128
Honra, 68, 122, 123, 128, 303, 304, 317
Hook, D., 78, 162, 236, 308
Horrent, J., 25, 103, 116, 129, 185, 193, 194, 199, 200, 202, 206, 222, 272, 275, 308
Huerta, E., 107, 279, 308

Humorismo, 144, 314, 321
(*Véase* Comicidad)
Huntington, A. M., 271, 274

Infanzón, El Cid como, 113, 114. 136
Influencias árabes, 119, 120, 123, 165, 166, 203, 204, 215, 216, 306, 311
Influencias francesas, 99, 121, 122, 141, 142, 150, 192, 198-203, 214, 215, 218, 219, 224, 230, 255, 299, 303, 305, 307, 308, 313, 316, 318-320
Influencias latinas clásicas, 163, 192, 194-196, 302
Influencias latinas medievales, 192-195, 319
Influencias germánicas, 197, 198, 312
Initio in medias res, 108
Interpretación del PC, 183, 210, 243
Ira regia, 24, 79, 109, 112, 115, 151, 169, 180
Isidoro de Sevilla, San, 88

Jaime I el Conquistador, 182
Janer, F., 271
Jerónimo, Obispo don, 71, 73, 75, 136, 149, 150, 151, 165, 199, 254
Jimena, 17, 34, 71, 72, 81, 116, 131-136, 143, 158, 165, 178, 185, 240, 285, 286
Jiménez de Ayllón, D., 102, 266
Juan Manuel, 51, 251, 263
Judíos, 167, 168, 231-233, 302, 306, 317, 319
Juglar-autor, 27, 28, 30-35, 37, 312, 314
Juglar-intérprete, 27, 30-35, 37, 39, 220, 237, 238, 249-256
Juglaría, 29-36, 39, 53, 58, 312
Jurídicos, aspectos, 234, 235, 238-240, 303, 305, 308, 309, 315

Kay, S., 309
Kirby, S. D., 78, 309
Kohler, E., 275
Kullmann, E., 134, 309
Kuhn, A., 272

Lacarra, J. M., 85, 309
Lacarra, M. E., 24, 66, 78-80, 96, 131, 139, 152, 160, 161, 165, 176, 177, 290, 309
La Chevalerie Ogier de Dane-marche, 200
Laín Entralgo, P., 283
Lambert da Fonseca, A., 275
Lambra, Doña, 132
Lange, W. D., 29, 45, 282, 309
Lapesa, R., 23, 44, 73, 95, 124, 211, 213, 215, 217, 223, 248, 290, 309-310
La prise de Cordres et de Se-bile, 200
La vie de Saint Alexis, 199
Laza Palacios, M., 45, 310
Leavitt, S. E., 267
Le Gentil, P., 45, 47, 310
Leo, U., 159, 310
León, episodio del, 235-236
León, Luis de, 267
León, M. T., 285, 310
León, Reino de, y el PC, 160, 161, 177, 178, 183
Lévi-Provençal, E., 167, 310
Léxico, 215, 216, 315, 320, 321
Leyendas, 60, 131, 151, 301
Libro, El PC como, 53, 54, 61
Libro de Alexandre, 32, 51, 55, 56, 173, 175, 207, 263
Libro de Apolonio, 51, 173, 174
Libro de los cien capítulos, 51
Li Gotti, E., 134, 310
Lida de Malkiel, M. R., 123, 310
Lida, R., 269
Lidforss, V. E., 271
Lingüística, 97, 126, 208-216, 296, 301, 304, 309
(*Véase* Gramática)
Lirismo y el PC, 145, 285

Lomax, D. W., 23, 310
Lopes Vieira, A., 275
López, A. L., 19
López Estrada, F., 107, 166, 167, 310-311
Lord, A. B., 38, 40, 57, 251, 311
Lorenz, E., 292, 311
Loveluck, J., 272
Lucano, 100, 101
Lukács, G., 186, 187

Llaguno y Amírola, E., 19
Llorar de los ojos, 199

Machado, A., 284, 285, 289
Machado, M., 152, 285, 291
Magnotta, M., 20, 22, 23, 25, 89, 192, 213, 217, 218, 259, 263, 271, 279, 293, 311
Mann, A., 286
Manrique de Lara, P., 165
Maravall, J. A., 183, 288, 311
Marcos Marín, F., 123, 203, 311
Mariana, J. de, 261
Marín, N., 65, 311
Markley, G., 274
Marquina, E., 285
Marrent, A., 273
Martin, G., 91, 292, 311-312
Martínez Burgos, M., 273
Mateo, Maestro, 71
Mateu, F., 23, 128, 312
Matrimonio en el PC, 137, 138, 301, 306
Mena, J. de, 265, 266
Menéndez Pelayo, M., 22, 89, 271, 281, 312
Menéndez Pidal, G., 286
Menéndez Pidal, R., 12, 15, 16, 18, 19, 23-25, 29-31, 33-36, 39, 42, 43, 45, 47, 48, 53, 54, 55, 61, 64, 73, 74, 84, 90, 93-96, 99, 100, 111-113, 115, 116, 119, 121, 128, 132, 134-136, 139, 141, 142, 146, 151, 152, 154, 155, 165, 166, 169-171, 173, 177, 181, 184, 185, 194, 195, 197-200, 204-212, 215, 217-219, 222, 259-261, 264, 265, 268, 271, 273, 280-291, 312-313
Merwin, W. S., 274
Mesnada del Cid, 139-149
Messía de la Cerda, R., 266
Michael, I., 19, 23, 103, 107, 117, 137, 171, 179, 181, 210, 229, 263, 272, 313
Mesura, 115, 142, 152, 192, 316
Métrica, 217-225, 296, 301, 304, 307, 314, 319
(*Véase* Verso...)
Milá y Fontanals, M., 271, 313
Miletich, J. S., 38, 40, 246, 255, 313
Minaya como nombre, 141, 142
Mio Cid (título), 114, 119, 120
Mito, 89-91, 99, 113, 301, 305, 313
Mocedades de Rodrigo, Gesta de las, 16
Mocedades de Rodrigo, Poema de las, 99, 113, 114, 143, 262, 304
Moctádir, 84
Modernismo y el PC, 284, 285
Modernizaciones del PC, 272-274, 311
Monasterios y el PC, 130, 131, 151, 193, 214, 309, 317
Moisés, 70
Molho, M., 54, 92, 170, 179, 202, 234, 313
Montgomery, T., 184, 208, 214, 231, 235, 246, 248, 313
Montoro, A. G., 204, 314
Morel-Fatio, A., 281
Moreno Báez, E., 34, 277, 314
Moro, amigo de paz, 164, 165
Moros en el PC, 83-88, 129, 153, 154, 161-167, 226, 301, 303
Moros y cristianos, como expresión, 161, 162
Morreale, M., 122
Morris, J., 314

Mujeres en el *PC*, 131-138, 302, 304, 310, 317, 320
(*Véanse* los nombres de los personajes femeninos)
Muñoz Cortés, M., 41, 123, 214, 314
Muñoz, Félez, 41, 138, 145, 243
Muñoz, M., 146, 182
Myers, O. T., 216, 314

Navarro Tomás, T., 218, 221, 291, 314
Naturaleza, 279, 315
Navarros en el *PC*, 184
Niña de Burgos, 151, 152
Nebrija, A. de, 174
Nelson, D. A., 175, 262, 263
Nelson, J. A., 56, 58, 314
Nepaulshing, C. I., 51, 76, 314
Neuschäfer, H. J., 275
Neuvonen, E. K., 216
Nobleza, 147, 149, 176, 177, 183-186
Northup, G. T., 57, 94, 314
Novelización, 61, 93, 94, 136, 141, 186-188, 243, 249, 256, 314
Nuevas, 55, 56
Números, 84, 244, 245
Numismática, 23, 24, 128, 312

Odisea, 124
Ojarra, 148
Oleza, J. de, 232, 314
Oliveros, 141
Oraciones en el *PC*, 48, 71, 72, 240, 306, 320
Oralismo, 24, 38-40, 200, 219, 220, 313
Orange, Guillaume d', 122
Oratoria, 192, 302
Ordo Commendationis Animae, 72
Ordóñez, Conde García, 61, 117, 136, 154, 155, 178
Orduna, G., 35, 54, 314
Ormsby, J., 274

Oroz, A., 240, 315
Orozco, E., 279, 315
Orson de Beauvois, 215

Paisaje, 279, 303, 306
Pardo, A., 107, 315
Parejas de personajes, 141, 146, 159
Parejas formulaicas
(*Véase* Binomios léxicos)
Paris, 193
Parise la duchesse, 201
Partes del *PC*, 53-56
Pascual Martín, A. M., 276, 315
Pattison, O., 217, 315
Pellen, R., 56, 211, 215, 315
Peregrinaciones, 206
Pérez de Urbel, J., 273
Perissinotto, G., 76, 315
Perry, J., 274
Personajes, 111-188, 302, 321
(Búsquense por los nombres respectivos)
Petriconi, H., 202
Piccus, J., 261, 315
Pidal, P. J., 282
Pidal y Bernaldo de Quirós, R., 19
Pierce, F., 266
Pirro, 193
Poblaciones amigas, 151-154
Poema, 57
Poema de Almería, 45, 95, 141
PC en el siglo XVI, 18, 265, 266, 303, 315
PC en el siglo XVII, 19
PC en el siglo XVIII, 19, 21, 22, 270
PC en el siglo XIX, 22, 270, 271
PC, en el siglo XX, 279-292, 316
PC y el lector moderno, 17, 18, 48, 316
PC en la Literatura, 16, 17
Poema de Fernán González, 263
Poeta de Medinaceli, 34, 135, 136, 141

Poeta de San Esteban de Gormaz, 34, 135, 152
Poética, 195, 201, 304, 308
Polaíno, L., 78, 81, 315
Políticos, aspectos, 84, 96, 142, 148, 168-182
Pollman, L., 57, 202, 315
Popularidad, 36, 58, 319
Porras, E., 226, 315
Prerrafaelismo y el *PC*, 284, 285
Primera Crónica General, 131, 178, 247, 259, 260, 270
Primera persona gramatical en el *PC*, 41, 123, 314
Primitivos y el *PC*, 284, 285, 310
Primo de Rivera, M., 287
Propaganda, El *PC* como, 97, 181, 245
Providencialismo, 75

Quevedo, F. de, 75, 268-270

Ramos Ortega, F., 268, 316
Ramsdem, H., 230, 316
Raoul de Cambrai, 201
Raquel y Vidas, 167, 197, 232, 233
Realismo, 100-102, 302, 317
Recitación del *PC*
  (*Véase* Interpretación del *PC*)
Reconquista, 76, 77, 315
Religiosidad, 69-77, 81, 129, 130, 137, 138, 149-151, 321
  (*Véase* Cristianismo)
Remond, Conde don, 185
Remont Verengel [Berenguer Ramón II]
  (*Véase* Conde de Barcelona)
Restori, A., 271
Retórica, 115, 117, 142, 192, 245, 246, 305, 309, 319, 321
Reyes, A., 272, 288
Riaño Rodríguez, T., 44, 316

Richthofen, E. von, 25, 53, 55, 119, 141, 200, 316
Rima, efectos de la posición en, 179, 222-225
Rima interna, 222-223
Riquer, M. de, 65, 121, 198, 210, 240, 255, 316
Riquezas, 68
Rodríguez Puértolas, J., 169, 292, 316
Romancero, 35, 115, 122, 167, 205, 214, 246, 263-265, 267, 269, 270, 303, 305, 309, 311, 312, 322
Románico, arte... y el *PC*, 71, 276-278, 294, 314
Roncesvalles, Poema de, 206
Rose, R. S., 274
Rubio, L., 93, 128, 292, 317
Ruiz de Ulibarri y Leiva, J., 18, 19, 170
Ruiz, J. Arcipreste de Hita, 16, 174, 281
Russell, P. E., 23, 46, 60, 72, 103, 130, 151, 164, 214, 317
Rychner, J., 251, 317

Saint-Albin, E. de, 275
Salinas, P., 128, 133, 272, 288, 317
Salustio, 195
Salvador Martínez, H., 56, 141, 142, 317
Salvador Miguel, N., 167, 317
Salvadórez, Álvar, 146
Sánchez, T. A., 19, 20, 22, 270, 317
Sánchez, R., Infante de Navarra, 134
Sánchez Albornoz, C., 114, 318
Sánchez Ladero, L., 272
Sancho, Abad don, 72, 76, 151
Sancho II de Castilla, 177
Sancho III de Castilla, 23, 34
Sancho IV de Navarra, 131
Sandoval, Prudencio de, 19, 157, 261, 318

Sanz y Ruiz de la Peña, N., 290
Saussol, J. M., 214, 318
Sapientia, 77, 117-119, 150, 318
Schafler, N., 117, 318
Schlegel, F., 270
Schürr, F., 278
Schweizer, U., 200, 213, 318
Sellos, 23
Señor-vasallo, relación (*Véase* Vasallo-Señor, relación)
Serie estrófica, 222-225
Serrano Castilla, F., 76, 318
Serwood, M., 274
Siciliano, J., 47, 94, 318
Sicología en los personajes, 159, 179, 186-188, 301, 310
Simbología, 92, 179
Simenón, Iñigo, 148
Simón Díaz, J., 293, 318
Simpson, L. B., 274
Sintaxis, 246-248
Smirnov, A. A., 275
Smith, C., 23, 44, 60, 78, 94, 111, 135, 137, 142, 159, 171, 172, 178, 195, 199, 201, 202, 207, 209, 214, 224, 243, 255, 256, 259, 262, 265, 271, 272, 290, 318-319
Socarrás, C. J., 149, 319
Sociales, aspectos, 114, 139, 144, 145, 168-182, 291, 292, 302, 311, 316
Sol, D.ª [María], 121, 134, 136, 137, 180
Sola Solé, J. M., 167, 319
Southey, R., 270
Spitzer, L., 64, 93, 129, 130, 319
Sponsler, L. A., 132, 320
Stanley, M. P., 154, 320
Strausser, M. J., 217, 320
Sutton, D., 293, 320

Tácito, 67, 198
Talens, J., 72, 320

Tamín, 163, 166
Teatralidad (*Véanse* Dramatización y Teatro)
Teatro, El Ci,d en el, 267, 268, 285, 286
Téllez, D., 146
Tercera Crónica General, 259
Terlingen, J., 76, 241, 320
Testena, F., 274
Thomov, T. S., 200, 320
Thompson, B. B., 116, 320
Ticknor, G., 271
Tizón (espada), 128
Tradición, 26, 45-47, 204-208, 234, 305, 309, 310
Traducciones, 274-276, 308
Turpín, obispo, 150, 199

Ubieto, A., 44, 73, 94, 95, 134, 141, 145, 148, 152, 162, 170, 211, 320
Uldall, H. J., 227
Ulises, 124
Unamuno, M. de, 280, 320
Unidad del *PC*, 51-53, 57, 216, 217
Uriarti, L. N., 232, 321

Valbuena Prat, A., 276, 321
Vàrvaro, A., 141, 321
Vasallo-señor, relación, 62-68, 116, 117, 149, 169, 226, 310, 311, 319
Vega Garci-Luengos, G., 214, 321
Vega, Lope de, 101
Ventura, 196
Verbo, 200, 212-214, 229, 230, 306, 318
Verbo *dicendi*, 253-256
Verismo, 99-103
Verso, 127, 217-222, 243, 307
Verso 20, 63-68, 301, 303
Versos 15-20, 170-176
Versos 330-365 (*Véase* Oraciones)

Verso 508, 116, 117, 301
Versos iniciales perdidos, 58, 59, 107, 108, 308, 314, 315
Vidas
  (*Véase* Raquel y Vidas)
Vocativos, 127
Volmöller, K., 271
Voyage de Charlemagne, 198

Walker, R. M., 67, 137, 159, 200, 239, 321
Walsh, J. K., 76, 137, 230, 239, 321
Waltman, F. M., 57, 126, 215, 216, 243, 321
Warren, A., 92
Webber, R. H., 120, 205, 244, 264, 265, 322

Wellek, R., 92
West, G., 184, 194, 322
Wilbern, G., 274
Willis, R. S., 262, 322
Wilkon, J., 275
Wolf, F., 205, 263, 271, 282

Yuçef o Yuçuf, 163, 181, 245
Yugoeslavos intérpretes
  (*Véase* Cantores yugoeslavos)

Zahareas, A., 81, 322
Zamora Vicente, A., 263
Zavala, I. M., 292
Zumthor, P., 222
Zurita, Jerónimo de, 261

ÍNDICE GENERAL

INTRODUCCIÓN 9

1. EL CÓDICE DEL *POEMA DEL CID*

   Problemas sobre la fechación y el autor. Tradicionalistas, oralistas, individualistas y eclécticos 13
   1.1. *En un principio, siempre el códice* 15
   1.2. *Fecha del PC* 19
   1.3. *La problemática de fondo* 26
   1.4. *Los juglares en relación con el origen del* PC ... 29
   1.5. *El sustrato folklórico* 35
   1.6. *La teoría oralista* 38
   1.7. *La teoría del autor clerical o culto* 40
   1.8. *Tradicionalistas, oralistas e individualistas* ... 45

2. UNIDAD Y COMPOSICIÓN DEL CONTENIDO
   DEL *POEMA DEL CID*

   Historia y ficción 49
   2.1. *Unidad y partes en la composición del* PC ... 51
   2.2. *La línea del argumento: sus dos orientaciones básicas* 58
   2.3. *Los resortes cortesanos: la relación señor-vasallo* 62
   2.4. *El discutido verso 20 del* PC *y la cortesía* 63
   2.5. *La religiosidad como elemento integrador del conjunto del* PC 69
   2.6. *La concepción jurídica de la obra* 77

   2.7. *La realidad histórica de los moros y su presencia en el* PC: *el espíritu de frontera* 83
   2.8. *Mito, historia y ficción en el* PC 88
   2.9. *Las raíces históricas del* PC 94

2.10. *La cuestión del verismo de la épica española: la credibilidad en el* PC   99

3. LOS PERSONAJES DEL *POEMA DEL CID* Y SU CARACTERIZACIÓN LITERARIA   105

    3.1. *El argumento*   107
    3.2. *El héroe, Rodrigo Díaz de Vivar*   111
    3.3. *Caracterización poética del Cid*   119
    3.4. *La familia del héroe, doña Jimena*   131
    3.5. *Las hijas del Cid*   134
    3.6. *Los vasallos del Cid*   139
    3.7. *La nobleza favorable a Rodrigo*   147
    3.8. *Los personajes religiosos*   149
    3.9. *Las poblaciones amigas*   151
    3.10. *El bando de los enemigos cristianos*   154
    3.11. *Los Infantes de Carrión*   157
    3.12. *Los personajes moros*   161
    3.13. *Los personajes judíos*   167
    3.14. *El Rey Alfonso VI y su Corte: política y socie- dad en el Poema*   168
    3.15. *Los nobles y señores de los otros Reinos his- pánicos y ultrapirenaicos*   183
    3.16. *La matizada sicología de los personajes*   186

4. CONFIGURACIÓN LITERARIA DEL *POEMA DEL CID*

Precedentes, influjos, lengua, versificación, poética y estilo   189
    4.1. *Causas de la peculiar configuración literaria del* PC: *su contexto y precedentes*   191
    4.2. *El PC y la literatura latina antigua y medieval.*   192
    4.3. *La aportación folklórica*   196
    4.4. *La influencia germánica*   197

    4.5. *Los poemas épicos franceses y el* PC   198
    4.6. *La épica árabe y la española*   203

4.7. El PC en el conjunto de la épica medieval española   204
4.8. La lengua del PC   208
4.9. Métrica y disposición estrófica   217
4.10. La base binaria en el fundamento del desarrollo estructural del PC   225
4.11. Desarrollo de la acción épica   227
4.12. Implicaciones divergentes de la acción: los episodios cómicos   231
4.13. El episodio de las Cortes   237
4.14. El episodio de los duelos de Carrión   238
4.15. Otros episodios   240
4.16. El formulismo épico   241
4.17. Configuración del sintagma poético: el estilo épico   242
4.18. Poesía oral, dramatización, acompañamiento de la música y condición juglaresca del PC ...   248

5. POSTERIDAD DEL POEMA DEL CID
Crónicas históricas, erudición e historia de la Literatura. Actualidad del Poema del Cid. Valoración estética. Bibliografía   257
5.1. El PC y las Crónicas   259
5.2. El PC ingresa en la historia de la Literatura.   262
5.3. Modernizaciones   272
5.4. Traducciones   274
5.5. Reconocimiento de la condición estética del PC   276
5.6. El PC en el pensamiento español del siglo XX   279
5.7. Guías bibliográficas   292
5.8. Final   293

BIBLIOGRAFÍA   299

ÍNDICE DE AUTORES, PERSONAJES DEL POEMA DEL CID Y MATERIAS TRATADAS   323

ÍNDICE GENERAL   335

ÍNDICE DE LÁMINAS   339

ÍNDICE DE LÁMINAS

Entre págs.

El Cid Campeador, por Anna Hyatt Huntington, 1927.   94-95

El Cid Campeador, por Juan Cristóbal. Puente de San Pablo, Burgos   94-95

Página del *Poema del Cid*. Manuscrito único (Biblioteca Nacional)   220-221

Mapa de la península ibérica, 1091-1092   297-299

Mapa de las rutas cidianas   297-299

LITERATURA Y SOCIEDAD

TÍTULOS PUBLICADOS

1 / Emilio Alarcos, Manuel Alvar, Andrés Amorós, Francisco Ayala, Mariano Baquero Goyanes, José Manuel Blecua, Carlos Bousoño, Eugenio Bustos, Alfredo Carballo, Helio Carpintero, Elena Catena, Pedro Laín, Rafael Lapesa, Fernando Lázaro, Carreter, Francisco López Estrada, Eduardo Martínez de Pisón, Marina Mayoral, Gregorio Salvador, Manuel Seco, Gonzalo Sobejano y Alonso Zamora Vicente

EL COMENTARIO DE TEXTOS
(Tercera edición)

2 / Andrés Amorós

VIDA Y LITERATURA EN «TROTERAS Y DANZADERAS»
Premio Nacional de Crítica Literaria «Emilia Pardo Bazán», 1973

3 / J. Alazraki, E. M. Aldrich, E. Anderson Imbert, J. Arrom, J. J. Callan, J. Campos, J. Deredita, M. Durán, J. Durán-Cerda, E. G. González, L. L. Leal, G. R. McMurray, S. Menton, M. Morello-Frosch, A. Muñoz, J. Ortega, R. Peel, E. Pupo-Walker, R. Reeve, H. Rodríguez-Alcalá, E. Rodríguez Monegal, A. E. Severino, D. Yates

EL CUENTO HISPANOAMERICANO ANTE LA CRÍTICA

4 / José María Martínez Cachero

LA NOVELA ESPAÑOLA ENTRE 1939 Y 1969 (Historia de una aventura)

5 / Andrés Amorós, René Andioc, Max Aub, Antonio Buero Vallejo, Jean-François Botrel, José Luis Cano, Gabriel Celaya, Maxime Chevalier, Alfonso Grosso, José Carlos Mainer, Rafael Pérez de la Dehesa, Serge Salaün, Noël Salomon, Jean Sentaurens y Francisco Ynduráin

CREACIÓN Y PÚBLICO EN LA LITERATURA ESPAÑOLA

6 / Vicente Lloréns

ASPECTOS SOCIALES DE LA LITERATURA ESPAÑOLA

7 / Aurora de Albornoz, Manuel Criado de Val, José María Jover, Emilio Lorenzo, Julián Marías, José María Martínez Cachero, Enrique Moreno Báez, María del Pilar Palomo, Ricardo Senabre y José Luis Varela

EL COMENTARIO DE TEXTOS, 2 (De Galdós a García Márquez)

8 / José María Martínez Cachero, Joaquín Marco, José Monleón, José Luis Abellán, Jesús Bustos, Andrés Amorós, Pedro Gimferrer, Xesús Alonso Montero, Jorge Campos, Antonio Núñez, Luciano García Lorenzo. Apéndices documentales: Premios literarios

EL AÑO LITERARIO ESPAÑOL 1974

9 / Robert Escarpit

ESCRITURA Y COMUNICACIÓN

10 / José Carlos Mainer

ANÁLISIS DE UNA INSATISFACCIÓN: LAS NOVELAS DE W. FERNÁNDEZ FLÓREZ

11 / José Luis Abellán, Xesús Alonso Montero, Ricardo de la Cierva, Pere Gimferrer, Joaquín Marco, José María Martínez Cachero, José Monleón. Apéndices documentales: Premios literarios y Encuesta

EL AÑO LITERARIO ESPAÑOL 1975

12 / Darío Villanueva, Joaquín Marco, José Monleón, José Luis Abellán, Andrés Berlanga, Pere Gimferrer, Xesús Alonso Montero. Apéndices documentales: Premios literarios

EL AÑO LITERARIO ESPAÑOL 1976

13 / Miguel Herrero García

OFICIOS POPULARES EN LA SOCIEDAD DE LOPE

14 / Andrés Amorós, Marina Mayoral y Francisco Nieva

ANÁLISIS DE CINCO COMEDIAS
(Teatro español de la postguerra)

15 / Margit Frenk Alatorre

ESTUDIOS SOBRE LÍRICA ANTIGUA

16 / María Rosa Lida de Malkiel

HERODES: SU PERSONA, REINADO Y DINASTÍA

17 / Juan Cano Ballesta, Antonio Buero Vallejo, Manuel Durán, Gabriel Berns, Robert Marrast, Javier Herrero, Marina Mayoral, Florence Delay, Luis Felipe Vivanco, Marie Chevallier y Serge Salaün

EN TORNO A MIGUEL HERNÁNDEZ

18 / Xesús Alonso Montero, Andrés Berlanga, Xavier Fábregas, Pere Gimferrer, Joaquín Marco, José Monleón y Darío Villanueva

EL AÑO LITERARIO ESPAÑOL 1977

19 / Xesús Alonso Montero, Andrés Amorós, Andrés Berlanga, Xavier Fábregas, Joaquín Marco, José Monleón, Jaume Pont, Xavier Tusell y Darío Villanueva

EL AÑO LITERARIO ESPAÑOL 1978

20 / José María Martínez Cachero

HISTORIA DE LA NOVELA ESPAÑOLA
ENTRE 1936 Y 1975

21 / Andrés Amorós, Mariano Baquero Goyanes, Laureano Bonet, Angel Raimundo Fernández, Ricardo Gullón, José María Martínez Cachero, Marina Mayoral, Julio Rodríguez Luis y Gonzalo Sobejano

EL COMENTARIO DE TEXTOS, 3 (La Novela Realista)

22 / Andrés Amorós

INTRODUCCIÓN A LA LITERATURA

23 / Vicente Lloréns
LIBERALES Y ROMÁNTICOS

24 / José Luis Abellán, Xesús Alonso Montero, Andrés Amorós, Andrés Berlanga, José María Castellet, Xavier Fábregas, Julián Gállego, José Luis Guarner, Raúl Guerra Garrido, Joaquín Marco, Tomás Marco, José Monleón, Jaume Pont, José María Vaz de Soto y Darío Villanueva.
EL AÑO CULTURAL ESPAÑOL 1979

25 / Leda Schiavo
HISTORIA Y NOVELA EN VALLE-INCLÁN. PARA LEER «EL RUEDO IBÉRICO»

26 / Ramón Pérez de Ayala
50 AÑOS DE CARTAS ÍNTIMAS 1904-1956. A SU AMIGO MIGUEL RODRÍGUEZ-ACOSTA
Edición y Prólogo de Andrés Amorós

27 / Andrés Amorós, Ricardo Bellveser, Juan Cueto, Xavier Fábregas, Fernando G. Delgado, Raúl Guerra Garrido, Eduardo Haro Tecglen, Jaume Pont, Fanny Rubio, Jorge Urrutia y Darío Villanueva.
EL AÑO LITERARIO ESPAÑOL 1980

28 / Víctor G. de la Concha
NUEVA LECTURA DEL LAZARILLO

29 / Rodolfo Cardona y Anthony N. Zahareas
VISIÓN DEL ESPERPENTO. TEORÍA Y PRÁCTICA EN LOS ESPERPENTOS DE VALLE-INCLÁN

30 / Francisco López Estrada
PANORAMA CRÍTICO SOBRE EL «POEMA DEL CID»

31 / Emilio Alarcos Llorach
ANATOMÍA DE «LA LUCHA POR LA VIDA»
(y otras divagaciones)

ÚLTIMOS TÍTULOS PUBLICADOS

93 / José María de Pereda
LA PUCHERA
Edición, introducción y notas
de Laureano Bonet.

94 / Marqués de Santillana
POESÍAS COMPLETAS.
Tomo II
Edición, introducción y notas
de Manuel Durán.

95 / Fernán Caballero
LA GAVIOTA
Edición, introducción y notas
de Carmen Bravo-Villasante.

96 / Gonzalo de Berceo
SIGNOS QUE APARECERÁN
ANTES DEL JUICIO FINAL.
DUELO DE LA VIRGEN.
MARTIRIO DE SAN LO-
RENZO
Edición, introducción y notas
de Arturo Ramoneda.

97 / Sebastián de Horozco
REPRESENTACIONES
Edición, introducción y notas
de F. González Ollé.

98 / Diego de San Pedro
PASIÓN TROVADA. POE-
SÍAS MENORES. DESPRE-
CIO DE LA FORTUNA
Edición, introducción y notas
de Keith Whinnom y Dorothy
S. Severin.

99 / Ausias March
OBRA POÉTICA COMPLETA.
Tomo I
Edición, introducción y notas
de Rafael Ferreres.

100 / Ausias March
OBRA POÉTICA COMPLETA.
Tomo II
Edición, introducción y notas
de Rafael Ferreres.

101 / Luis de Góngora
LETRILLAS
Edición, introducción y notas
de Robert Jammes.

102 / Lope de Vega
LA DOROTEA
Edición, introducción y notas
de Edwin S. Morby.

103 / Ramón Pérez de Ayala
TIGRE JUAN
Y EL CURANDERO
DE SU HONRA
Edición, introducción y notas
de Andrés Amorós.

104 / Lope de Vega
LÍRICA
Selección, introducción y no-
tas de José Manuel Blecua.

105 / Miguel de Cervantes
POESÍAS COMPLETAS, II
Edición, introducción y notas
de Vicente Gaos.

106 / Dionisio Ridruejo
CUADERNOS DE RUSIA.
EN LA SOLEDAD
DEL TIEMPO.
CANCIONERO EN RONDA.
ELEGÍAS
Edición, introducción y notas
de Manuel A. Penella.

107 / Gonzalo de Berceo
POEMA DE SANTA ORIA
Edición, introducción y notas
de Isabel Uría Maqua.

108 / Juan Meléndez Valdés
POESÍAS
Edición, introducción y notas
de J. H. R. Polt y Georges
Demerson.

109 / Diego Duque de Estrada
COMENTARIOS
Edición, introducción y notas
de Henry Ettinghausen.

110 / Leopoldo Alas, Clarín
LA REGENTA, I
Edición, introducción y notas
de Gonzalo Sobejano.

111 / Leopoldo Alas, Clarín
LA REGENTA, II
Edición, introducción y notas
de Gonzalo Sobejano.

112 / P. Calderón de la Barca
EL MÉDICO DE SU HONRA
Edición, introducción y notas
de D. W. Cruickshank.

113 / Francisco de Quevedo
OBRAS FESTIVAS
Edición, introducción y notas
de Pablo Jauralde.

114 / POESÍA CRÍTICA
Y SATÍRICA DEL SIGLO XV
Selección, edición, introducción y notas de Julio Rodríguez-Puértolas.

115 / EL LIBRO
DEL CABALLERO ZIFAR
Edición, introducción y notas
de Joaquín González Muela.

116 / P. Calderón de la Barca
ENTREMESES, JÁCARAS
Y MOJIGANGAS
Edición, introducción y notas
de E. Rodríguez y A. Tordera.

117 / Sor Juana Inés
de la Cruz
INUNDACIÓN CASTÁLIDA
Edición, introducción y notas
de Georgina Sabat de Rivers.

118 / José Cadalso
SOLAYA
O LOS CIRCASIANOS
Edición, introducción y notas
de F. Aguilar Piñal.

119 / P. Calderón de la Barca
LA CISMA DE INGLATERRA
Edición, introducción y notas
de F. Ruiz Ramón.

120 / Miguel de Cervantes
NOVELAS EJEMPLARES, I
Edición, introducción y notas
de J. B. Avalle-Arce.

121 / Miguel de Cervantes
NOVELAS EJEMPLARES, II
Edición, introducción y notas
de J. B. Avalle-Arce.

122 / Miguel de Cervantes
NOVELAS EJEMPLARES, III
Edición, introducción y notas
de J. B. Avalle-Arce.

123 / POESÍA DE LA EDAD
DE ORO I. RENACIMIENTO
Edición, introducción y notas
de José Manuel Blecua.

124 / Ramón de la Cruz
SAINETES, I
Edición, introducción y notas
de John Dowling.